Une libertine en Nouvelle-France
de Sylvie Ouellette
est le sept cent quatre-vingt-sixième ouvrage
publié chez
VLB ÉDITEUR.

La collection « Roman érotique »
est dirigée par Jean-Yves Soucy.

D1417078

VLB éditeur bénéficie du soutien de la Société de développement des entreprises culturelles du Québec (SODEC) pour son programme d'édition.

Gouvernement du Québec – Programme de crédit d'impôt pour l'édition de livres – Gestion SODEC.

Nous reconnaissons l'aide financière du gouvernement du Canada par l'entremise du Programme d'aide au développement de l'industrie de l'édition (PADIÉ) pour nos activités d'édition.

Nous remercions le Conseil des Arts du Canada de l'aide accordée à notre programme de publication.

UNE LIBERTINE
EN NOUVELLE-FRANCE

Sylvie Ouellette

UNE LIBERTINE EN NOUVELLE-FRANCE

Traduit de l'anglais (Grande-Bretagne)
par Michel Saint-Germain

vlb éditeur

VLB ÉDITEUR
Une division du groupe Ville-Marie Littérature
1010, rue de La Gauchetière Est
Montréal (Québec) H2L 2N5
Tél.: (514) 523-1182
Téléc.: (514) 282-7530
Courriel: vml@sogides.com

Maquette de la couverture: Nicole Morin
Illustration de la couverture: Étienne Tournes (1857-1931), *Woman Arranging her Hair*, 1903
© Bridgeman Art Library

Données de catalogage avant publication de Bibliothèque et Archives Canada

Ouellette, Sylvie, 1964-
    [King's girl. Français]
    Une libertine en Nouvelle-France
    (Roman)
    Traduction de: The king's girl.
    ISBN 2-89005-869-7
    I. Saint-Germain, Michel. II. Titre. III. Titre: King's girl. Français.

PS8579.U427K5614 2005   C813'.54   C2004-941850-5
PS9579.U427K5614 2005

DISTRIBUTEURS EXCLUSIFS:

* Pour le Québec, le Canada
  et les États-Unis:
  LES MESSAGERIES ADP*
  955, rue Amherst
  Montréal (Québec) H2L 3K4
  Tél.: (514) 523-1182
  Téléc.: (514) 939-0406
  *Filiale de Sogides ltée

* Pour la Belgique et la France:
  Librairie du Québec / DNM
  30, rue Gay-Lussac
  75005 Paris
  Tél.: 01 43 54 49 02
  Téléc.: 01 43 54 39 15
  Courriel: liquebec@noos.fr
  Site Internet: www.quebec.libriszone.com

* Pour la Suisse:
  TRANSAT SA
  C. P. 3625
  1211 Genève 3
  Tél.: 022 342 77 40
  Téléc.: 022 343 46 46
  Courriel: transat-diff@slatkine.com

Pour en savoir davantage sur nos publications,
visitez notre site: **www.edvlb.com**
Autres sites à visiter: www.edhomme.com • www.edtypo.com
• www.edjour.com • www.edhexagone.com • www.edutilis.com

Édition originale:
© Sylvie Ouellette, *The King's Girl*, Londres, Black Lace, 1996.

© VLB ÉDITEUR et Sylvie Ouellette, 2005
Dépôt légal: 1er trimestre 2005
Bibliothèque nationale du Québec
Bibliothèque nationale du Canada
Tous droits réservés pour tous pays
ISBN 2-89005-869-7

AVANT-PROPOS

L'épisode des « filles du roy » a marqué un point tournant dans l'histoire de ce jeune pays qui allait devenir le Canada. De 1665 à 1671, plus de 950 femmes de 12 à 37 ans quittèrent la France pour aller y épouser des colons. L'effort en valut la peine : la population de la Nouvelle-France passa de 3000 en 1663 à environ 6000 en 1672.

La plupart de ces jeunes femmes étaient des orphelines et des pupilles du roi, mais un bon nombre d'entre elles étaient veuves, et certaines arrivaient même avec des enfants. Déjà, à l'époque, des rumeurs couraient sur leur passé et leur mauvaise réputation les précédait. On comprend facilement leurs raisons d'entreprendre la difficile traversée de trois mois. Les temps étaient durs en France depuis la guerre de Trente Ans. Louis XIV promettait du bétail, de l'argent et des terres à tous ceux qui choisissaient d'aller aux colonies. Et de nombreux jeunes hommes voulaient quitter la France pour des raisons personnelles, souvent pour échapper à la loi, aux créanciers ou à la conscription.

Avec les filles du roy arrivèrent les dernières livraisons de bestiaux et de matières premières. Dès lors, la colonie devenue autosuffisante se développa rapidement.

D'après la plupart des livres d'histoire, on émigrait au Canada non seulement pour cultiver les terres, mais aussi pour évangéliser les indigènes. En réalité, la Couronne favorisa sans doute davantage l'émigration pour rivaliser avec les Britanniques qui voulaient leur part du continent nord-américain. Les hommes célibataires et les couples sans enfants étaient pénalisés par des taxes supplémentaires, tandis que l'Église faisait de son mieux pour encourager tout son monde à faire beaucoup d'enfants, une politique qui se poursuivit jusqu'au milieu du XXe siècle.

Le premier ancêtre de Sylvie Ouellette à s'établir au Canada, le Parisien René Houallet, s'embarqua à Dieppe en 1663. Il avait 24 ans. En mars 1666, il épousa une fille du roy, Anne Rivet, arrivée quelques mois plus tôt. Ils s'établirent près de Québec et eurent trois fils. Après la mort de son épouse, René Houallet se remaria et eut sept autres enfants. La famille déménagea près de la rivière Ouelle, d'où le changement de nom qui s'imposa au fil du temps.

L'histoire de Laure Lapierre, notre fille du roy, est entièrement fictive, comme tous les autres personnages de ce roman.

PREMIÈRE PARTIE

L'Ancien Monde

CHAPITRE PREMIER

Une branche de laurier doucement ballottée par le vent frôla le visage de Laure. Elle l'écarta avec nonchalance et se pencha vers les buissons. Au-dessus des arbres, le pâle soleil d'après-midi perçait à peine la brume de cette journée chaude et humide. Au loin, le grondement du tonnerre semblait se rapprocher avec insistance. Dans le corps insatiable de Laure, une autre sorte d'orage menaçait.

Ses émotions se jouaient sur une large gamme ; elle connaissait l'excitation, la jouissance anticipée et même l'inquiétude. Aujourd'hui, elle avait décidé de perdre sa virginité. Elle n'avait donc qu'à attendre l'homme qui la lui prendrait.

De sa cachette, elle avait une vue parfaite de l'étroit ruisseau où René viendrait bientôt se laver. Chaque jour, depuis des semaines, Laure s'était donné pour rituel d'épier sa proie, le garçon d'écurie. En fait, elle s'était si souvent cachée derrière ces buissons que l'empreinte de ses pieds demeurait gravée dans le sol.

Tout le jour, tous les jours, elle attendait ce moment. Et elle n'était jamais déçue. Mais aujourd'hui elle refusait de rentrer chez elle en silence, comme à l'habitude. Elle allait rester pour le séduire.

Dans son esprit, le succès était assuré. À en juger par les compliments de tous les jeunes hommes qui lui avaient demandé sa main, Laure se savait dotée de ce qu'on appelle la « beauté du diable ».

Sa silhouette toute en courbes étalait sa nature sensuelle et ardente, et elle se délectait des regards silencieux mais directs des hommes qu'elle croisait. Quel que fût son habillement, ses vêtements la gênaient toujours. Sa peau se languissait de liberté. Pour elle, le bonheur, c'était la nudité, ou presque.

Lorsqu'elle était enfant, personne ne sourcillait en la voyant sautiller, vêtue d'une seule chemise usée, pour chasser les papillons dans la cour du château de Reyval. Ces dernières années, toutefois, la femme qu'elle était devenue se faisait rappeler de s'écarter des regards insistants si elle avait le malheur d'entrouvrir son corsage en public. Le reste du temps, Laure, coquine, remontait sa jupe au-dessus de ses mollets et laissait son corsage béant quand ses seins généreux tentaient d'en forcer l'ouverture. Tout l'été, elle marchait même pieds nus, incapable de tolérer quoi que ce fût entre la plante de ses pieds et la terre chaude et poudreuse.

Des mèches rebelles persistaient à dépasser de sous son bonnet, quand elle se donnait la peine d'en porter un. Elle préférait laisser ses boucles cascader librement sur ses épaules. Sa longue chevelure brun foncé ressemblait tout à fait à celle de sa défunte mère, et faisait souvent monter des larmes aux yeux de son père. Cependant les autres n'y voyaient qu'une raison de plus de la mépriser.

Juliette, la gouvernante, ne manquait jamais une occasion de sermonner Laure sur sa tenue négligée. Mais les paroles de cette femme avaient peu d'effet sur la jeune fille qui, ayant grandi parmi le personnel du château, se moquait de l'autorité. Presque tout ce monde l'avait connue enfant et, au fil des ans, Laure avait appris qu'elle pouvait faire à sa guise. Son père, Roland Lapierre, était le forgeron du château, tout comme son propre père avant lui. Les employés le respectaient, certains le craignaient même, et Laure en prenait avantage aussi souvent qu'elle le pouvait.

Quelques mois plus tôt, toutefois, ses jours d'insouciance avaient quasiment pris fin lorsqu'elle s'était mise à travailler aux cuisines. Ce n'était pas de son plein gré. En fait, elle avait pesté avec véhémence. Mais elle n'avait guère le choix: les maigres gages de son père fondaient devant l'appétit vorace de sa fille. Car Laure Lapierre goûtait la vie et savourait pleinement tout ce qu'elle avait à offrir.

À présent, le vieil homme arrivait à peine à assurer leurs besoins. Il devait payer le loyer de la maisonnette où ils habitaient, car il refusait de laisser sa fille partager les quartiers des domestiques. Tant qu'il serait là, Laure aurait sa place à elle. Pour l'instant, du moins, son travail à la cuisine lui permettait d'être nourrie aux frais des maîtres.

Son père semblait parfois désireux de la marier. Il lui était devenu difficile de garder l'œil sur elle, maintenant qu'elle était une femme. De jeunes effrontés prenaient de plus en plus de libertés avec sa fille: il avait surpris plusieurs baisers volés et même, parfois, une main furtive caressant ses hanches pleines.

Pourtant, chaque fois qu'on lui demandait la main de Laure, il refusait. Bien qu'il ne fût qu'un simple forgeron, personne, à ses yeux, n'était digne de son trésor, sa belle Laure. L'homme qui s'en emparerait devrait être plus qu'un valet ou un garçon de ferme ; il devrait être assez riche pour gâter Laure comme elle en avait l'habitude.

Au fil du temps, la jeune femme ne devint que plus impatiente d'apaiser ce désir qui la consumait depuis l'épanouissement de sa beauté. Des doigts effleurant sa joue lui faisaient mollir les genoux, et les baisers audacieux la rendaient encore plus fébrile.

Elle savait comment son corps réagissait sous ses propres doigts ; elle était devenue avide du chaud et lancinant plaisir qu'elle pouvait se donner. Mais, à présent, elle désirait plus que des caresses solitaires. Elle avait soif d'un contact intime, de l'étreinte des bras d'un homme ; sa peau brûlait de recevoir le toucher apaisant d'un corps enfiévré. Elle ne voulait plus attendre. Mariage ou non, le temps était venu, et elle avait choisi son premier amant.

René n'était qu'un garçon d'écurie, mais il avait le corps d'un dieu, avec des bras forts et des épaules carrées. Ses cheveux étaient couleur de paille, ses yeux du bleu le plus clair. Travailleur et en santé, il gardait une démarche sensuelle. Son corps, robuste, grand et bien dessiné, était de toute évidence bâti pour des étreintes sauvages et passionnées.

Tout, dans leur apparence, semblait les opposer. Il avait des cheveux aussi fins et pâles que les siens étaient épais et foncés. Sa peau rude et hâlée contrastait fortement avec son teint à elle, doux et laiteux. Ses lèvres, charnues et sensuelles, offraient souvent le plus cruel des sourires, tandis que la bouche de Laure était un brasier affamé qui ne pouvait donner que du plaisir et de la joie. Leur complémentarité faisait d'eux un couple parfait, croyait Laure.

René n'était arrivé au château que depuis quelques semaines. Laure ne savait rien de lui, sinon que son corps était de loin le plus attirant qu'elle ait jamais vu. Ils avaient à peine échangé un mot. Il travaillait à l'écurie, où elle n'avait pas grand-chose à faire.

Elle avait tout de même réussi à attirer son regard. Le reste lui importait peu, car le mystère l'excitait encore davantage. Qui d'autre pouvait-elle bien choisir comme premier amant? Certainement pas l'un des serviteurs avec qui elle avait joué durant son enfance! Ils lui accordaient très peu d'attention, et ce manque d'intérêt s'avérait généralement réciproque. Avec René, c'était différent.

Elle l'avait vu la regarder avec convoitise, chaque fois qu'il allait chercher de la nourriture aux cuisines. Malgré ses sourires et son attirance certaine, il n'avait pas tenté de la séduire.

Mais Laure était complètement éprise de lui, et son seul désir était de sentir son corps ferme et nu se coller contre sa peau tendre. Elle avait si souvent pensé à lui, s'imaginant partager avec lui une étreinte passionnée! Elle se sentait déjà lui appartenir.

Comme d'habitude, elle épiait, silencieuse, quand il apparut dans le soleil de la fin d'après-midi et se dépouilla rapidement de ses vêtements sales avant de pénétrer dans le ruisseau. Elle décela sur son visage une expression familière de béatitude tandis qu'il s'enfonçait graduellement dans l'eau froide. Lorsqu'il émergea, elle se sentit plus excitée que jamais en voyant l'eau dégouliner sur son corps nu.

La peau de sa poitrine, bronzée et veloutée, contrastait fortement avec ses fesses fermes et pâles qui n'avaient jamais connu les chauds rayons du soleil. Debout dans l'eau jusqu'à mi-cuisses, il frottait un épais savon brun sur sa poitrine, en le faisant mousser. Par des mouvements brusques et puissants, ses mains délestaient son corps de la chaleur et de la peine d'une longue journée de travail.

Il venait d'une famille paysanne; ses mains n'étaient certainement pas douces, car René était sans doute plus habitué à caresser les chevaux que les femmes. Laure avait vu les cals laissés par des fourches sur les paumes des hommes. Elle se rappelait leurs ongles sales après une journée passée à graisser des courroies de cuir. Et pourtant, son corps se languissait du contact de ces mains rudes; sa peau le désirait.

Elle ne put réprimer un gloussement en regardant sa queue pendiller dans toutes les directions, comme un poisson fougueux plongeant puis émergeant de l'eau avec de grandes éclaboussures. Elle n'allait sûrement pas rester flasque si Laure pouvait s'en emparer et la caresser comme elle l'espérait.

Car ce sexe allait prendre vie entre ses mains, comme celui d'un étalon prêt à s'accoupler. Sa propre chair allait fusionner avec la sienne, et les deux ne faire qu'une, comme des rivières sauvages qui se rencontrent et se mêlent avec la force de leur courant. C'était sur le point d'arriver, elle le savait. Bientôt, très bientôt.

Elle se demandait encore comment passer à l'action. Devait-elle se déshabiller et le rejoindre dans l'eau tiède? Ou attendre qu'il sorte et le surprendre sur le chemin de ses quartiers? Elle patienta un peu plus. Le plaisir qu'elle prenait, ne fût-ce qu'à voir remuer les muscles tendus sous la peau cuivrée, lui était presque insupportable mais annonçait les délices à venir, lorsqu'elle aurait mis la main sur lui.

Après s'être lavé, René pataugea dans l'eau, jetant parfois un regard vers le ciel lourd, maintenant chargé de nuages menaçants. Bientôt, Laure le savait, il allait sortir pour regagner l'écurie.

À mi-chemin, le long du sentier qu'elle avait si souvent parcouru, se trouvait une clairière d'herbe lisse. Elle avait maintes fois imaginé la scène qui allait se dérouler à cet endroit précis où elle avait choisi de se donner à l'homme qui hantait ses rêves.

Laure savait qu'au moins trois servantes avaient été les amantes de René, mais malgré son manque d'expérience elle comptait les surpasser. Après tout, elle connaissait bien l'amour, avec ce qu'elle en avait vu et entendu.

Elle se rappelait Martin, le garde-chasse, avec Suzanne, l'aide-cuisinière. Et bien d'autres couples, qui ne s'étaient jamais rendu compte qu'elle les observait. Elle les avait surpris à faire l'amour dans des tas de foin, derrière la grange, dans les champs, dans le garde-manger. C'était toujours par accident : elle ne l'avait pas cherché. Mais, chaque fois, elle avait été envahie par le besoin de regarder.

Elle avait tout vu : le membre gorgé de l'homme semblait vriller sa partenaire qui poussait des cris de délice ; la tentatrice excitait son homme en prenant son pénis gonflé dans sa bouche. Laure avait encore les oreilles remplies de leurs gémissements et grognements. Et, chaque fois, elle se sentait jalouse. Ce n'était pas tant qu'elle désirait ces hommes, mais, à tout coup, elle avait l'impression de manquer quelque chose et elle voulait maintenant découvrir les plaisirs de la chair. Cette toute première fois serait la plus importante. Elle voulait que son premier amant se souvienne d'elle ; elle devait l'impressionner.

René sortit lentement de l'eau. Le précédant de quelques pas, Laure se faufila silencieusement dans la clairière pour l'attendre.

Les doigts tremblants, elle défit rapidement les cordons de sa chemise, dont elle écarta les bords pour exposer un peu la peau rosée de la naissance de ses seins. Les rayons du soleil ne l'avaient pas encore abîmée. Ayant passé le plus clair de l'été à travailler dans les cuisines, elle était à peine sortie aux champs, comme quand elle était petite. Sa peau encore pâle, douce et délicate brûlait d'un mal que seul un homme pouvait soulager.

Elle glissa nerveusement les doigts dans l'ouverture de sa chemise en soupesant, coquine, ses seins gonflés par l'excitation de l'attente, puis les caressa tout comme René allait le faire dans quelques minutes. Serait-il tenté de sucer ses mamelons impatients, ou se contenterait-il de jouer avec ?

La pensée de ses mains sur son corps la rendit folle d'anticipation. Déjà, la chair de son entrejambe était baignée d'un musc capiteux et se serrait par à-coups, impatiente de recevoir sa récompense.

Elle ouvrit légèrement le devant de sa chemise, juste assez pour être tentante. Non pas par timidité, mais pour inviter son élu à la déshabiller. La vieille chemise brune qu'elle avait choisi de porter avait rétréci avec les années et montrait maintenant ses chevilles et la partie inférieure de ses mollets. Parce que son père sourcillait chaque fois qu'elle la portait, Laure avait failli la jeter, mais maintenant elle était contente de l'avoir gardée. Aujourd'hui, cette vieille loque allait jouer à son avantage.

Par chance, elle avait oublié son bonnet sur son lit. Laure retira à la hâte les pinces qui retenaient ses cheveux, qu'elle peigna avec ses doigts. Debout en silence dans la clairière, le cœur battant, elle attendit que René vienne dans sa direction. Elle savait qu'il arriverait d'une minute à l'autre, et qu'elle allait enfin l'accueillir en elle.

La journée était encore lourde de chaleur, et le soleil amorçait sa descente. La brise légère prit graduellement de la force alors que des nuages d'orage se rassemblaient au-dessus de sa tête. Laure n'aimait pas le tonnerre, mais, aujourd'hui, rien ne pouvait la pousser à chercher un abri, pas même la peur d'être foudroyée sur place.

Son homme s'approchait en sifflant une mélodie, enterrée par le bruissement des feuilles. Soudain, il se trouva devant elle, nu. Des gouttelettes d'eau perlaient de ses cheveux et tombaient sur ses épaules.

Le cœur de Laure se mit à battre furieusement. Elle ne pouvait plus rien faire ; le prochain geste appartenait à René. Il la regarda, souriant d'un air entendu, agréablement surpris, sans s'efforcer de dissimuler sa nudité.

C'est à cet instant précis que l'orage éclata. Laure ne bougea pas lorsque la foudre déchira le ciel et que le vent repoussa sa longue chevelure brune sur son visage. La pluie se mit à tomber avec le roulement du tonnerre, des torrents d'aiguilles se déversèrent avec violence, se brisant et rebondissant sur la poitrine musclée de René. Il ne dit mot, mais regarda fixement Laure, appréciant la vue qu'elle lui offrait.

En quelques secondes, elle fut trempée, la pluie chaude s'étant infiltrée à travers ses vêtements. Sa chemise humide collait maintenant à ses seins, révélant ses mamelons foncés qui durcissaient sous la caresse sauvage du vent.

Elle rejeta la tête en arrière et porta ses mains à son cou, se caressant la gorge du bout des doigts. L'éclair suivant lui fit fermer les yeux. Elle sentit l'eau couler goutte à goutte sur sa poitrine, fraîche et excitante.

René n'avait pas encore bougé. Les yeux mi-clos, Laure le regarda et prit plaisir à le voir doucement se passer la langue sur les lèvres. Elle fut également ravie de voir son membre réagir à sa vue, et son extrémité bulbeuse se dresser, durcir et se gonfler.

Laissant tomber son tas de linge sale, il fit un pas vers elle. À cet instant, Laure sut qu'elle avait remporté la première manche. Elle le regarda en souriant. Il s'avança encore, les yeux rivés sur ses seins, et elle sentit ses mamelons se gorger d'une douleur lancinante en réaction à son regard avide.

Rudement, sans l'embrasser, sans même la regarder dans les yeux, il défit son corsage et sa jupe. Ils tombèrent immédiatement, attirés au sol par le poids de l'eau qui les trempait.

Laure gémit. Malgré la tempête qui faisait rage en elle, le vent frais la faisait grelotter. En riant, René souleva sa chemise, révélant lentement la peau laiteuse de ses cuisses, ses fesses bombées et le noir triangle velu qui joignait ses jambes. Le rebord trempé laissa une trace froide et humide sur sa peau.

René s'empara du vêtement mouillé qu'il noua fermement d'une seule main, tandis qu'il lui glissait l'autre entre les jambes. Dans les replis gonflés de sa vulve moite battait le cœur de sa féminité. Il poussa en elle un doigt humide et froid, puis le retira lentement, caressant les parois soyeuses de sa caverne virginale, libérant le flux de rosée qui lui réchauffa rapidement la main.

Laure, frissonnante, se jeta à son cou, nichant sa tête sous son menton. Le sentir de si près, c'était une révélation ; l'avoir à sa portée, un rêve réalisé. Contre sa joue, elle sentait battre une épaisse veine. Cette peau était douce et tendue comme un cuir fin sous ses lèvres. Le cœur de René battait étrangement au rythme du souffle de Laure ; plus vite, toujours plus vite. Il était vivant et elle se trouvait enfin dans ses bras. Elle lui serra le cou encore plus fort.

« Petite sorcière », dit René d'un ton amusé. C'était la première fois qu'il lui parlait vraiment. Mais elle ne voulait pas entendre de mots.

« Ne dis rien, hurla-t-elle pour couvrir le tonnerre. Prends-moi, c'est tout. »

Elle sentait les petits coups de son membre, son gland pourpre frôlant son ventre à chaque soubresaut. Jamais elle ne s'était trouvée si près d'un homme nu, même si elle en avait vu beaucoup. Celui-là seul, elle pouvait le prendre.

D'un mouvement vif, il s'empara de ses hanches généreuses, la souleva et l'empala sur son pénis dressé. Elle sentit sa chair la fouiller, la percer, la remplir, la gagner. Elle poussa un grand soupir. À présent, elle était femme ; elle était sienne. Mais l'était-elle vraiment ?

Sans bouger, il la retint ainsi pendant quelques secondes. Laure se sentait remplie par ce membre à la taille parfaite. Enfin ! La bouche de l'homme s'empara de la sienne, et elle répondit de toute sa force à son baiser. Avec voracité, elle engouffra ses lèvres et suça avidement sa langue.

À mesure que la passion montait, elle se tortillait, se tordant les épaules pour mieux presser sa poitrine contre la sienne. Elle l'écrasait de ses seins, et ses mamelons durs se plantaient dans la poitrine assurée et musclée de l'homme à travers le tissu de la chemise. Malgré la pluie qui le trempait, il dégageait un arôme mixte de propreté savonneuse et de musc viril. Laure continuait de le retenir, toute au plaisir de s'abandonner à la force de son désir.

Les cuisses de René étaient dures et chaudes contre les siennes, tout comme ses bras et sa poitrine. La pluie qui s'insinuait entre leurs corps ne semblait pas du tout les rafraîchir. Leur passion était trop brûlante pour être assouvie.

C'était ce qu'elle avait espéré. Au moins, elle avait atteint son but : l'attirer en elle. Le reste suivrait sûrement. Pour la première fois de sa vie, elle goûtait à la chaleur animale de leur désir. Il était en elle ; elle le sentait durcir encore davantage.

Sans relâcher son étreinte, il tomba à genoux. Alors qu'elle s'agrippait à son cou, le visage enfoui dans ses cheveux, il lui saisit les fesses et la souleva lentement le long de sa hampe raide, dont le gland arrondi palpitait et lui taquinait l'entrée, avant de la laisser retomber de nouveau sous son propre poids. Il la souleva encore à maintes reprises. Chaque poussée était une caresse, chaque coup un accomplissement.

Contre ses bras nus, elle sentit ses muscles courir sous sa peau, forts et nerveux comme ceux d'un poulain.

Elle le sentit glisser en elle avec vigueur. Elle sentit son plaisir monter rapidement, plus intense que jamais.

Elle ne regrettait plus de ne pas avoir eu le temps de le caresser comme elle l'avait voulu. Il avait pris le contrôle, et elle goûtait chaque instant de leur étreinte. Serrant les mains sur ses épaules, elle rejeta la tête en arrière, laissant ses seins se dresser hors de sa chemise ouverte. En frôlant le tissu, ses mamelons lui firent pousser des cris aigus. La pluie dure et mordante la fit crier encore plus fort. René inclina la tête et prit un mamelon rigide dans sa bouche, le suçant rudement jusqu'à ce qu'elle hurle, plus de plaisir que de douleur, à présent incapable de taire tous les grognements qui s'échappaient de sa bouche à chaque halètement.

Les mains de René tenaient fermement les fesses de Laure, le bout de ses doigts s'enfonçant dans sa chair et forçant l'entrée de la délicate rose froncée de son derrière. Toutes ces sensations fusionnèrent en une seule, puissante, renversante. Le feu intérieur la dévora tout entière et les grognements qui surgirent de sa gorge au moment où elle atteignit le sommet du plaisir se perdirent dans le tumulte de l'orage qui se déchaînait autour d'eux.

Pendant l'éclair suivant, il la souleva et la déposa sur l'herbe. Toujours sans un mot, il déchira sa chemise d'un seul mouvement vif, l'exposant complètement, l'offrant à l'orage et aux éléments.

Elle s'était à peine remise de son orgasme qu'il s'étendit sur elle. Sa hampe, raide comme fer, était prisonnière de leurs corps trempés par la pluie. Lui tenant les mains au-dessus de la tête, il les plaqua au sol. Sous cette étreinte, Laure, l'herbe humide collant à sa peau, se sentait ligotée. Mais elle ne se plaignit pas; son tour arriverait bien.

Des lèvres, il lui mordilla la nuque, se frayant rapidement un chemin vers sa poitrine. Sa bouche ne suffisait pas à contenir les énormes mamelons foncés. Il faillit s'étouffer, incapable de les avaler, les suçant et les mordant de plus belle.

Il lui relâcha les bras et lui prit les seins à deux mains, les pétrissant, les moulant comme des mottes d'argile, tandis que sa bouche continuait de les assaillir. Son toucher la rendit folle de plaisir. Chaque caresse était rugueuse, mais précise. Il semblait connaître son corps tout autant qu'elle; il savait comment amplifier cette sensation exaltante, ce sentiment de l'approche du plaisir. Il la dominait, la prenant de toute sa force.

La pluie qui tombait de plus belle fit glisser leurs corps l'un contre l'autre. Sans aucun effort, il descendit le long de son ventre en y laissant traîner sa langue. Comme elle l'avait espéré, il colla sa bouche contre son sexe humide et excité.

Alors qu'elle s'abandonnait à la pluie, son amant enfouit sa langue dans son épais buisson, et l'explora insatiablement. Elle fut enivrée par le contraste entre la chaleur fluide de ce corps entre ses cuisses et la fraîcheur mordante de la pluie sur ses seins.

Son plaisir monta de nouveau lorsque la langue de René trouva son bouton et le titilla d'une langue experte. Un spasme la secoua de la tête aux pieds et elle enfonça ses doigts dans la terre, à présent réduite à l'état de boue veloutée. Soudain, elle ne sentit plus la pluie, n'entendit plus le tonnerre, ne vit plus les éclairs. Elle ne sentait rien d'autre que la langue humide et chaude de l'homme léchant les multiples replis de sa vulve, découvrant de nouveaux territoires en elle. Cette langue frétillait, montait et descendait, augmentait son excitation sans toutefois l'amener à la jouissance.

Il la parcourut tout entière avec sa bouche, léchant et suçant, goûtant et savourant. Ses lèvres tiraillaient son bouton, faisant jaillir d'elle tout son plaisir. Oubliant le reste du monde, elle ne remarqua même pas que la pluie avait cessé et que l'orage était passé.

Son second orgasme fut encore plus violent que le premier, et ses cris tirèrent la forêt de sa léthargie. René rit en la relâchant et vint poser son menton sur ses seins.

La peau chaude de Laure fit rapidement s'évaporer les quelques gouttes de pluie qui perlaient encore sur son corps. Un rayon de soleil perça l'horizon et luit entre les arbres. Regardant son nouvel amant, Laure se rappela qu'elle avait encore beaucoup à faire.

Comme elle recouvrait rapidement ses forces, elle le repoussa sur le côté et roula sur lui, enserrant de ses cuisses les hanches de son homme, immobilisant la poitrine de ses avant-bras. Elle vit des gouttes d'eau pendre aux épaules de René. Elle tira timidement la langue et les lapa, comme pour jouer. Agenouillée dans la boue, elle entreprit de s'occuper de lui exactement comme il venait de le faire d'elle, pour lui montrer qu'elle savait donner du plaisir à un homme.

Mais elle dut se battre pour l'empêcher de bouger. On aurait dit qu'il ne voulait pas la laisser faire. Elle s'étendit sur lui pour lui interdire tout mouvement, plaquant sa bouche sur l'un de ses mamelons. Mais il était plus fort qu'elle et leurs ébats prirent bientôt l'allure d'un match de lutte, car il la caressait et la repoussait à la fois.

Ils se redressèrent sur les genoux alors qu'elle tentait de se rapprocher de nouveau. Cette fois, elle tint bon; les bras verrouillés autour de la poitrine de René, ses mains caressèrent son dos couvert de boue et d'herbe, tandis que sa bouche saisit un mamelon en une succion si forte qu'elle crut bien qu'il ne pourrait plus s'en libérer.

Il y parvint cependant. Malgré le soupir de plaisir jaillissant de sa bouche, il ne voulait pas demeurer immobile. Sa jambe enserrant la taille de Laure, il tenta de lui faire perdre l'équilibre et de repousser sa bouche. Mais il soupirait encore; plus fort, toujours plus fort.

Laure y vit un défi. Elle voulait lui montrer quelle bonne amante elle faisait, en dépit de sa résistance. Elle n'était pas du genre à céder si facilement. Puisqu'il ne voulait pas de ses caresses, elle allait passer à l'étape suivante.

Avec un grognement, il réussit à se lever malgré l'étreinte de Laure. Devant elle apparut sa tige gonflée, tenue en éveil par leur lutte sensuelle. Sa vue l'excita encore davantage, alimentant son désir de la posséder. Saisissant l'occasion, elle attira immédiatement cette queue à sa bouche. Sa taille faillit l'étouffer, mais une fois la surprise passée, elle commença à la sucer et elle le sentit aussitôt se détendre.

Les mains de René se posèrent sur la tête de Laure, ses doigts pénétrant dans la masse de ses boucles humides et sales. Allait-il s'abandonner? Cela lui apparut de bon augure, et elle relâcha son emprise autour de la taille de l'homme pour lentement descendre ses mains jusqu'à ses fesses, enfonçant ses ongles dans la chair pâle.

Il émit un gémissement intense, presque une plainte, et elle sentit la hampe raide palpiter violemment dans sa bouche. Laure avait finalement atteint le but qu'elle s'était fixé plus tôt ce jour-là, bien que ce moment lui parût aussi lointain qu'une vie antérieure.

Elle ramena ses mains sur les hanches de René et s'empara avidement de la queue. Le gland gonflé répondit avec bonheur en laissant quelques gouttes de liquide salé suinter de sa bouche minuscule. Cette réaction éveilla l'excitation de Laure. L'ivresse de le boire, la fascination de l'avoir à sa merci ! Une fois de plus, elle oublia où elle se trouvait, et se consacra tout entière à la merveille qu'elle tenait dans ses mains et sa bouche.

Sa langue entama une danse singulière autour du gland pourpre, l'effleurant à peine et voletant comme un papillon indécis. Puis, elle tenta de l'engloutir complètement, collant son front contre le ventre de l'homme, enfouissant son nez dans ses boucles enchevêtrées.

Elle glissa une main sous le sac lourd, palpant brièvement les couilles pleines avant qu'elles ne se retirent en lui. Elle le sentit trembler ; elle l'entendit gémir. Elle savait que le moment approchait. La victoire lui appartiendrait bientôt.

À cet instant précis, le cours des choses bascula. Lui empoignant la tête avec force, il la repoussa. Laure était époustouflée. Alors même qu'elle croyait le faire vraiment jouir, il n'avait jamais été tout à fait à sa merci !

La saisissant par les épaules avec un rire diabolique, il la fit se redresser sur ses pieds et l'obligea à se retourner face à un grand arbre auprès duquel ils se trouvaient. Encore sous le choc de sa réaction, elle le laissa la pousser contre le tronc épais qu'elle encercla de ses bras.

L'écorce était froide et humide, légèrement friable sous la peau tendre de ses bras et de sa poitrine. Derrière elle, René s'agenouilla et la saisit par les chevilles. Il souleva rapidement ses jambes et les ouvrit de force, se dirigeant vers l'ouverture. Laure dut s'accrocher encore davantage à l'arbre, y collant sa poitrine et son visage pour éviter de glisser sur sa longueur, le bois humide lui écorchant les seins.

Même dans cette position difficile, son ardeur était tout aussi intense. Elle ne s'était jamais imaginée ainsi. Qu'allait faire René ? La pensée la remplit d'excitation et d'appréhension.

Il lui donna presque immédiatement un petit coup au derrière, lui tint les jambes pour les plaquer contre ses hanches à lui, et dirigea son membre entre les fesses arrondies, pour remonter et descendre la lisse vallée. Il explora un moment son ouverture froncée avant de l'empaler de nouveau, cette fois en un endroit qu'elle n'avait jamais exploré.

Le gland gorgé pénétra lentement, lubrifié par la rosée de la vulve. Le délicat orifice commença par résister, mais fut rapidement vaincu par sa persévérante virilité. Il finit par la prendre complètement, jusqu'à la garde, son membre épais l'ouvrant avec une sensation proche de la douleur, mais d'autant plus délicieuse.

Encore accrochée à l'arbre, Laure sentit des gouttelettes de pluie tomber des feuilles et descendre sur son visage. La vieille écorce humide s'effritait contre sa peau, laissant des échardes lui piquer douloureusement les seins. Sa joue droite était pressée contre le tronc et une odeur de moisi lui emplissait le nez alors qu'elle haletait avec force.

Une fois de plus, elle arriva au bord du paroxysme de la jouissance. Son plaisir ne connaissait aucune limite. Elle avait découvert une nouvelle source de joie, amplifiée par la singulière invasion de son amant. Sa rencontre avec René dépassait tous ses espoirs.

Les gouttes de pluie qui roulaient sur ses joues furent bientôt suivies de larmes de joie. Sa bouche ouverte voulut laisser échapper un cri, mais aucun son n'en sortit. Elle retint son souffle, entraînée par la vague, de nouveau emportée par l'extatique mélange de plaisir et de douleur.

Derrière elle, René hurla, la voix rauque d'épuisement. Ses mains la retenaient par la taille, tremblant à chaque coup à mesure qu'il augmentait le rythme de ses poussées. Il se contracta en un spasme, sa tige délicieuse libérant enfin son plaisir en elle, et il s'abandonna à la violence de leur accouplement. Mais il poursuivit son mouvement, tout en ralentissant jusqu'à ce qu'il ne pût plus la retenir et qu'il tombât à genoux.

Laure renversa la tête et goûta le sel de ses larmes sur sa lèvre supérieure. L'écorce mordait encore sa tendre peau, mais elle était comblée.

Et tout cela avait été si facile. Elle avait enfin trouvé la clé de tout ce qu'elle voulait : il suffisait de le demander.

CHAPITRE II

Le père de Laure lui avait annoncé qu'elle n'aurait pas à travailler très longtemps ; qu'elle serait bientôt mariée à un brave garçon qui assurerait tous ses besoins. Pour lui soutenir le moral, il lui décrivait un avenir encourageant. Lorsque Laure apprit sa mort soudaine, elle s'en trouva abattue.

C'était bien plus de la colère que de la peine. Il ne lui avait laissé aucune dot. Sa mère était décédée plusieurs années auparavant, quand Laure n'était qu'une enfant. Elle était à présent seule au monde, sans personne pour prendre soin d'elle.

Les funérailles à peine terminées, on demanda à Laure de retourner à ses tâches. En flânant dans les cuisines, elle comprit graduellement qu'elle était condamnée à une vie de corvées ménagères.

Ce matin-là, il y avait beaucoup à faire au château, en préparation du banquet du lendemain. La cuisine était devenue une véritable ruche. Les cuisiniers, les servantes et les aides accouraient de partout, dans les cris et les rires ; chacun était joyeusement occupé à préparer des plats pour le plus grand nombre d'invités qu'on ait reçu au château depuis des années. On aurait dit qu'une fièvre s'était emparée de tout le monde.

De tous, sauf de Laure. Elle ne voulait pas s'en mêler. Elle sentait leurs regards lourds se poser sur elle qui se contentait d'observer, mais elle ne s'en souciait guère. Son esprit était ailleurs. Qu'allait-elle devenir ? Une jeune femme célibataire n'avait pas grand-chose à attendre de la vie après le décès de son père.

René n'était pas du genre à se marier ; il était trop occupé à courir après les autres servantes. Et puis Laure avait fini par s'ennuyer avec lui, car cette relation était purement charnelle. Même s'ils passaient beaucoup de temps ensemble, ils se parlaient rarement, sauf par grognements et gémissements. Elle avait besoin d'un nouvel amant, d'un homme qui prendrait soin d'elle, la gâterait comme son père l'avait fait, afin que, au moins, elle n'ait pas à travailler.

Tout en réfléchissant à ses possibilités d'avenir, Laure exécutait ses tâches d'une façon mécanique, comme une somnambule. Personne ne lui accordait d'attention, personne ne se souciait d'elle. Un bref instant, elle espéra un peu de sympathie lorsqu'elle entendit Juliette l'appeler, mais lorsque la gouvernante la trouva, elle l'envoya sèchement à l'étage aider les femmes de chambre. Juliette la détestait depuis des années, et ce sentiment était réciproque. Dès le décès de la mère de Laure, la gouvernante avait entretenu l'espoir secret que le forgeron la demanderait en mariage. Mais à mesure que passaient les années, le père ne se dévouait qu'à sa fille, et Juliette ne l'avait jamais pardonné à Laure.

Sa décision de trouver du travail à Laure n'avait pas été bien accueillie par le personnel. Laure avait passé une enfance insouciante et choyée, et tout le monde lui en voulait de faire comme si elle était au-dessus d'eux. Elle avait toujours senti leur animosité, mais celle-ci n'avait jamais été aussi patente. Non seulement Laure n'arrivait-elle pas à partager l'enthousiasme des autres, mais aucun d'eux ne se souciait d'elle. On aurait dit qu'ils étaient contents de la voir si malheureuse.

Elle monta lentement jusqu'à l'étage, et passa en silence d'une chambre à une autre, empilant les draps doux et les édredons épais sur les grands lits. Son cœur n'y était pas. Elle fit une pause au sommet de l'escalier, écoutant les cris et les rires s'élever des entrailles du château, puis referma la porte derrière elle.

L'étage supérieur était plus silencieux. Le maître et sa femme avaient chacun leur chambre à coucher dans l'aile ouest, la plus éloignée. Laure y était allée à quelques reprises. Ces deux chambres étaient assurément les meilleures de la maison, et chacune avait une énorme cheminée dont le feu projetait des ombres intrigantes sur les murs.

En entrant, elle se rappela la première fois qu'elle s'y était faufilée. À l'époque, elle n'était qu'une fillette de six ans, curieuse et espiègle, et ne connaissait aucun interdit. Mais son tendre popotin était demeuré douloureux pendant des jours après que son père eut appris son escapade. Par la suite, elle s'était tenue aussi loin que possible du dernier étage.

Mais elle avait longtemps gardé l'image de la chambre. Lorsqu'elle était enfant, il lui avait semblé que les meubles étaient énormes et disproportionnés. Le lit à baldaquin, les commodes et les autres meubles étaient fabriqués d'un bois foncé, finement taillé. Avec beaucoup de difficulté, Laure avait réussi à grimper sur le lit. Ses mains sales et collantes avaient tiré la couverture et elle s'était hissée par la seule force de ses bras minuscules.

Jusque-là, elle ne s'était jamais trouvée dans un vrai lit, ne connaissant que la paillasse de la maisonnette. Elle s'était enfoncée au milieu du lit, puis, au bout d'un certain temps, s'était mise à rebondir. Les draps étaient délicats et si doux sous sa peau. La suite s'embrouillait. Quelqu'un était entré et l'avait traînée jusqu'en bas, mais elle ne pouvait se rappeler qui exactement. Tout cela s'était effacé et elle n'avait gardé que le souvenir de la colère de son père.

Même aujourd'hui, Laure ne ressentait ni excitation ni curiosité, trop préoccupée par le chagrin associé à la perte de son père, et la peur de ce qui l'attendait. Elle n'avait aucune dot, personne pour lui arranger un mariage ou à qui se fier. Elle se sentait absolument seule.

Les quelques domestiques venus aux funérailles de son père étaient vite retournés travailler et riaient à présent comme s'ils avaient déjà oublié. Quelques paroles réconfortantes exprimées après la cérémonie, c'était tout ce qu'ils avaient à lui offrir. Ils lui avaient aussitôt tourné le dos.

Laure avait presque terminé ses tâches lorsqu'elle fut soudain submergée par la peine. Assise au pied du grand lit, elle cacha son visage dans son tablier et sanglota sans pouvoir s'arrêter. Elle n'avait pas pleuré depuis des années, mais, à présent, la solitude, la colère et l'orgueil se liguaient pour accroître son désespoir.

Se vautrant dans son malheur, elle n'entendit pas approcher les pas dans le couloir. Elle ne vit Mme Lampron, la châtelaine de Reyval, que lorsqu'elle fut droit devant elle.

Une main vint se poser doucement sur le côté de sa tête, les doigts lui caressant la joue et obligeant son menton à se redresser.

«Qu'y a-t-il, mon enfant?» demanda une voix douce.

Laure releva son visage en larmes et fixa la personne qui se tenait debout devant elle. Elle reconnut immédiatement sa maîtresse et, dans la honte et la gêne, se redressa, lissa son tablier humide et froissé, puis inclina la tête en signe de révérence.

«Je suis terriblement désolée, Madame, bégaya-t-elle. Ça ne se reproduira pas.»

La châtelaine sourit et prit la main de Laure dans la sienne. «Qu'y a-t-il? répéta-t-elle. Quelle est la cause de ton chagrin?»

Incapable de se contrôler, Laure éclata de nouveau en larmes, les mots étranglés par des sanglots. Mme Lampron la fit s'asseoir sur le lit et s'installa près d'elle.

Laure fut renversée par cette démonstration de gentillesse. La tête basse, elle regardait sa jupe qui lui parut soudainement affreusement usée à côté du brocart bleu pâle de Madame.

À travers ses sanglots, elle percevait la douce odeur du parfum et de la poudre qui imprégnaient les cheveux de lin de Madame. Elle se sentait sale et grossière, mais sa maîtresse semblait n'en faire absolument aucun cas.

«Tu t'appelles Laure, n'est-ce pas? demanda-t-elle. Il y a longtemps que je ne t'ai vue. En grandissant, tu es devenue une très belle femme. S'il te plaît, dis-moi ce qui te trouble.»

Laure respira profondément et tenta de retrouver son calme. Encouragée par la compassion de sa maîtresse et heureuse de trouver enfin une oreille réceptive, elle expliqua sa situation, son chagrin et ses peurs.

Mme Lampron écouta en silence et fit un signe de la tête en souriant.

« Tu n'as rien à craindre, ma jolie », dit-elle. Sa petite main caressait doucement le dos de Laure. « Mon mari et moi, nous allons faire en sorte que tu ne manques de rien. En fait, je lui parlerai ce soir. Viens me voir demain, dans cette chambre, après le banquet, et j'aurai sans doute une bonne nouvelle pour toi.

— Madame est trop bonne, dit Laure en protestant. Je ne mérite pas autant de gentillesse.

— Balivernes ! Nous pouvons t'aider et prendre bien soin de toi si, en retour, tu acceptes de faire quelque chose pour nous. »

Un peu perplexe mais soulagée, Laure sentit un poids se soulever soudainement de son cœur. Elle n'était pas seule, après tout. Comme c'était gentil de la part de sa maîtresse ! Elle ne pouvait trouver les mots pour exprimer sa reconnaissance, et se contenta de sourire malgré ses larmes.

« Tu es très jolie quand tu souris », murmura Mme Lampron. Sa main descendit lentement le long du dos de Laure, et encercla sa taille. Ce geste mit Laure quelque peu mal à l'aise, mais Madame était si bonne et si douce…

L'autre bras de la femme ceignit la fille, fermant la subtile étreinte. Son visage se rapprocha tant que Laure sentit son souffle sur sa joue et rougit.

« Ne fais pas la timide, dit Madame en riant légèrement. Je sais que tu n'en es pas du tout une. »

Comment peut-elle savoir quoi que ce soit à mon sujet? se demanda Laure. Le personnel de la cuisine n'avait aucun contact avec les maîtres. Même Juliette, la gouvernante, recevait ses ordres du majordome. À moins que les maîtres aient connu son père? C'était peu probable, car il n'était qu'un forgeron.

La main de Madame glissa vers sa hanche, le long de sa jambe, tandis que son visage se rapprochait toujours. «En effet, poursuivit la femme, je suis sûre que nous pouvons très bien nous entendre.»

Les lèvres lisses frôlèrent la joue de Laure, déposant de doux baisers en rangs serrés, le long de sa mâchoire, puis remontèrent jusqu'à sa bouche.

Le cœur de Laure se mit à battre furieusement. Que faisait Madame, pourquoi la tenait-elle ainsi, pourquoi la caressait-elle? Pourquoi l'embrassait-elle autant? Alors même que des doutes surgissaient dans son esprit, elle ne pouvait s'empêcher de ressentir de l'excitation. Elle n'était pas habituée à une telle gentillesse. Elle ferma les yeux et entoura modestement de ses bras la taille de sa maîtresse.

Son corps prit lentement le dessus sur son esprit. La confusion était trop grande. Laure ne voulait pas penser à ce que la situation avait de gênant. Elle s'abandonna plutôt à son désir croissant.

Elle choisit de se laisser choyer et goûta la douce étreinte. Elle fut de nouveau heureuse et à l'aise. Cela lui faisait du bien, et Laure ne put s'empêcher de coller son corps rebondi contre celui, plus élancé et plus délicat, de sa maîtresse. Lorsqu'une langue minuscule se glissa dans sa bouche, elle ne la refusa pas, mais répondit avec bonheur à sa caresse.

C'était fort inusité, mais très agréable. Tenir quelqu'un de si mince, de si petit, c'était presque effrayant. Encore plus déconcertant était le comportement de Madame. Laure n'avait jamais été embrassée ni caressée par une femme. C'était très différent, mais cela provoquait des sensations tout aussi agréables que l'étreinte d'un homme.

Incapable de contenir l'excitation qui montait à présent en elle, Laure laissa échapper un léger soupir. Madame délaissa la bouche de la domestique pour tracer un lent sentier de baisers humides le long de son cou, jusqu'à ce qu'elle fût arrêtée par le cordon qui fermait la chemise de Laure.

Les mains délicates montèrent défaire le nœud. Glissant sa main sous l'étoffe, Madame caressa lentement les globes massifs, les doigts semblables à des araignées, soupesant leur poids liquide, titillant leurs mamelons érigés.

Laure poussa un autre soupir, un peu plus profond. Tant de tendresse, c'était renversant et agréable, et les caresses étaient audacieuses mais bienvenues. Elle ne résista pas lorsque Madame la repoussa doucement sur le lit défait.

Dès lors, elle fut quasiment paralysée par la surprise, le désir et la curiosité. Sa première aventure avec un homme avait été planifiée, anticipée, répétée mentalement. Mais ce qui arrivait là dépassait toute imagination. Elle ne savait que faire, excitée à la pensée d'être prise par une femme. S'abandonnant joyeusement, elle s'étendit et ferma les yeux.

Ses seins furent soigneusement libérés de la chemise et cajolés par la bouche sensuelle de Madame. Tandis que la servante avait l'habitude de se faire pincer et sucer avidement les mamelons, ceux-ci étaient maintenant caressés par une langue douce et légère, ce qui produisit néanmoins le même résultat. Entre ses jambes, une montée de chaleur humide fit place aussitôt à un afflux de rosée encore plus chaude. Comme c'était souvent le cas, Laure se sentait à présent prisonnière de ses vêtements. Elle ne s'était pas changée après les funérailles, elle était encore enveloppée dans la robe épaisse et inconfortable qu'elle ne portait habituellement qu'à l'église le dimanche. En plus des quelques jupons qui la serraient maintenant plus que jamais.

Pendant que sa maîtresse caressait si habilement ses seins gonflés, l'esprit de Laure vagabondait. Elle les imaginait toutes deux nues, roulant sur les draps doux du grand lit. Si seulement elle pouvait sortir de cette robe, sentir les mains de la femme toucher doucement sa peau frémissante… Elle gémit de nouveau.

Madame ne réagit pas, occupée qu'elle était à lécher les seins magnifiques commodément étalés, suçant délicatement les mamelons érigés, tout en les entortillant de sa langue afin de les faire grossir encore davantage.

Elle utilisait aussi le corps de Laure pour s'exciter, car il était clair que Madame était possédée par la luxure. Son corps se tortillait par-dessus celui de Laure, qu'elle enfourchait, ses hanches glissant par saccades de bas en haut alors que leurs pubis se collaient l'un contre l'autre à travers leurs vêtements épais.

Tandis que sa bouche s'affairait encore, ses mains entreprirent rapidement la tâche sensuelle de retirer les vêtements de la servante. Elle roula sur le dos et attira Laure par-dessus elle. Les seins lourds de la fille faillirent l'étrangler et elle en grogna de joie. Ses mains réus-

GUILLEVIN INTERNATIONAL INC.

23 AVRIL SAMEDI

SOUPER

SAVOIR SI DISPONIBLE

sirent aisément à desserrer la jupe et à l'enlever, en même temps que les jupons.

Laure était ébahie, surprise de l'habileté de sa maîtresse, car avant qu'elle prît conscience de la situation, il ne lui restait plus que sa chemise et son corsage. Son excitation grandit. Elle allait bientôt être nue… Pourvu que Madame continue sur sa lancée…

Madame la repoussa sur le côté et se leva, tirant Laure pour la remettre debout. «Laisse-moi te regarder», dit-elle d'une voix rauque.

Laure était trop gênée pour répondre. Elle se tint debout en silence, les joues rouges, à la fois timide et excitée. Ses seins saillaient, les mamelons érigés pointant insolemment vers celle qui était responsable de leur état.

«Regarde-moi», ordonna Madame.

Laure releva lentement la tête. On lui avait toujours ordonné de garder les yeux baissés lorsque les maîtres lui parlaient. Elle n'osait pas regarder la châtelaine dans les yeux, surtout dans ces circonstances.

Mais leurs regards se rencontrèrent. Laure reconnut à peine la femme à la voix douce qui était arrivée dans la chambre quelques minutes plus tôt. À sa place, il y avait une créature lubrique, les cheveux défaits tombant en cascade blonde sur les épaules blanches et nues. Le haut de sa robe était déboutonné, la chemise béante découvrant la peau ivoire de ses seins et donnant tout juste un peu de liberté à un mamelon rosé et froncé. Les minuscules chaussures qu'elle portait plus tôt avaient laissé apparaître, en tombant, des pieds incroyablement petits et gracieux. Mais le plus impressionnant, c'étaient les yeux de Madame, qui étaient fixés sur la servante timide, brillant comme un feu dans la nuit, luisant de mille flammes, brûlant de désir pour la jeune créature qu'ils contemplaient.

Et Laure s'aperçut que son propre désir était tout aussi fort. Elle mourait d'envie de sentir recommencer les caresses, de sentir cette bouche lui titiller les mamelons encore une fois, de sentir ce corps délicat se révéler complètement.

« Je veux te voir entière, ordonna lentement Madame. Déshabille-toi pour moi. » Elle s'assit dans le fauteuil, le dos droit, les seins fiers repoussant l'ouverture de sa chemise. Sa voix était basse mais autoritaire. Laure se sentit obligée de se soumettre, obéissant à la fois à sa supérieure et à une nouvelle amante.

Elle se débarrassa rapidement du corsage. La chemise, que le temps avait usée jusqu'à la transparence, se dégagea de son corps en en révélant les charmes. Laure, consciente de cela, prit délibérément son temps avant de l'enlever.

Le soleil qui entrait par la fenêtre la surprit par-derrière et projeta son ombre contre le mur. Laure vit sa propre silhouette, les courbes de ses hanches, la longueur de ses jambes, comme si sa chemise avait disparu.

Madame la voyait, elle aussi. Elle pencha la tête de côté tandis que ses yeux passaient de la fille à son image, comme s'ils ne pouvaient déterminer laquelle était plus agréable à regarder. Ses mains soulevèrent lentement sa jupe et ses jupons, hissant les tissus délicats sur ses cuisses avant de disparaître entre ses sinueuses jambes aristocratiques.

Laure savait qu'elle ne devait pas se presser. Nonchalamment, elle tira les cordons de son bonnet et le laissa tomber sur le plancher avant de défaire le nœud qui retenait sa chevelure. Sa crinière foncée s'étala sur ses épaules, les longues mèches se répandant pour lui caresser les seins.

Puis elle saisit sa chemise aux hanches. Elle la tira lentement vers le haut, n'utilisant que le bout de ses doigts, laissant le tissu se plisser dans ses mains alors qu'il découvrait graduellement ses jambes.

Madame remua et soupira, les yeux fixés sur la servante, une main encore cachée dans la jupe, tandis que l'autre libérait ses seins.

Le corps de Laure brûlait de toucher la femme assise à seulement quelques pouces. Mais Madame ne faisait plus attention à la fille debout devant elle. Une main sur la poitrine, l'autre enfouie entre ses jambes, elle était occupée à se faire plaisir.

Son corps à demi vêtu tressautait, les jambes largement écartées, contre le riche tissu brodé du fauteuil. Sa bouche se tordait sporadiquement, puis se figeait en un sourire voluptueux ; des soupirs et des gémissements jaillissaient à chaque respiration. Derrière elle, le grand portrait accroché au-dessus de la cheminée montrait une femme très peu semblable à celle qui se tortillait sur le fauteuil.

Elles avaient les mêmes traits délicats, les mêmes mains minuscules et la même petite taille. Mais la femme du portrait était calme et recueillie, son visage angélique encadré de bleu. Sa robe richement brodée, qui touchait au plancher, dévoilait à peine son corps. Le corsage boutonné bien haut, les bras couverts jusqu'aux poignets, l'écharpe autour du cou et sur la poitrine, tout cela cachait sa peau de porcelaine ; c'était un corps trop parfait et trop bien mis pour être vrai.

Par contraste, la femme assise devant elle avait les joues rouges de passion, et ses cheveux en désordre lui tombaient sur la poitrine et les épaules. Le visage était contorsionné par l'extase, et la fine bouche se tordait dans un délice absolu. La jupe relevée montrait des hanches blanches et laiteuses qui frémissaient à présent à mesure qu'elle approchait du paroxysme du plaisir. Les seins se soulevaient au moindre souffle. Le corps était vivant, consumé par un désir qu'aucun artiste n'aurait réussi à représenter sur une simple toile.

Laure avait tellement envie de toucher ce qu'elle pouvait voir. La vue de sa maîtresse la médusait et elle ne pouvait s'en détacher. Voir Madame dans une telle position, devant une simple servante… comme c'était dégradant! Mais quel spectacle!

Presque d'instinct, la servante glissa les mains sous sa chemise et se caressa lentement le devant des cuisses, rapprochant peu à peu ses mains de son propre joyau duveteux. Sans même s'en apercevoir, elle imitait les gestes de sa maîtresse, les yeux constamment fixés sur la femme et attendant le prochain signal.

Toute la scène lui parut irréelle, baignée par le soleil de fin d'après-midi qui entrait par la fenêtre. La femme avait complètement remonté sa jupe et posé son derrière sur le bord du fauteuil. Elle ne portait rien en dessous, pas même une culotte. Qui eût cru qu'une dame aussi élégante oserait se montrer dans un pareil état!

Elle écarta encore davantage les jambes, exposant ses délicats replis roses qu'elle caressait de ses longs doigts, fouillant au plus profond du tunnel obscur et caressant son bouton rigide qui palpitait de délice.

Laure sentit sa propre vulve palpiter en réaction. Sa rosée jaillit de sa vallée humide, sa douce odeur se fondant à celle de Madame, remplissant la chambre d'un arôme capiteux.

Madame ramena sa main à sa poitrine, ses doigts trempés et luisant d'humidité. Très doucement, elle souleva l'un de ses seins autant qu'elle le put et sortit sa langue jusqu'à ce qu'elle touchât son mamelon. Pendant ce temps, ses yeux demeuraient fixés sur Laure et elle lui sourit avec malice alors qu'elle commençait à se lécher.

Laure lécha ses lèvres sèches. Elle eut une envie soudaine de goûter ce mamelon, elle aussi ; ses doigts voulurent rejoindre ceux de Madame dans la vulve gonflée et béante. Mais elle n'osa pas bouger. On lui avait dit de se déshabiller, et elle devait se retenir de faire quoi que ce soit avant qu'on le lui demandât. Elle prit le rebord de sa chemise qu'elle tira lentement par-dessus sa tête, avant de la laisser tomber en tas sur le plancher. Sans y penser, elle laissa ses mains frôler son ventre et ses hanches, sondant sa peau brûlante.

Madame sourit, satisfaite. Ses mains n'arrêtaient pas leur danse concupiscente, et ses gémissements indiquaient qu'elle se rapprochait de la jouissance. Elle poussa un cri lorsque le spasme de plaisir la transperça. Les jambes encore largement écartées, elle tendit ses muscles alors que son monticule touffu se contractait sous la force de l'orgasme.

Elle reprit son souffle, se releva et se dirigea vers Laure. Posant ses mains sur les hanches de la servante, elle poussa un léger soupir, encore ivre de plaisir.

« Me désires-tu ? » murmura-t-elle. Sa voix était rauque, son souffle laborieux. Tout son corps tremblait, encore ballotté par la vague qui venait tout juste de l'envahir.

«Je ne sais pas», dit Laure d'un ton hésitant. Mais oui, elle la désirait. Oh, comme elle la désirait! Et pourtant, elle ne se sentait pas à sa place. Elle, une servante qui n'avait connu que des hommes, prendre cette femme, sa maîtresse? Saurait-elle caresser le corps délicat qui la captivait tant? Saurait-elle faire plaisir à une femme?

«Oui, tu me désires, poursuivit lentement la femme. Tu veux me déshabiller, m'embrasser, me caresser, me lécher, me faire jouir. Et bien plus, tu veux que je te fasse jouir aussi. Alors, regarde-moi.»

Car Laure avait encore les yeux fixés au plancher. En elle, une tempête faisait rage. Elle désirait Madame. Elle la désirait de tout son être. Elle voulait la prendre, dominer ce corps élancé.

«Prends-moi.» Les mots qui sortirent de la bouche de Madame résonnèrent comme un ordre. Laure se sentit secouée par une décharge de désir. Puisqu'on le lui ordonnait, elle se devait d'obéir. Surtout si cela devait lui procurer un doux plaisir.

Elle délia lentement la robe de Madame, la retira et la replia soigneusement avant de la déposer sur le dossier du fauteuil. En revenant vers sa maîtresse, elle sentit sa rosée couler et baigner la vallée de son entrejambe. Son esprit s'affola. Cette femme brûlait de sentir la passion les balayer toutes les deux, mais Laure voulait faire durer cet après-midi aussi longtemps que possible.

Ne portant que sa chemise, Madame alla verrouiller la porte. Elle fit une moue enfantine en retournant jusqu'au lit, et promena lascivement ses mains sur son corps à travers le fin tissu de sa chemise.

« Tu me déçois beaucoup, Laure, affirma-t-elle d'une voix gémissante. Tu n'es pas du tout à la hauteur de mes attentes. »

Laure était intriguée. Que voulait dire Madame, au juste ? Comment pouvait-elle savoir quoi que ce soit à son propos ?

« Je tiens d'une très bonne source que tu es une âme passionnée. Mais il me semble que tu te retiens. » Se rapprochant de la servante, elle s'arrêta à quelques pouces. Son visage s'adoucit et sa voix devint grave. « Pourquoi ne me prends-tu pas comme René te prend ? » murmura-t-elle d'une voix rauque.

La mention de ce nom décontenança Laure. Comment Madame le connaissait-elle ? Et comment aurait-il pu lui parler de leurs rencontres ?

Madame la fixa en silence, la bouche tordue en un sourire séducteur. « Tu n'es pas sa seule amante, tu sais… J'ai été avec lui aussi. Il m'a parlé de toi, m'a dit que tu étais la meilleure amante qu'il ait jamais connue. »

Laure sentit son cœur sursauter dans sa poitrine. Dans son état d'excitation, des images de leurs ébats passionnés revinrent en un millier d'éclairs, et avec elles le souvenir des plaisirs qu'ils avaient connus ensemble.

« D'après toi, pourquoi t'a-t-on envoyée ici, dans ma chambre ? Et pourquoi me suis-je présentée ? Tout était prévu, tu sais. J'ai décidé de te connaître, de partager la passion de ton étreinte. »

Se tenant à seulement quelques pouces de la servante, elle fit une pause, comme pour laisser ses paroles tisonner le feu qui brûlait dans le corps de la fille.

Laure ne pouvait plus se contenir. Une fois de plus, elle regarda la femme. Elle revit le corps concupiscent et invitant; elle lut dans ses yeux. Et soudain, tout cela devint si clair. On l'avait donc prise au piège. Leur présence dans cette chambre n'était pas une coïncidence. Sa maîtresse avait probablement ordonné à la gouvernante d'envoyer Laure jusqu'à sa chambre à coucher au moment approprié. Madame avait tout organisé, de la même façon que Laure avait planifié sa première rencontre avec René. Seulement, cette fois, la victime était Laure. Et tout comme René, qui était volontairement tombé dans son piège, elle n'allait pas refuser l'invitation de la châtelaine. Le dernier reste d'hésitation disparut, laissant son sang bouillir de désir.

Bondissant, elle saisit l'ouverture de la chemise de Madame et la déchira d'un seul mouvement rapide. Le tissu délicat n'offrit aucune résistance. Madame non plus. Son corps frêle trembla avec un frisson d'excitation et elle poussa un petit cri. Laure s'arrêta, soudainement haletante, et recula pour la regarder.

Le corps ainsi dénudé à demi était plus attirant. À la différence de toutes les femmes qu'elle avait déjà vues, c'était une véritable aristocrate, du bout des cheveux à la pointe des orteils. Elle était d'une taille moyenne, mais mince et pâle, comme une précieuse figurine d'albâtre aux courbes fascinantes, bien proportionnées.

La peau soyeuse, si pâle, semblait presque transparente. Ses membres longs et élancés offraient une étreinte veloutée. Les seins, plutôt petits mais bien définis, étaient ornés de minuscules mamelons, rigides et rosés comme ceux d'un bébé, apparemment dans un constant état d'excitation. Sous l'aspect fragile de la taille petite et délicate, les hanches parurent encore plus rondes et plus généreuses. À la base de son ventre, une touffe clairsemée, couleur de paille, révélait de façon invitante d'épaisses lèvres amoureuses lourdement gorgées de plaisir. Ce corps était fait pour l'amour sensuel, c'était un temple de désir tranquille mais profond.

Laure fit un autre pas et poussa délicatement la femme sur le lit, doucement, presque amoureusement. Tout aussi délicatement, elle s'étendit sur elle. Ce n'est qu'alors que sa passion grandissante lui fit perdre le contrôle.

Elle trouva immédiatement les lèvres de la femme et les suça à pleine bouche, tandis que ses mains entreprirent d'explorer le corps qui palpitait sous elle. Ses mains avides saisirent les seins dans une poigne solide. Elle les couvrit complètement, d'une seule poignée, et les mamelons froncés se contractèrent encore davantage contre la paume de sa main.

Les serrant doucement, elle les pétrit du bout des doigts, surprise par leur chaleur et leur fluidité. Madame gémit lorsque les doigts de Laure s'accrochèrent à ses mamelons, les pinçant, les titillant jusqu'à la folie.

La servante ne pouvait se rassasier de cette bouche sensuelle. Elle l'explora avec une folie furieuse, comme un animal féroce, agrippant les lèvres à pleine bouche et les suçant avant de s'aventurer à l'intérieur. Là, la langue de Madame s'offrit avec ardeur, s'entortillant autour de la sienne comme un moulin à vent dans un orage, retournant les baisers de la servante avec tout autant de passion. Des grognements sortaient des deux bouches, le souffle haletant à un rythme de plus en plus rapide.

Enfourchant sa proie, Laure colla sa vulve contre la peau tendre du ventre bombé. Elle ne pouvait se rappeler avoir jamais été aussi excitée. Pour une fois, elle prenait possession d'un autre corps, ce qui n'avait jamais été le cas avec René. Aujourd'hui, son amante était vraiment à sa merci.

À regret, mais désireuse de découvrir le corps élancé, elle lâcha la bouche. Elle voulait se délecter des seins, deux monts de chair douce et chaude qui ne demandaient pas mieux que d'être embrassés. Tirant un mamelon dans sa bouche, elle fut agréablement surprise par sa taille et sa sensibilité, par sa façon de palpiter, turgescent, entre ses lèvres.

Ses mains continuèrent d'explorer les globes fluides alors que sa langue entamait une danse étourdissante autour des boutons rigides et rosés. Se retirant légèrement, Laure titilla les pics en érection avec le seul bout de sa langue, tandis que ses doigts devenaient des plumes avec lesquelles elle frôlait légèrement la peau blanche.

Leurs corps fusionnèrent, soudés par l'étreinte. Les mains de Madame, jusque-là oisives, commencèrent également à explorer les fortes courbes de la fille. Les deux roulèrent sur le lit, aller-retour, tout comme Laure l'avait espéré. Serrée entre la peau de sa maîtresse et le drap, elle était ébahie par cette douceur. Jamais auparavant elle ne s'était sentie aussi confortablement entourée. Le matelas cédait et rebondissait sous leur poids, accentuant le rythme involontaire de leurs corps qui se tortillaient.

Chacune des femmes prenait un instant l'initiative, puis s'abandonnait et se soumettait aux caresses de l'autre. Laure était possessive, Madame un peu plus tranquille. Mais elles cherchaient toutes deux à donner et à recevoir du plaisir.

Lorsqu'elles furent étendues l'une à côté de l'autre, Madame se retourna et se glissa sur le corps de la fille, posant sa tête au-dessus de la touffe de la servante, de telle façon que chacune pût goûter le délicieux trésor de l'autre.

Laure écarta les jambes de sa maîtresse et scella de ses lèvres la vulve alléchante, captivée par sa rosée musquée et ses lèvres gonflées. En même temps, elle sentait une bouche délicate la fouiller. Elles restèrent ainsi pendant une éternité : embrassant, léchant et suçant ; embrassée, léchée et sucée.

Madame tira délicatement le bouton de la fille dans sa bouche, titillant sa pointe sensible, caressant lentement sa taille minuscule. Laure était folle de joie. La caresse était si douce, mais si intense. Elle atteignit l'orgasme en quelques secondes. Des secousses de plaisir la terrassèrent, embrasant son bassin et ondoyant à travers ses hanches et son ventre.

Malgré ses cris de joie, elle ne cessa de jouer avec son nouveau trésor, le suçant avec ardeur jusqu'à la soumission. Madame atteignit l'orgasme peu après, ses cris étouffés entre les jambes de Laure. Elles relâchèrent toutes deux leur étreinte, laissant la vague de plaisir se retirer lentement à chaque battement de leurs cœurs.

Mais Madame ne resta pas immobile très longtemps. D'un mouvement furtif, elle fit le tour du lit à quatre pattes. Sa chevelure lui retombait sur le visage et ses hanches tanguaient voluptueusement. Elle demanda à Laure de s'asseoir, jambes écartées, puis s'assit devant elle, les deux enchevêtrant leurs jambes jusqu'à ce que leurs vulves vibrantes soient en contact.

Elles se caressèrent avec douceur, n'utilisant que le mouvement de leurs hanches, en une tendre et sensuelle étreinte. Après quelque temps, Laure regarda sa maîtresse se renverser sur ses coudes et laisser sa tête retomber vers l'arrière. La bouche de la femme se tordait de plaisir alors que sa chair se frottait furieusement contre celle de Laure. Un long cri plaintif annonça un nouvel orgasme.

Après quelques minutes, elle reprit son souffle et se redressa en position assise. Penchée vers Laure, elle tendit les bras et la serra très fort.

« Tu es délicieuse, ma douce. Quels moments merveilleux nous passerons ensemble. Je t'ai longtemps attendue, mais ç'en valait bien la peine. Nous ne serons plus jamais séparées. »

Laure ne répondit pas. Elle avait l'esprit vide, ayant cessé de penser pour se concentrer uniquement sur les sensations de son corps. L'étreinte de Madame était douce et réconfortante, pour ne pas dire ardente. Elles s'embrassèrent et s'étreignirent un moment, et Laure oublia presque tout ce qui l'entourait. Elle tomba lentement dans une sorte de sommeil béat, contrecoup des sensations intenses qui l'avaient balayée.

Puis, sans la relâcher, Madame tendit le bras vers le tiroir de la table de chevet et en tira un paquet long et épais. Défaisant le nœud de soie, elle déballa l'étui de velours et en sortit une grande chandelle à la mèche coupée et aux extrémités arrondies. La cire grise avait été polie pour l'adoucir.

Libérant son étreinte, Madame recula et inséra délicatement une extrémité de la chandelle dans la caverne de Laure. Lentement, avec malice, elle la tira et la poussa à quelques reprises à coups longs et doux.

Laure sentit revenir son excitation. Le diamètre considérable de la chandelle l'étirait largement, la pression augmentant le plaisir, ce qui lui procurait une sensation des plus enivrantes.

Madame bougea les hanches de façon à pouvoir insérer l'autre bout de la chandelle en elle aussi. Laure comprit ce que sa maîtresse voulait faire et réagit rapidement. Appuyés sur les coudes, les deux corps entamèrent la danse la plus curieuse, chacun poussant et tirant à tour de rôle, laissant entrer et sortir la chandelle le long des vagins, utilisant sa longueur et sa circonférence pour rallumer la flamme de leur passion.

L'orgasme de Laure vint rapidement, sa chair humide s'abandonnant à la douce torture de l'étrange instrument. Même une fois son plaisir passé, elle continua de bouger pour permettre à son amante d'atteindre elle aussi le paroxysme du plaisir. Elles parvinrent toutes deux plusieurs fois à l'orgasme, victimes de leur propre concupiscence.

Au bout d'un moment, épuisées par la puissance de leur plaisir sans fin, elles n'eurent d'autre choix que de s'arrêter. Madame retira lentement la chandelle et la parcourut de son long ongle poli, gravant des lettres dans la cire.

« Cette chandelle portera ton nom, prononça-t-elle d'une voix brisée. Tu la reverras bientôt, j'espère. »

Tout en continuant à se coller et à se caresser, elles se rhabillèrent lentement. Lorsqu'elles eurent fini, le soleil se couchait déjà à l'horizon et remplissait la chambre d'une lueur orange. Il était difficile de se séparer, mais Laure partit heureuse.

« N'oublie pas, lui conseilla Madame. Viens me voir ici, dans cette chambre, demain soir. Tu ne le regretteras pas. » Plus qu'à une exigence, cela ressemblait à une promesse.

CHAPITRE III

Le lendemain soir, après le banquet, Laure se faufila en silence à l'étage supérieur, comme Madame le lui avait ordonné. La maison était silencieuse. Six invités restés à coucher s'étaient retirés tôt pour la nuit.

Elle entra dans la chambre de sa maîtresse, le cœur battant d'attentes exquises, et verrouilla la porte derrière elle. Elle sut tout de suite que c'était sa place. Déjà, le décor ne lui semblait plus étranger, même dans la pâle lueur du feu.

Madame attendait près de la cheminée, habillée d'une simple et longue robe blanche, sa chevelure dorée reflétant la lueur des flammes. Laure ne perdit pas de temps et saisit la taille minuscule de sa maîtresse dans une étreinte passionnée, s'emparant de sa bouche et la suçant avidement. Mais Madame la repoussa en riant.

« Comme tu es impatiente, ma chère. » Sa voix était une cascade de perles se réverbérant étrangement dans la pénombre. « Tu n'es pas mienne ce soir, mais je te promets que ton plaisir sera tout aussi intense qu'hier. Viens. »

Elle prit la main de la servante et l'emmena dans la chambre adjacente, celle du maître.

Cette pièce plus grande n'était éclairée que par trois chandelles. Les yeux de Laure mirent un certain temps à s'habituer à la noirceur. Au milieu, près du lit massif, quatre hommes se tenaient debout, nus et prêts. Laure se figea sous l'effet de surprise. Elle reconnut M. Lampron, son maître, et les trois messieurs qui passaient la nuit au château.

Les mêmes hommes qu'elle avait vus, plus tôt, assis à la table, mangeant et buvant en toute civilité, si corrects et si courtois, se tenaient maintenant debout devant elle, n'éprouvant aucune honte quant à leur nudité. Ils paraissaient plus étranges sans leurs perruques, mais se tenaient droits et fiers.

Ils ne portaient qu'une grosse érection, et Laure n'en croyait pas ses yeux. Elle fut quelque peu soulagée de voir le regard amusé de Madame. Il y avait dans l'air une odeur étrange, vaguement familière, capiteuse mais plutôt appétissante.

«Cette soirée t'appartient, dit Madame d'une voix douce. Nous sommes venus t'apporter du plaisir si, en retour, tu acceptes de faire de même pour nous.»

Laure hocha la tête en silence, intriguée et excitée. M. Lampron s'approcha d'elle et lui caressa la joue. C'était un homme grand et costaud, d'une fière contenance, la tête toujours haute. Laure l'avait déjà vu et l'avait toujours trouvé majestueux, surtout lorsqu'il montait à cheval. Mais nu, il était encore plus impressionnant.

Son crâne était rasé et recouvert d'un mince duvet. Son corps était très fort et musclé, sa poitrine large et entièrement tapissée de boucles foncées. Son ventre plat était orné à sa base d'un épais buisson d'où surgissait un membre énorme, long et fort, dont la prune pourpre luisait à la lumière des chandelles.

En promenant son regard à travers la chambre, Laure vit qui portait les chandelles, et sentit une fulgurante excitation se déchaîner dans son ventre.

Les épouses des messieurs se tenaient presque sur la tête, soutenues par des piles de coussins posées sur le plancher. Leurs jambes, appuyées contre le mur, étaient largement écartées, leur chair nue exposée en direction du plafond. Mais le plus étonnant, c'étaient les chandelles qui dépassaient de leurs vagins, fermement ancrées. La cire, en coulant, se ramassait en flaque chaude sur la peau gonflée de leur vulve. Sur chaque chandelle était gravé le nom de la dame. Laure devina immédiatement qui s'en était chargé de son ongle noble.

Le trio était beau à voir, et Laure réalisa soudainement que l'arôme qu'elle avait remarqué flottant dans l'air venait bel et bien des chandelles, qui avaient sans doute été trempées à maintes reprises dans les parties intimes des dames avant d'être allumées.

Madame se dirigea vers Laure et se mit à la déshabiller. Ses gestes étaient vifs et précis, mais si sensuels que Laure ressentit plus d'excitation que de honte à l'idée d'être déshabillée devant tous ces hommes.

«Ce soir, nous allons mettre ton obéissance à l'épreuve, annonça Monsieur. Nous allons t'utiliser et te permettre de nous utiliser, uniquement pour le plaisir. Si tu échoues, les conséquences seront terribles. Toutefois, d'après ce que m'a dit ma femme, je suis fort assuré que tu réussiras. Tu suivras chacun de nos ordres, sans poser de questions. Tu dois d'abord déshabiller ma femme, l'exciter et installer une autre chandelle.»

Laure obéit avec bonheur. Elle était un peu nerveuse à l'idée d'être à leur merci, mais elle avait le sentiment qu'elle se rappellerait cette soirée pendant fort longtemps.

Elle se tourna vers Madame. Se penchant, elle saisit le bas de la robe de celle-ci et la retira par-dessus sa tête, révélant son corps nu. Madame était encore plus belle que dans le souvenir de Laure, surtout à la lueur des chandelles.

La servante embrassa tendrement son amante, la caressant doucement, redécouvrant la peau tendre qu'elle avait goûtée la veille. Madame restait debout, comme si on lui avait ordonné de ne pas bouger, et s'abandonnait aux soins de la jeune fille.

Laure n'avait qu'une chose en tête. Elle tomba à ses genoux et écarta doucement les jambes de la femme. Sa langue se dirigea immédiatement vers le bouton ferme, l'attira dans sa bouche et le suça avidement.

Madame mouillait déjà, les replis étaient chauds et engorgés, le bouton gonflé et palpitant. Laure était un peu déçue. Elle aurait aimé être responsable de l'excitation de sa maîtresse. Mais au moins, à présent, la femme était à sa merci. À deux doigts, elle saisit l'un des mamelons, le titillant tendrement tandis que son autre main rejoignit sa bouche. Elle entreprit de lécher avec ardeur le doux monticule de Madame, et voulut avaler au complet toute cette délicieuse chair mielleuse et si volontiers offerte.

Le souffle de Madame prenait déjà de l'ampleur et son corps se tortillait de plaisir. Laure entendit les hommes derrière elle souffler avec plus d'intensité eux aussi, de toute évidence ravis par le spectacle qui s'offrait à eux. Elle aimait l'idée d'être observée, d'être la source de leur excitation.

Une main s'abattit sur son épaule et la tira vers l'arrière.

« Ça suffit, dit Monsieur. Il est temps d'allumer une chandelle. »

Madame se dirigea vers une pile de coussins et choisit une chandelle. Elle la tendit en souriant à Laure, qui reconnut les lettres gravées sur sa longueur. C'était la même chandelle qu'elles avaient utilisée la veille.

Madame se pencha, s'appuya sur les coussins et projeta ses jambes vers le haut en les écartant. Son mouvement fut si naturel que Laure s'aperçut que la femme connaissait bien cette posture. Les autres femmes paraissaient à l'aise malgré leur position précaire. Elles n'accordèrent aucune attention à Laure ni à sa maîtresse, comme si elles étaient dans un monde à part.

L'une d'elles avait des seins énormes et sa position présentait l'avantage de les faire retomber sur son visage, à portée de sa bouche : ainsi, elle pouvait atteindre et sucer ses propres mamelons. Une autre femme imprimait un mouvement de va-et-vient à la chandelle dans sa caverne, laissant la cire liquide tomber en gouttes bouillantes sur ses replis roses, chacune reçue avec un cri de douloureux délice.

Laure alluma sa chandelle à la flamme d'une autre. Son odeur lui rappela immédiatement sa rencontre de la veille avec Madame. Elle se pencha vers la chair exposée, la léchant avec ardeur comme si elle voulait s'assurer qu'elle était suffisamment mouillée, mais en réalité elle désirait étancher sa soif.

La chandelle glissa aisément, mais Laure la poussa lentement, puis la retira légèrement, car elle voulait que son amante en jouisse. Après tout, on lui avait demandé de poser la chandelle. Ces messieurs ne s'opposeraient sûrement pas à ce que, ce faisant, elle donne du plaisir à Madame…

Elle les sentit bientôt s'impatienter derrière elle. Elle poussa la chandelle aussi profondément que possible et se retourna vers eux, inclinant la tête en signe de révérence. Sans honte de sa nudité, mais d'humeur décidément malicieuse, elle s'avança, sachant qu'ils regardaient son corps voluptueux.

« Regarde-nous, ordonna Monsieur. Ce soir, tu n'es point une servante, il n'y a aucune différence de statut dans cette chambre. Tu n'es qu'une esclave amoureuse, et ton seul but, en tant que telle, est de donner et de recevoir du plaisir. À présent, agenouille-toi. »

Il désigna une petite pile de coussins disposée au pied du lit de façon à ce que Laure pût s'agenouiller et s'étendre à l'aise.

Le premier invité, M. Desgets, s'avança vers elle, présentant à sa bouche son phallus érigé. Laure n'eut pas à se faire dire quoi faire. Elle le prit avidement, son excitation étant déjà si intense qu'elle était prête à tout ; elle était affamée de chair, celle d'un homme ou d'une femme.

La hampe était longue, mais mince, le gland pourpre, plutôt petit. Choisissant de n'utiliser que sa langue, elle la glissa d'une façon preste et habile le long du bord, titillant sa chair et poussant le bout de sa langue dans la bouche minuscule. Dans sa main, les couilles étaient grosses et pleines, le scrotum serré. Elle chatouilla l'homme du bout des doigts ainsi que du bout de la langue, la laissant frétiller comme un papillon sur la hampe et les couilles, le touchant parfois à peine.

Il soupira bruyamment. «Très bien!» Sa voix tonna, car il s'adressait de toute évidence à quiconque voulait bien l'entendre. «Oui, en effet, elle a beaucoup de potentiel. La langue est empressée, bien qu'un peu verte, mais certes plaisante.» Il se retira et recula.

«Je crois bien que je vais l'essayer moi-même», annonça M. Benoit en s'avançant.

Laure s'amusait fort. Elle aimait les exciter ainsi, mais ils semblaient ne vouloir que la mettre à l'épreuve, sans vraiment chercher l'orgasme. Ou bien était-ce seulement remis à plus tard?

Le deuxième pénis imposé à ses soins était fort différent, petit mais épais, fait pour être sucé plutôt que léché. Elle y posa sa bouche avec zèle, s'y adapta complètement et le retint en une forte succion qui déclencha aussitôt chez l'homme un gémissement de satisfaction.

«Cette bouche est un délice, clama-t-il, enthousiaste. Je n'ai vu que très rarement une jeune fille si désireuse de plaire.» Il se retira avec un bruit de bouchon qui saute, laissant une Laure déçue attendre impatiemment sa prochaine friandise.

M. Lampron poussa son troisième invité hésitant vers la bouche en attente. Le jeune homme semblait impressionné par l'habileté de la servante, comme s'il avait peur d'elle.

«Allez-y doucement avec lui, conseilla M. Lampron. Notre ami vient tout juste de joindre nos rangs. Malheureusement, sa charmante épouse, bien que plutôt sensuelle, n'est point vraiment chaude à l'idée de telles caresses. Nous croyons qu'il est temps pour lui de découvrir les plaisirs que peut apporter une bouche vorace. »

Son phallus était d'une taille assez remarquable, mais dans un état d'excitation limité. En quelque sorte, il était vierge, n'ayant jamais été convenablement caressé par la bouche d'une femme. Comme elle savait qu'il ne l'oublierait jamais, Laure décida de lui donner le meilleur traitement possible.

Elle prit le phallus entre ses mains et le caressa de façon à lui donner une rigidité raisonnable, en se servant de ses doigts et de sa langue pour en parcourir toute la longueur, mais sans vraiment le prendre en bouche. Il réagit prestement à son toucher, et ses genoux se mirent à trembler. Lorsqu'elle sentit qu'il ne pourrait tenir le coup beaucoup plus longtemps, elle l'avala complètement, caressant doucement sa prune de la langue.

Après seulement quelques secondes, elle sut qu'il s'approchait du paroxysme de la jouissance, mais elle se dit qu'il valait mieux lui refuser ce plaisir pour l'instant. Elle le laissa avec un sourire. Il parut déçu. Par contre, son initiative plut à M. Lampron.

« Très bien, mon enfant, estima-t-il. Je vois que vous comprenez nos règles. Comme vous l'apprécierez sûrement, nous ne cherchons point le soulagement immédiat, mais plutôt le bonheur du plaisir durable. J'aurai maintenant la joie de m'abandonner à votre bouche habile, car vous me semblez plutôt douée pour ce genre particulier de traitement. »

Il s'avança et offrit son gros membre. Laure le prit dans sa bouche et le savoura comme un fruit mûr et juteux. Dès lors, elle le caressait pour son propre bénéfice, car elle retirait un immense plaisir du fait de le tenir en bouche. Long et raide, battant sous sa langue, c'était de loin le meilleur. Elle saisit la hampe à deux mains, la caressant sur toute sa longueur tout en en suçant le gland bulbeux.

Il gémit de satisfaction. «En effet, tu es fort ardente. Ma femme a fait un bon choix. Maintenant, nous allons voir à quel point tu es accommodante.»

Il fit signe aux autres de venir le rejoindre. La bouche de Laure fut assaillie par les trois autres membres empressés, chacun implorant des caresses. Elle fut transportée de joie par cette délicieuse attaque, les suçant et les léchant tour à tour. Ses mains aidèrent à accueillir chacun, caressant et frottant sans fin les queues raides.

Ils étaient tout autour d'elle, bandés et impatients. Elle caressait, léchait et suçait du mieux qu'elle pouvait, veillait à ne négliger personne, mais souhaitait pouvoir faire davantage.

Au-dessus de sa tête, la conversation se poursuivait entre les hommes, qui commentaient sa performance.

«Quelle langue soyeuse…

— Croyez-vous, vraiment? Je lui trouve une rugosité assez plaisante.

— En tout cas, j'aime son mouvement.

— En effet, elle est plutôt habile. Et la bouche est très confortable.

— Oui, et fort empressée de plaire, et c'est ce que nous recherchons vraiment, n'est-ce pas?»

Laure oublia bientôt leurs paroles, se concentrant uniquement sur la tâche immédiate, ivre du pouvoir qu'on lui avait confié. Sa vulve réagit violemment, brûlant de recevoir puis de sentir leur poussée dans sa moiteur.

S'assoyant, elle déplaça son poids de façon à poser directement sa chair gonflée sur son pied droit. La rudesse de son talon agressa agréablement son bouton ferme. Elle tenta de se faire jouir ainsi, bien qu'il lui fût difficile d'y arriver sans montrer aux messieurs ce qu'elle était en train de faire. Néanmoins, son corps se balançait légèrement, le pubis plaqué sur son talon, sa vallée humide glissant le long de la peau rugueuse.

Encore en train de sucer et de lécher les quatre hommes, elle sentit sa vulve allumée par le feu de son orgasme, de plus en plus fort. Elle se mit à soupirer d'une façon incontrôlable, semblant prendre plaisir au fait de pouvoir s'amuser avec autant de chair raide, mais réagissant en fait à ses propres caresses.

Elle émit un fort gémissement en atteignant l'orgasme, plaquant de tout son poids sa vulve sur son talon, en un semblant de pénétration.

«Comme c'est étrange, affirma M. Desgets. Il semble que la jeune fille puisse atteindre le plaisir ultime par le simple attrait de notre chair.

— Ne la laissez point vous tromper, mon ami, répondit M. Lampron. Voyez comme elle pose son délicieux derrière sur ses talons. Tout ce que je puis conclure, c'est que cette petite dévergondée s'est caressée pendant tout ce temps.

— Peut-être bien, intervint M. Benoit, mais n'est-ce point ce que nous recherchons ici ce soir, de donner et de recevoir du plaisir? Je dis que cette jeune gigolette a en effet très rapidement saisi nos jeux.

— Vous oubliez une chose, cependant», poursuit M. Lampron. Sa voix se brisa pour émettre un grognement de plaisir. Car Laure, malgré le fait qu'elle était le sujet de la conversation, avait poursuivi ses soins. «Nos règles sont très strictes. Il n'est pas permis de se donner du plaisir. Elle doit attendre que l'un d'entre nous l'amène à l'orgasme.

– C'est tout à fait vrai, affirma M. Desgets. Elle a eu un moment d'égarement, et elle doit être punie.»

En l'entendant, Laure devint légèrement inquiète. Qu'allaient-ils lui faire? Elle avait toujours été une servante obéissante, mais ce soir elle leur avait déplu. Elle savait qu'ils ne cherchaient pas encore le soulagement, mais cette règle s'appliquait-elle à elle aussi? Ils ne le lui avaient pas dit. Qu'allait-il lui arriver?

Lorsque M. Lampron se retira, elle se concentra sur les trois hommes dont les membres étaient encore sous ses soins, et chercha à se faire pardonner en augmentant l'intensité de ses caresses. Comme deux d'entre eux étaient déjà proches de la jouissance, elle redoubla d'efforts en vue d'offrir sa récompense, et sa langue devint un brûlant instrument de douce torture. Toutefois, M. Lampron, voyant ce qu'elle était en train de faire, écarta d'elle ses invités.

«Ne nous laissons pas emporter, ordonna-t-il. Nous ne devons pas chercher le soulagement à ce stade, il est beaucoup trop tôt. Nous avons ici une jeune personne en manque de correction.» Il retira une longue cravache de sous le lit et la tint devant lui, tandis que son regard errait, indécis, d'un invité à un autre.

Laure était encore impressionnée par le spectacle de ces quatre aristocrates nus, leurs queues raides en attente, n'ayant aucune honte de leur nudité. À la vue de la cravache, MM. Desgets et Benoit réagirent comme deux enfants excités, les yeux passant constamment de l'instrument à la femme agenouillée devant eux, chacun désireux de se jeter sur elle.

Mais M. Lampron avait une autre idée en tête. Il les regarda et sourit d'un air malicieux, en hochant la tête. Se tournant vers son troisième invité, le plus jeune qui était demeuré silencieux jusque-là, il lui tendit la cravache.

« Mon cher ami, rendez-nous fiers. Vous voici pour la première fois parmi nous. Bien que nous ne vous fassions point subir d'épreuve, vous devez savoir que l'on doit se conformer à certaines normes afin de rester dans le groupe. Nous avons ici une jeune femme qui doit recevoir une leçon. À vous de voir à ce qu'elle ne s'égare plus. »

Desgets et Benoit traînèrent un énorme fauteuil sur le plancher de bois. M. Lampron ordonna à Laure de se redresser et de s'agenouiller dessus, face au dossier sur lequel elle devait s'appuyer. Son derrière nu, devant les quatre hommes, étalait de façon provocante les rondeurs de sa chair gorgée.

« Je dois avouer que je trouve cette créature fort charmante, annonça M. Benoit. J'aurais du mal à décider dans laquelle de ses délicieuses ouvertures je choisirais de me soulager.

– Heureusement, la décision ne vous appartient point, rétorqua M. Lampron. Nous la laisserons au hasard. Lebeau, mon ami, vous pouvez commencer. »

Le jeune M. Lebeau sembla hésiter un instant. Laure était horrifiée. Bien qu'un grand nombre de ses rencontres avec René eussent été plutôt rudes, elle n'avait jamais été fouettée avec une cravache. Elle espéra que ce serait vite passé. Bien sûr, elle ne ferait ensuite que ce qu'on lui demanderait et n'enfreindrait plus jamais les règles.

Soudain, la cravache commença à glisser sur le contour de son derrière, étudiant ses courbes. L'extrémité de cuir égratigna sa chair nue, comme une rude caresse, puis s'insinua dans les replis de sa vulve. Laure eut le souffle coupé par cette attaque malicieuse. Son cœur battit furieusement, mais son excitation ne diminua pas. Au contraire, elle s'accrut.

La première claque s'abattit. Au début, Laure ne sentit rien. Puis, la peau soudainement serrée et brûlante, elle retint son souffle. Aussitôt, la douleur fit place à une sensation inusitée, étrangement agréable, comme si sa tendre peau était devenue vivante sous le choc.

Le second coup tomba plus bas. La cravache frappa les lèvres gonflées et frôla son bouton. Elle frissonna et gémit. La douleur fut intense, mais fondit rapidement dans un insupportable plaisir. Laure gémit et sentit faiblir ses cuisses. Après le troisième coup, elle s'aperçut que cette séance n'était qu'une farce. L'homme qui tenait la cravache savait exactement ce qu'il faisait.

Les coups se répétèrent, parfois durs, puis devinrent de simples frôlements, entrecoupés de longues et sensuelles caresses de la cravache. Ils s'abattirent à chaque endroit de ses fesses, puis à maintes reprises sur sa chair glissante.

À un moment donné, M. Lebeau retourna la cravache et en inséra le manche dans le vagin de Laure, le retirant lentement, laissant sa circonférence étirer le tunnel humide. Laure haleta d'excitation. Une fois de plus, elle approcha de l'orgasme, et l'homme qui tenait la cravache le savait.

L'extrémité de cuir caressa son bouton pendant un certain temps, le titillant sans fin, déchaînant en elle une vague de plaisir. Cette fois, Laure savait qu'ils ne s'opposeraient pas à son orgasme. En fait, ils allaient peut-être vouloir qu'elle parvienne à la jouissance droit devant eux. Elle tint bon aussi longtemps qu'elle le put, mais un coup bien placé finit par lui faire atteindre le point de non-retour. Elle jouit en gémissant de toutes ses forces, les hanches reculant et suppliant qu'on lui assène un autre coup, les muscles tendus sous la force de son orgasme.

Puis, elle retomba, inerte, contre le dossier du fauteuil.

« Quelle merveilleuse performance, Lebeau, dit M. Desgets. J'arrive à peine à croire que vous ne l'aviez jamais fait. Cependant, comme je suis un gentilhomme, je ne vous demanderai point de détails.

— C'était assez bien, avoua M. Benoit, mais vous ne nous avez point donné l'occasion de voir si son orifice postérieur était aussi accommodant que le reste de sa personne.

— Tout à fait. » M. Lampron prit la cravache et tint son manche devant l'anus de Laure. « Nous devons procéder soigneusement, car nous ne voudrions point endommager la marchandise. »

Le manche de cuir poussa légèrement son entrée serrée, puis la pénétra lentement, l'étirant considérablement. Laure n'offrit aucune résistance. La caresse suffisait tout juste à la titiller et à maintenir son niveau d'excitation.

Monsieur enfonça un peu son passage arrière avant de retirer la cravache et de la laisser tomber au sol.

« Je dirais qu'elle est mûre, conclut-il d'un ton autoritaire. Et je crois qu'il est temps pour nous de tirer le meilleur parti de cette soirée. Le moment est venu de choisir. »

Tendant le bras vers un tiroir de la table de chevet, il en tira quatre cartes qu'il étala sur la table, face cachée. Chaque homme vint tour à tour en prendre une.

Ce mystérieux rituel servait à décider comment chacun des hommes allait faire usage des charmes de Laure ce soir-là. M. Lebeau tendit sa carte sur laquelle une paire de lèvres était dessinée à l'encre rouge.

« Ce doit être mon soir de chance, car j'aurai la bouche », dit-il d'un ton joyeux. M. Lampron fit un geste en direction du repose-pied qui se trouvait derrière le fauteuil, et aida Lebeau à grimper dessus pour faire face à Laure et poser son phallus à la hauteur de sa bouche.

« J'aimerais pouvoir en dire autant, gémit M. Desgets, car ma carte indique que j'aurai son vagin. »

On aida Laure à s'écarter du fauteuil pour que Desgets puisse s'asseoir. Elle fut alors hissée par-dessus lui et empalée sur sa longueur, les genoux chevauchant ses hanches. Il déplaça légèrement la tête sur le côté, afin qu'elle pût tout de même atteindre la queue de Lebeau, qui tressautait impatiemment à quelques pouces de sa bouche.

« Mon cher Benoit, dit M. Lampron derrière elle, puisqu'on me décerne ses petites mains, je dois donc conclure que vous aurez le plaisir de son anus ? »

Ainsi, M. Benoit vint chevaucher les genoux de Desgets, derrière Laure, tandis que M. Lampron se tint debout près du fauteuil.

Laure fut assaillie de toutes parts, des membres insérés dans sa bouche, dans son tunnel humide et entre ses fesses. Même ses mains étaient occupées, car on lui donnait la tâche de soulager manuellement son maître.

Ainsi démarra un étrange rituel, chacun poussant son phallus aller-retour dans les diverses ouvertures de Laure, avec des soupirs de plaisir grandissant. Le fauteuil, de toute évidence habitué à un tel abus, grinçait en harmonie avec leurs grognements.

Laure était empalée et enculée, son tendre anus étiré par la circonférence de M. Benoit, dont l'épais phallus l'envahissait, alors que celui de M. Desgets faisait de même dans sa caverne plus douce, les deux hommes rivalisant pour occuper les entrées adjacentes. Dans sa bouche, M. Lebeau palpitait derechef d'excitation. Ce soir, il allait connaître le plaisir de jouir dans la bouche d'une femme.

Il devint bientôt clair que ces messieurs étaient tous au bord de l'orgasme. Ils avaient hâte de libérer leur désir, mais en même temps, aucun d'entre eux ne voulait être le premier à éjaculer.

Laure était on ne peut plus ravie. Les yeux fermés, elle imaginait une masse de corps enchevêtrés, joints lascivement autour d'elle. Elle était le centre de l'attention, la source principale de plaisir pour ces hommes. Mais ce qui la réjouissait encore plus, c'était que le plaisir allait l'envahir elle aussi, de temps à autre, jusqu'à ce que chacun de ces hommes ait été satisfait.

Elle fit de son mieux pour se concentrer sur les membres qu'elle tenait dans sa bouche et dans ses mains, gémissant de délice à mesure qu'elle augmentait son emprise. Elle ne se lassait pas de les caresser. Sa faim ne serait pas satisfaite avant longtemps. En elle, elle sentait les deux autres queues qui la possédaient en la titillant jusqu'à la folie.

Parmi les cris qui accompagnaient leurs poussées de désir, Laure remarqua des gémissements plus doux et jeta un bref regard vers le coin de la chambre, vers les femmes qui avaient tenu les chandelles. Comme elle avait été trop occupée jusque-là pour y faire attention, elle fut surprise de voir que les chandelles avaient été retirées et convenablement placées dans des chandeliers. Elles n'étaient plus nécessaires.

Les femmes étaient étendues sur le plancher, comme une autre masse de corps enchevêtrés, se touchant et s'embrassant. Des mains et des bouches caressaient tout ce qu'elles pouvaient, chaque femme explorant le corps des autres avec de longues caresses et des baisers avides. Laure les regarda, fascinée et quelque peu envieuse. Il y avait là de succulents mamelons suppliant qu'on les suce, de la chair rose étalée et pressée d'être léchée. Bientôt, elles se mirent à gémir plus fort, leurs cris se fondant avec ceux des hommes qui faisaient usage des charmes de Laure.

Cependant, elle était contente de sa position. Dans ses mains, la hampe longue et rigide de M. Lampron palpitait violemment et se durcissait puissamment. Elle sentit sur elle les nombreuses mains de ses autres amants, leurs doigts entremêlés dans ses cheveux, caressant ses seins et pinçant ses mamelons. Ils perdaient graduellement le contrôle et cédaient à leur excitation.

Chacun dans la pièce s'occupait de l'autre, donnant et cherchant du plaisir. En augmentant, les gémissements devinrent des cris alors que chaque homme et chaque femme atteignait le soulagement ultime, chacun son tour, en harmonie.

Dans le coin, le plaisir balaya les femmes l'une après l'autre. Laure voyait leurs visages se tordre d'extase, leurs membres se contracter sous l'emprise de l'orgasme, leurs hanches tressaillir alors qu'elles étaient saisies par de fortes vagues.

Peu à peu, l'intensité de leurs caresses diminua, et chaque femme se détendit et sourit. Elles s'échangeaient parfois des baisers, mais semblaient plus calmes.

Quant à Laure, son plaisir continuait de monter, insidieux et grisant. Les hanches des hommes poussaient rapidement et profondément, et elle sentit chaque homme jouir dans ses mains, dans sa bouche et en elle. Elle atteignit l'orgasme à l'unisson de chacun d'eux, hautement sensible au plaisir qui les secouait et se réverbérait à travers elle. Elle pouvait les sentir, les goûter. Ce soir-là, le plus sensuel de sa vie, tous ses sens étaient enflammés.

Elle savait que chacun avait tiré du plaisir d'elle et comprit qu'elle allait probablement être invitée de nouveau à se joindre à eux. Jadis pauvre servante solitaire, elle était devenue le centre de l'attention et espérait pouvoir bientôt participer régulièrement à ces jeux.

En effet, c'était tout à fait sa place.

CHAPITRE IV

Le lendemain, Laure resta au lit plus tard que d'habitude. Elle était retournée la veille à sa minable maisonnette, certaine que c'était pour la dernière fois. Ce soir, et tous les suivants, elle allait partager le lit de sa maîtresse.

Au bout d'un moment, elle s'habilla et retourna indolemment au château. Fière et droite, elle passa les cuisines en revue comme si c'étaient les siennes. En un sens, c'était bien le cas. Maintenant que les Lampron l'avaient prise sous leur aile, tout cela lui appartenait.

Alors qu'elle se pavanait avec un sourire arrogant, la gouvernante lui lança un regard courroucé. Mais Laure n'en avait cure. Elle n'avait plus à recevoir d'ordres d'une femme comme Juliette. Ni de qui que ce fût d'autre, d'ailleurs. Elle allait leur montrer qui commandait.

Le cuisinier poussa un glapissement de réprimande lorsqu'elle s'empara d'un croissant sucré à même la corbeille destinée à la salle à manger, mais elle fit semblant de ne pas entendre. Elle était au-dessus d'eux, à présent. Elle avait mérité le droit de vivre mieux.

En voyant les plateaux de nourriture qu'on allait apporter à la salle à manger, Laure conclut que les Lampron et leurs invités étaient sur le point de prendre le petit-déjeuner. La bouche pleine, sans même se donner la peine de balayer du revers de la main les miettes qui ornaient son menton, elle accrocha un sourire suffisant au coin de ses lèvres.

D'un pas nonchalant, elle marcha devant les domestiques qui se dirigeaient vers la salle à manger et les précéda le long du couloir. Puis, elle ouvrit la porte d'un geste désinvolte et entra comme si de rien n'était.

La conversation s'arrêta dès qu'ils remarquèrent son entrée. Laure les fixa du regard, rayonnante. Tout comme la veille, au cours du banquet, ils paraissaient tous de très bonne tenue : les dames fortement poudrées et parées de bijoux, habillées de fines et délicates dentelles ; les hommes vêtus de velours foncé, leurs longues perruques traînant sur leurs épaules. Il était difficile d'imaginer que c'étaient les mêmes personnes qui avaient pris part à la séance torride de la veille.

Un court instant, Laure crut presque avoir rêvé tout l'épisode. Mais les marques de coups sur son derrière lui rappelaient d'une façon très réelle – et fort douloureuse – que cela s'était vraiment passé.

Elle entendit Juliette s'approcher derrière elle et tenta de réprimer le ricanement qui s'élevait de sa gorge, sachant que la gouvernante allait essayer de la tirer de là. Comment cette femme pouvait-elle savoir que Laure avait dépassé un seuil la veille au soir, et que par conséquent elle n'était plus désormais une simple servante ?

Elle se prépara au triomphe : à tout moment, M. Lampron allait l'inviter à se joindre à eux et dire à la gouvernante de les laisser tranquilles. À tout moment…

Mais ils la regardèrent plutôt avec une expression hautaine. Madame prit la parole.

«Que voulez-vous donc?» demanda-t-elle d'un ton autoritaire. Elle s'adressa à Juliette sans même regarder Laure. «Nous vous avons demandé de ne point nous déranger. Qu'y a-t-il?

— Je suis désolée, Madame», répondit Juliette en faisant une révérence. Elle prit Laure par le bras, la tira de force et referma la porte derrière elles.

Une seconde plus tard, un rire à peine étouffé s'éleva dans la salle à manger et terrifia Laure. Apparemment, les Lampron et leurs invités avaient trouvé son intrusion fort amusante. Comment osaient-ils?

Elle dégagea violemment son bras de la poigne de la gouvernante. «Laisse-moi! Qu'est-ce que tu fais?

— As-tu oublié ta place? dit Juliette. Ou es-tu seulement devenue folle? Tu n'as rien à faire dans la salle à manger des maîtres!

— Ah non? répondit Laure d'un ton défiant. Si je peux me joindre à eux dans leur chambre à coucher, je peux tout aussi bien le faire au petit-déjeuner.»

Juliette la gifla et Laure faillit perdre son équilibre sous le coup. «Tu peux aller partout où ils te demandent d'aller, murmura la femme avec colère. Mais seulement s'ils te le demandent. Tout ce que tu fais dans leur lit le soir, ça les regarde. Le reste du temps, n'oublie jamais que tu es encore une servante, et fais ce que je te dis. À présent, retourne au travail!»

Laure colla sa main contre sa joue qui élançait et soutint le regard courroucé de la gouvernante. Quelle folle, cette Juliette! Elle ignorait tout des activités auxquelles se livraient ses maîtres dans l'intimité de leur chambre à coucher! De toute évidence, une telle femme ne serait jamais invitée à se joindre à eux. Laure avait plus mal à sa fierté qu'à sa joue.

Il était peut-être trop tôt. Les Lampron attendraient que leurs invités soient partis pour apprendre au reste du personnel qu'ils avaient maintenant pris Laure sous leur aile. Et alors, chacun aurait à lui obéir. Bientôt.

Sans conviction, Laure s'occupa de ses tâches. Une fois de plus, on lui accordait peu d'attention. Heureusement, Monsieur allait bientôt les mettre au courant des changements. Bientôt, peut-être même ce soir…

Mais l'annonce ne vint pas. Lorsque le personnel partit se coucher, Laure resta dans la cuisine. À tout moment, à présent, elle allait être appelée à la chambre des maîtres. Mais, à mesure que la soirée passait, elle se trouva assise seule avec pour toute compagnie une chandelle moribonde. Dans l'air chaud du soir résonnèrent les coups de l'horloge du village, à une demi-lieue à travers champs. Pas ce soir, alors. Peut-être demain.

Mais ni le lendemain ni le surlendemain elle ne reçut la nouvelle qu'elle espérait. Laure ne travaillait presque pas. Elle passait les journées à flâner, oubliant les tâches qu'on lui avait assignées, refusant même parfois de faire ce qu'on lui demandait. Tour à tour, chacun se mettait en colère et la vitupérait, mais elle ne s'en souciait guère.

Ce qui la dérangeait, c'était de devoir retourner chaque soir à la maisonnette. Maintenant que sa maîtresse l'avait accueillie dans son lit, elle ne ressentait que du mépris pour la minuscule paillasse dans laquelle elle dormait depuis des années, avec son oreiller rempli de foin rugueux et sa minable couverture de laine. Main-

74

tenant que son père était mort, elle allait devoir déménager, de toute façon, et le plus tôt serait le mieux.

Elle s'ennuyait des draps doux et du chaud édredon du lit de Mme Lampron. Mais, surtout, elle avait envie du contact d'un corps somnolent, enlacé au sien en une douce étreinte. Elle n'avait connu le luxe qu'une seule nuit, mais c'était suffisant pour lui faire haïr son décor familier.

Pourquoi Monsieur ne l'avait-il pas déjà fait appeler ? De toute évidence, il avait pris plaisir avec elle l'autre soir. Ce qu'elle suggéra plusieurs fois au reste du personnel. Comme elle n'obtint aucune réaction au début, elle prit soin de dire à chacun ce qu'elle avait fait.

« Tu aurais dû les voir, essaya-t-elle de dire à Madeleine, la fille aînée du jardinier. Ils parlaient si bien, mais ils étaient tous nus et ne s'intéressaient qu'à une chose. » Au début, la fille avait semblé impressionnée, mais pas suffisamment pour s'arrêter de travailler et accorder toute son attention à Laure.

Personne d'autre ne voulait l'écouter. Et ils étaient en colère parce qu'ils devaient faire son travail. À un moment donné, Juliette mit les choses au clair avec elle, et le fit devant tous les autres.

« On ne veut pas le savoir, ce qui est arrivé l'autre soir, s'écria la femme en colère. Arrête de dire des choses pareilles à propos des maîtres. Tout ce qui nous intéresse, c'est le travail à accomplir, et tu ne fais pas ta part. Fais ce qu'on te dit, sinon tu devras te trouver une place ailleurs.

— Vous êtes tous jaloux, c'est tout ! s'écria Laure. Ils vont me mander ! Ils vont me prendre avec eux comme si j'étais leur fille, et alors, je vais vous faire

75

ravaler vos paroles! Avant longtemps, ce sera moi qui donnerai les ordres, oui!»

Une fois de plus, Juliette la fit taire d'une gifle.

«Suffit! cria la femme. Va travailler, sinon…»

Laure lui lança un regard provocant et sortit de la cuisine en claquant la porte. C'en était trop. Ce n'était pas juste. Qu'avait-elle fait pour mériter cela? Les Lampron l'avaient clairement oubliée, et maintenant, le reste du personnel voulait la chasser.

Elle courut vers la rivière; elle avait besoin de sortir de cette maison. Pourquoi, mais pourquoi donc? Comment pouvaient-ils être si cruels, si impitoyables?

Assise sur l'herbe, elle fixait l'eau d'un regard vide. Elle n'avait plus rien à faire ici. Elle ne pouvait plus vivre au château avec le souvenir de ce qui était arrivé si elle devait demeurer une simple servante. Pourquoi lui avait-on fait goûter à la belle vie; pourquoi l'avait-on invitée dans ce groupe, si c'était seulement pour la rejeter par la suite? Était-ce la punition ultime? C'était vraiment trop cruel.

Laure ne pouvait croire ce qui était en train de se passer. Elle ne demandait pas beaucoup: seulement que Madame tienne sa promesse. Après les merveilleux moments qu'elles avaient partagés, il lui était encore plus difficile de retomber dans son quotidien. Elle voulait y retourner, dans cette chambre à coucher, pour donner et recevoir du plaisir. Car cela lui manquait terriblement: le contact d'un autre corps, surtout celui de Madame.

Mais, à présent, les Lampron ne semblaient plus vouloir d'elle. Et le personnel? Allait-elle devoir subir leur mépris? Surtout celui de Juliette… Et de tous les autres à qui elle avait raconté ce qui était arrivé ce soir-

76

là. On allait la prendre pour une menteuse. Car si les Lampron l'avaient invitée à leurs jeux, comme elle le prétendait, pourquoi l'ignoraient-ils à présent? Elle-même n'y comprenait rien, alors comment pouvait-elle s'attendre à ce qu'on la croie? Qu'allait-elle faire?

Le son de pas pressés derrière elle interrompit ses pensées. En se retournant, elle vit Guillaume, le fils du palefrenier, courir vers elle aussi vite que ses jeunes jambes pouvaient le porter. En la voyant, il se mit à crier à tue-tête:

« Laure! Laure! Tu dois venir tout de suite! Le maître veut te voir! »

Laure bondit sur ses pieds et le fixa. Monsieur la mandait? Enfin! Elle retroussa sa jupe et courut derrière le garçon en direction du château.

Son cœur battait d'une joie incrédule. Monsieur voulait la voir! Enfin! Elle voyait déjà ce qui allait arriver: il ferait savoir au personnel que Laure était maintenant sous son aile, et qu'ils devaient tous obéir à ses ordres.

Finalement, elle se sentit réhabilitée. Maintenant, elle allait leur montrer! Elle allait les traiter avec le dédain qu'ils méritaient. Ils allaient payer leur manque de considération à son égard!

Lorsqu'elle atteignit le château, elle était hors d'haleine. Elle s'arrêta dans la cuisine et lança à la ronde un regard interrogateur. Comme d'habitude, personne ne se préoccupait de ce qu'il lui arrivait. C'était mauvais signe. Ou peut-être ne le savaient-ils pas encore…

« Te voilà! » La voix de Juliette s'éleva derrière elle. « Nous te cherchions. Monsieur veut te voir tout de suite. Tu l'as déjà fait attendre assez longtemps. Va, maintenant! »

Rien dans sa voix ne disait à Laure ce qu'elle voulait entendre. Aucun signe de colère envers la servante, mais aucune marque de respect non plus. Bien sûr, pensa Laure, elle n'est pas encore au courant.

Elle reprit son souffle, lissa sa jupe avec ses mains et se dirigea vers le petit salon où Monsieur passait habituellement ce moment de la journée.

Elle entra lentement dans la pièce, s'efforçant de faire le moins de bruit possible. M. Lampron était assis près de la fenêtre. Il ne se leva même pas en la voyant. Sa bouche se tordit en un sourire cynique et il lui fit signe de s'approcher.

« Petite folle, dit-il d'un ton sarcastique. Tu te crois finaude ? Tu te crois meilleure que le reste du personnel ? N'oublie pas que tu ne serais même pas ici, si ce n'était de ma femme ! » Il se leva et se mit à faire le tour de Laure qui demeurait silencieuse.

Un sanglot monta à la gorge de la servante. Qu'avait-elle fait pour mériter cela ? Qu'avait-elle fait pour le rendre si furieux ? Il s'arrêta droit devant elle et se mit à rire.

« Tu n'es qu'une servante. N'oublie jamais cela, dit-il d'un ton calme. Ne crois surtout point que tout changera pour toi du simple fait d'avoir été invitée à te joindre à ma femme et à nos invités dans ma chambre à coucher. Cela ne change rien à ta situation ici. »

Il se rassit et Laure l'entendit soupirer. « Tu devras apprendre à être plus obéissante, dit-il, presque à lui-même.

— Vous n'avez pas le droit de me traiter ainsi, s'écria Laure. Vous avez dit que vous me trouviez bonne ! Vous avez dit que votre femme avait fait un bon choix ! Vous avez dit que je pouvais rester! Vous devez tenir votre promesse, maintenant! »

Monsieur devint livide et la fixa de nouveau. Sa bouche se crispa et ses lèvres tremblèrent de colère. « Je ne t'ai rien promis, rugit-il. Tu n'es point la seule personne à qui nous avons permis de jouer avec nous. Et cela ne te donne pas plus de privilèges qu'aux autres. »

Laure soutint son regard. « Qui d'autre? demanda-t-elle. Qui d'autre avez-vous utilisé et rejeté comme vous l'avez fait avec moi?

— Cela ne te regarde point, répondit-il sur le même ton. Et nous n'utilisons personne. Nous offrons du plaisir et nous demandons la même chose en retour. Tu as accepté, ce soir-là. À toi, maintenant, de choisir ce qu'il adviendra de toi. Si tu veux être réinvitée, tu devras attendre ton tour. Mais si tu ne suis pas nos règles, nous devrons te laisser partir. »

Laure sentit ses poils se dresser sur sa nuque. La perspective de devoir quitter le château l'horrifiait. Maintenant que Monsieur l'avait clairement exprimé, elle savait qu'il y avait encore de l'espoir pour elle. Tout comme on le lui avait dit au cours de cette soirée passée dans la chambre à coucher, elle devait obéir et ne jamais s'écarter du droit chemin. Et elle savait que la récompense serait grande.

Elle s'agenouilla près de sa chaise et lui prit la main. « S'il vous plaît, ne me renvoyez pas, dit-elle d'une voix douce. Je serai bonne. Je ferai tout ce que vous me demanderez! Vous savez à quel point je suis bonne! S'il vous plaît, donnez-moi une autre chance! S'il vous plaît, Monsieur? »

Il resta silencieux et Laure sentit qu'elle devait jouer le tout pour le tout. Elle glissa sa main dans l'ouverture de sa chemise et la fit monter et descendre pour lui faire caresser ses seins. Ses mamelons durcirent immédiatement et elle le sentit se calmer. Bien sûr, il savait de quoi elle était capable. Il lui faudrait être très en colère pour se départir d'elle. Cela, elle en était certaine.

« Puis-je avoir seulement une autre chance ? » répéta-t-elle.

Monsieur retira sa main et se leva. « Très bien, dit-il en ouvrant la porte. Viens dans ma chambre, ce soir. Nous verrons cela. »

Il sortit et referma la porte derrière lui. Laure demeura agenouillée sur le plancher. Elle regarda autour d'elle, s'apercevant soudain qu'elle ne voulait pas partir. N'importe quoi. Elle était prête à faire n'importe quoi pour s'assurer qu'il ne se mettrait plus jamais en colère contre elle.

Elle ignorait ce qui l'attendait en ouvrant lentement la porte de la chambre du maître. Après ce qu'il lui était arrivé l'autre soir, elle savait qu'elle devait être prête à tout.

Un moment, elle fut tentée de s'en retourner. Allaient-ils de nouveau lui faire goûter de doux plaisirs, pour ensuite l'ignorer le lendemain matin ? Était-elle de leur monde uniquement sous le couvert de l'obscurité, pour demeurer une simple servante à la lumière du jour ? Elle réfléchit quelques secondes aux possibilités, puis se dit que si c'était ce qu'ils lui réservaient, c'était encore mieux que rien ; mieux que de quitter le château.

En silence, elle traversa la pièce vide. La porte de la chambre adjacente était ouverte et jetait une faible lueur dans l'obscurité. Laure ne put résister à l'envie d'entrer dans cette pièce où elle avait été invitée il n'y avait pas si longtemps, et où elle avait volontairement et joyeusement offert son corps à la douce torture en retour d'un incroyable délice.

Elle frissonna d'excitation en croisant le grand fauteuil. Elle s'arrêta un instant pour le regarder. C'était un simple meuble, banal en soi. Mais, pour Laure, sa vue évoquait des souvenirs intenses, à la fois doux et cruels.

Pendant quelque temps, elle avait eu la folie de se croire extraordinaire, seule à se donner ainsi. Il y en avait eu d'autres, d'après Monsieur. Qui, combien? N'était-ce qu'un jeu pour eux de choisir une de leurs servantes et de la posséder pour la soirée, puis de la renvoyer aux cuisines sans jamais la réinviter? Serait-ce la même chose ce soir?

Elle poursuivit sa marche et s'arrêta à l'entrée de la chambre de sa maîtresse. Monsieur apparut dans l'embrasure, une chandelle dans sa grosse main, et ferma la lourde porte derrière lui. Laure fut déçue de le voir tout habillé. Il la regarda droit dans les yeux.

«Je te donne une autre chance, comme tu me l'as demandé, dit-il d'un ton neutre. Si tu obéis, tu seras récompensée.» Il glissa sa main dans l'ouverture de la chemise de la servante et effleura rapidement ses mamelons pour les faire durcir.

Laure haletait, excitée. Elle allait accéder à tous ses désirs.

«Petite dévergondée, dit-il en retirant sa main. C'est bon. Tu trouveras ma femme, qui attend dans la chambre voisine, aussi lascive que toi ce soir. Ce que je te demande, c'est de l'amener le plus près possible de la jouissance, sans jamais lui permettre de l'atteindre. Elle ne sait point que tu es ici. Elle croit que j'ai invité une autre participante à notre jeu. Cela devrait augmenter son excitation. Ne dis rien, ne fais rien qui puisse lui permettre de te reconnaître. » Il s'arrêta pour reprendre son souffle. Sa voix s'était graduellement mise à trembler, trahissant son excitation.

« Ne te méprends point, poursuivit-il. Ce sera plus difficile que tu ne le crois, car tu ne dois point non plus chercher le soulagement avant que je te le dise. Je t'interdis même de te déshabiller. Tu ne pourras te caresser sans mon consentement. Et bien sûr, cela doit durer aussi longtemps que possible. » Sa voix se refroidit et prit un ton menaçant. « Si toi ou ma femme jouissez avant que je vous en donne la permission, je considérerai que tu as échoué. Mais si tu agis selon mes ordres, un meilleur sort t'attendra. »

Il ouvrit la porte et la fit entrer sans façon. Laure s'avança en hâte, mais au dernier moment il tendit son bras pour lui barrer le passage et la retenir.

« Encore une chose, murmura Monsieur à son oreille. Ce n'est aucunement la seule épreuve à laquelle tu seras soumise. Même si tu fais bien les choses ce soir, je t'en demanderai encore plus. » À présent, son ton paraissait menaçant. Il baissa le bras et s'écarta pour la laisser entrer.

Laure ne bougea pas. Un bref instant, elle fut tentée de s'en aller. Il y aurait d'autres épreuves, d'autres jeux cruels. Que lui réservait-il, au juste ? Et combien de temps lui faudrait-il pour être vraiment des leurs ? Cela valait-il l'attente, la torture ?

Lorsqu'elle jeta un bref coup d'œil à l'intérieur de la chambre de sa maîtresse, toutes ses hésitations s'évanouirent. Tout comme l'autre soir, elle se cambra de surprise et frissonna d'excitation à la vue de ce qui l'attendait.

Madame était étendue nue sur son lit défait. Aucun oreiller sous la tête, aucune couverture en vue, pas même un drap sous sa peau délicate. Juste son corps nu sur un matelas nu. Elle avait les yeux bandés et les membres attachés aux colonnes du lit. Sous le rebord de l'écharpe noire qui lui couvrait les yeux, ses narines palpitaient rapidement, le rythme rapide de sa respiration trahissant son excitation.

Toute la pièce était éclairée au moyen d'une douzaine de chandelles. Chacune projetait une ombre différente, ce qui rendait la scène irréelle : ce corps blanc et nu sacrifié au désir, telle une offrande sur un autel.

Sa poitrine haletait violemment, ses seins dressés s'élevaient et retombaient, ses mamelons étaient plus foncés que d'habitude, en érection. Entre ses jambes écartées, la moiteur de son sexe chatoyait dans la lumière des chandelles. De toute évidence, on lui avait dit à quoi s'attendre, et elle y était plus que prête.

À sa vue, Laure tressaillit. Madame l'avait certainement entendue entrer, mais Monsieur n'avait pas révélé à sa femme qui allait se joindre à elle. Laure sentait l'excitation de sa maîtresse flotter dans l'air et envahir la chambre. Elle l'enveloppa et ne l'excita que davantage. Déjà, sa chair palpitait et elle sentit jaillir sa rosée. Elle savait que cette soirée serait bonne.

Sans un mot, elle s'avança jusqu'au lit et s'agenouilla entre les jambes écartées de sa maîtresse. Le matelas s'inclina légèrement. En entendant la femme pousser un faible cri, elle se retint de rire. C'était bon. Cruel pour madame, mais affreusement divertissant pour Laure.

Où commencer ? La femme était en attente depuis quelque temps déjà. Elle savait que son tortionnaire anonyme était arrivé. Laure ne pouvait s'empêcher de fixer sa victime, oubliant tout ce qui l'entourait, sauf peut-être le maître, debout près du chevet.

Il s'était tu depuis leur entrée dans la chambre. Il ne s'était pas déshabillé. De toute évidence, il n'avait pas l'intention de participer au rituel. Il n'était là que comme surveillant, pour voir si l'élève allait réussir l'examen.

Laure patienta un instant, pour laisser Madame se calmer. Elle voulait commencer lorsque sa maîtresse s'y attendrait le moins. Elle ferma les yeux pour ralentir le battement sourd de son propre cœur, et se préparer à la tâche.

Lorsque la respiration de Madame ralentit, Laure se pencha et parcourut rapidement du bout de la langue la fente de la femme. Elle la toucha à peine, mais en se rassoyant à genoux, elle goûta la rosée musquée qu'elle avait tant désirée. Son gémissement de délice fit écho à celui de sa maîtresse. Monsieur avait eu raison de l'avertir : elle allait avoir de la difficulté à exciter la femme jusqu'au seuil du plaisir tout en se maîtrisant.

Elle posa doucement le bout de ses doigts à la limite de la touffe. Chaude et un peu moite, la peau trembla sous son toucher. La femme était exubérante, comme une marmite sur le point de déborder. Et chacune des caresses de Laure allait inexorablement la rapprocher du point de non-retour.

Laure remonta prudemment la main. Bien sûr, elle savait exactement quoi faire pour que sa victime éclate de plaisir. Mais elle savait aussi quelles caresses augmenteraient son excitation sans susciter le soulagement ultime. Au départ, elle allait se contenter de rester à distance de cette vallée attirante et luisante qui lubriquement l'invitait. Elle finirait par y arriver et ce serait la partie la plus difficile. Mais, pour l'instant, elle restait en terrain sûr.

Ses mains glissèrent sur le ventre de la femme et s'arrêtèrent exactement sous les seins gonflés. Malicieusement, elle se retira, n'y retournant que pour donner une chiquenaude aux mamelons durcis. Après une pause, elle les pinça avec force.

Chaque incursion tirait un fort gémissement du fond de la gorge de Madame. La cruauté avait sa récompense, et Laure y goûtait à fond. Elle était investie d'un pouvoir enivrant. Elle savait exactement ce qui se passait dans l'esprit de sa maîtresse. Ou plutôt, elle savait comment elle-même se sentirait si c'était elle que l'on torturait ainsi.

Elle se retira tout à fait et s'arrêta un moment. Le corps étendu se tortillait encore depuis l'assaut qu'il venait de subir, les hanches oscillant, collées au matelas, les replis de la vulve entrebâillée s'écartant davantage.

Laure mouilla abondamment son médius, l'inséra précipitamment dans l'anus de la femme et le retira tout aussitôt. Madame gémit et Laure sut que, peu importe où elle mettrait les doigts, la réaction serait vive.

Elle leva les yeux vers Monsieur, demeuré immobile. Bien sûr, pour un homme comme lui, ce que Laure venait de faire était probablement très anodin. Mais sa femme trouvait sans aucun doute cette souffrance exquise.

Laure se glissa hors du lit et fit le point. Pour garder Madame au seuil de l'orgasme, elle devait aller lentement, peut-être diminuer l'intensité de ses caresses.

Elle alla s'agenouiller au milieu du lit, tout à côté de Madame. Monsieur lui avait interdit de se toucher et de se caresser, mais pas d'utiliser son corps pour exciter sa femme. S'étendant sur le corps nu, elle glissa lascivement, puis leva les yeux vers Monsieur, à demi certaine de rencontrer un regard de désapprobation. Mais son visage était imperturbable.

Plus audacieuse, Laure se tortilla sur sa maîtresse, caressant à l'infini chaque parcelle de la tendre peau, collant son pubis vêtu contre celui de la femme. Elle fit un effort suprême pour se retenir de poser ses lèvres là où elle posait ses mains. Elle désirait goûter cette peau en entier, sucer les délicieux mamelons et jouer avec eux comme sa maîtresse l'aimait, elle le savait. Mais il était encore trop tôt.

Le corps nu rua pour se défaire de ses entraves, les mains liées se serrant spasmodiquement et s'ouvrant toutes grandes, comme pour essayer de saisir quelque chose. Laure se retira et s'agenouilla à côté du corps qui se tortillait.

« Reviens ! » gémit Madame.

Laure sourit en elle-même : elle avait atteint son but. Elle posa les mains sur les seins nus et les retint solidement. Au milieu de ses paumes, les mamelons se durcirent encore davantage. Laure enfonça le bout de ses doigts et tira avec force sur les globes blancs.

Elle les pétrit rudement, pinçant fortement les mamelons et les roulant entre le pouce et l'index. Les hanches de la femme se secouèrent violemment; les genoux cédèrent. Les cuisses se collaient ensemble, autant que le permettaient les chevilles attachées, puis s'écartaient de nouveau. Se collaient et s'écartaient. Encore.

Chaque fois, un son humide et distinctif s'élevait de la vulve trempée, un bruit spongieux qui indiquait délicieusement la quantité de jus qui s'écoulait maintenant de la caverne palpitante. Son odeur douce et invitante envahit également l'air. Laure voulut la goûter encore, mais elle savait qu'il était même risqué de se rapprocher de la chair frémissante.

Elle décida plutôt de descendre et entreprit de titiller les cuisses nerveuses. Elle posa fermement ses paumes sur les jambes et les obligea à demeurer immobiles. Cependant, le bout de ses doigts continuait de trembloter sur l'intérieur de la cuisse et la femme gémit encore plus fort.

La servante massa malicieusement les jambes de sa maîtresse, montant et descendant en laissant traîner ses doigts en caresses sensuelles, se rapprochant toujours du trésor humide sans jamais le toucher vraiment. Elle se retira et entreprit, d'un seul doigt, de caresser la chair laiteuse.

Elle touchait à peine la peau, laissant son ongle tracer une voie et décrire de grands cercles du genou à l'aine, insistant surtout sur l'intérieur de la cuisse. Et juste au moment où elle arrivait à portée de la chair rose, elle passait à l'autre jambe.

Parfois, elle enfonçait, comme pour jouer, le bout de ses doigts dans le monticule soyeux, les abaissant là où dépassait le minuscule bouton, sans jamais chercher à le toucher.

Après un bref moment, Madame se calma. Même si ses soupirs trahissaient son plaisir, elle savait que Laure ne faisait que la titiller. Il était temps de passer à autre chose.

Sans avertir, Laure tira un mamelon dans sa bouche et suça fortement. Madame cria de surprise et respira profondément. La servante la suça comme un bébé assoiffé, tirant puis relâchant le mamelon allongé, pour se contenter de l'humecter à profusion avec la langue.

De plus en plus excitée, Laure enjamba le corps nu et laissa monter son désir. Elle adorait sentir la peau délicate prendre vie dans sa bouche, elle en voulait davantage et n'en avait pas assez. Respirant fortement, elle couvrit toute la poitrine de salive chaude et la massa avec ses doigts.

Sous ses jambes écartées, elle sentit les hanches de Madame s'élever à la rencontre des siennes. Elle abaissa les siennes, enfonçant sa vulve en un roulement lascif. Les sensations florissaient en elle. Elle sentait sa rosée surgir à mesure que la pression augmentait. À cet instant, elle aurait vendu son âme au diable pour qu'on la laisse se déshabiller. Un gémissement s'éleva dans sa gorge, mais elle parvint à le retenir avant que Monsieur pût l'entendre : elle venait de s'apercevoir qu'elle était sur le point de désobéir.

Retombant sur le lit, elle roula rapidement et se leva. Elle devait garder l'esprit clair. Malgré tout son désir de s'abandonner au contact sensuel de la peau délicate de Madame, elle ne pouvait pas encore y céder. Elle devait se retenir.

Elle remonta sur le lit. Cette fois, elle ne toucha sa maîtresse qu'avec la langue, utilisant ses mains pour se soutenir pendant que sa bouche arpentait la peau pâle et offerte, salivant d'appétit pour chaque morceau de chair étalée d'une façon si tentante.

Comme une bête vorace, Laure mordilla rapidement les seins gorgés d'attentes qui se plissaient encore davantage à mesure que refroidissait la salive qui les couvrait graduellement. La servante prenait garde d'éviter tout autre contact avec la peau de Madame, ne laissant sur elle que ses lèvres et sa langue.

Elle se concentra longtemps sur les mamelons, amenant sa proie jusqu'au sommet de l'excitation avant de choisir quelque chose de plus intense. Elle se remit à genoux entre les jambes écartées et fixa avec satisfaction la vulve entrebâillée, sa rosée s'écoulant à profusion, la tige minuscule dressée, fière et gonflée.

Elle n'avait qu'à saisir ce bout arrondi entre ses lèvres et à le sucer. Puis, tout serait fini. Mais elle sentit le regard lourd de Monsieur sur elle et ses pensées devinrent encore plus malicieuses.

Elle laissa traîner sa bouche de haut en bas à l'intérieur des jambes de Madame, retraçant la voie que ses doigts avaient suivie plus tôt. Çà et là, elle s'approchait de la touffe odorante, si près qu'elle sentait sa chaleur sur ses lèvres. Mais elle réussit à résister à la tentation et se retira docilement. Une fois seulement, en une ultime caresse, elle se permit cette récompense.

Elle posa sa langue à l'endroit exact où les fesses arrondies de Madame touchaient le matelas, et la tira vers le haut d'un seul mouvement de glisse le long des replis gonflés, aussi lentement qu'elle le put, en gardant ses lèvres fermement collées contre la vulve. Madame gémit fortement et sa chair rose se contracta sous la bouche de Laure. Elle se retira d'un seul coup, laissant sa maîtresse insatisfaite.

Laure se releva et regarda son maître. Il n'avait pas encore bougé. Elle ne lut ni approbation ni colère sur son visage. Malgré tous ses efforts, il n'était pas impressionné par la performance et elle sut qu'elle devait trouver mieux.

Puis, son regard s'arrêta un instant sur un collier de perles laissé sur la table de chevet. Un long collier enroulé en tas, chaque minuscule grain rond réfléchissant dans une teinte rose la lumière de la chandelle. Cette vue stimula profondément l'imagination de Laure et elle s'étira pour le prendre.

En saisissant le collier, elle en remarqua aussitôt la fraîcheur. Elle le tint accroché à son doigt replié, car elle ne voulait pas que sa main réchauffe les perles. Il devait rester frais pour ce qu'elle voulait en faire.

Le tenant au-dessus de la poitrine haletante de Madame, elle l'abaissa graduellement. Madame poussa un petit cri de surprise et Laure vit la peau blanche se hérisser sur la poitrine et le ventre. Elle laissa les perles faire leur œuvre, les dirigeant du cou aux genoux du corps étendu: elles chatouillèrent les aisselles, coulèrent autour des seins, remontèrent et descendirent l'abdomen, et parcoururent toute la surface des jambes écartées.

Madame frissonnait à profusion et gémissait sans fin. Agenouillée sur le lit à côté d'elle, Laure était heureuse de son idée, et elle se réjouit de sa propre débrouillardise. Puis, une autre pensée, plus malicieuse, lui vint à l'esprit.

Elle retourna s'agenouiller entre les jambes de sa maîtresse, enroula rapidement le long collier de perles autour de son médius et le plongea rapidement dans la fente palpitante de Madame. Le collier était trop long pour son doigt, mais c'était sans importance. Le reste s'entassa dans la paume de sa main, et elle l'appuya en frottant contre le bouton rigide de Madame : des perles froides sur une perle chaude, des perles blanches et dures sur une perle rose et charnue.

Laure sentit bientôt les perles devenir chaudes et humides des sécrétions qu'exsudaient les replis de sa maîtresse. Elle retira peu à peu son doigt, puis poussa le reste des perles à l'intérieur, remplissant toute la caverne. Saisissant les quelques dernières perles qui dépassaient encore, elle tordit lentement le collier et fit tournoyer les perles à l'intérieur du vagin de la femme.

Madame écarta davantage les jambes, grognant de plaisir chaque fois que Laure faisait tourner le collier. Son corps se tortillait maintenant à l'unisson du mouvement des perles en elle, et les hanches oscillaient sensuellement.

Laure imaginait aisément la sensation que procurait le paquet noueux à l'intérieur d'elle, et elle était fière d'y avoir songé. En levant les yeux vers sa maîtresse, elle fut réjouie de voir la femme sourire de plaisir et mordre sa lèvre inférieure chaque fois qu'un cri renchérissait sur le précédent.

En se penchant, Laure saisit quelques perles et tira lentement tout le collier. Chaque perle brillait de la rosée de sa maîtresse, à mesure qu'elle sortait de la chaude caverne, avec le doux nectar qu'elle désirait tant goûter. Lorsque tout le collier fut sorti et enroulé dans la paume de sa main, Laure le rapprocha de son visage et le passa sur ses joues et sa bouche, s'émerveillant de la sensation des perles chaudes et odorantes. Elle les lécha à fond avant de laisser tomber le collier sur le plancher. Il était temps de passer à autre chose.

À présent, Monsieur souriait. Laure trouva cela de bon augure et jeta un coup d'œil rapide dans la chambre obscure pour voir ce qu'elle pouvait utiliser d'autre. Naturellement, la vue des chandelles lui rappela des souvenirs. Elle en retira une de son chandelier et la rapprocha du lit.

Sa première pensée fut d'utiliser la chandelle comme sa maîtresse l'avait fait quelques jours auparavant. Mais en la déplaçant, elle sentit la cire fondante tomber sur sa main, ce qui lui donna une meilleure idée.

Tenant la chandelle bien haut, elle la pencha légèrement pour faire dégouliner la cire chaude, une goutte à la fois, sur les seins de sa maîtresse. Tenant fermement la chandelle, elle la laissait couler lentement avec une irrégularité exaspérante. Chaque goutte qui giclait était reçue avec un gémissement de pur délice, un cri qui se répercutait dans la chambre et trahissait à coup sûr le plaisir de la femme.

Graduellement, une goutte à la fois, la cire couvrit la poitrine de la femme. Bientôt, Laure put à peine distinguer les mamelons pâles à travers la couche grisâtre. Puis, les gémissements de Madame se calmèrent. De nouveau, il était temps de passer à autre chose.

Laure replaça la chandelle dans son chandelier, puis s'empara de quelques coussins qu'elle plaça sous les hanches de la femme pour les soutenir. La chair gonflée, maintenant empourprée par cette forte excitation, apparut plus clairement dans la lumière des chandelles ; les replis luisaient de rosée, le bouton arrondi palpitait à la vue de tous.

Hasardant un bref regard en direction de son maître, Laure eut le plaisir de le voir sourire encore. En préparant un nouvel assaut, elle remarqua une bosse dans sa culotte. Enfin, elle savait qu'il approuvait.

Elle reprit la chandelle et la porta à l'autre extrémité du lit. Elle était de nouveau ivre du pouvoir grisant de la domination, du sentiment d'être maître du jeu. Après un instant, elle regarda Monsieur. À présent, elle savait ce qui lui faisait plaisir, car elle se rappelait qu'il jouissait de la douleur.

C'était lui, le maître ; elle devait lui obéir. Mais le personnage passif étendu sur le lit, c'était son jouet à elle. Tant qu'elle respecterait les règles des Lampron, elle pouvait faire à sa guise. Et maintenant, elle voulait titiller malicieusement la femme étendue devant elle, torturer les replis gorgés frémissant à quelques pouces d'elle.

Elle laissa couler une grosse goutte, qui rata sa cible, atterrissant un peu à droite du clitoris qui se resserra un instant alors que toute la vulve se contractait avec force. Tant mieux, se dit-elle, ce n'est pas trop tôt. Avec son doigt, elle essuya la cire fondue avant qu'elle ne durcisse. Ainsi, elle pourrait faire durer le traitement plus longtemps.

La cire se souleva aisément, car elle ne collait pas à la chair trempée. Une longue série de gouttes suivit, chacune enlevée quelques secondes plus tard par Laure.

Son cœur battait la chamade. Elle était parfaitement consciente de la douleur qu'elle infligeait à Madame, mais savait le plaisir que la femme en tirait. La vengeance était douce au cœur de la servante! Madame souffrait pour son manque de considération à l'égard de la jeune fille qu'elle avait attirée dans des jeux sensuels, pour ensuite l'abandonner.

En même temps, Laure montrait aux maîtres à quel point elle était désireuse de se joindre à leur cercle, à quel point elle leur manquerait s'ils l'en excluaient. Mais, surtout, elle était transportée de joie par le pouvoir qu'elle détenait à présent: il y avait une fine limite entre douleur et plaisir, et elle possédait la clé des deux.

À mesure que chaque goutte tombait, Laure sentait son sang courir dans ses veines, irriguer cette zone sensible à la jonction de ses jambes. Elle était devenue de plus en plus excitée tout au long de la soirée, mais, en elle, la bête affamée avait constamment besoin de stimulation.

Une goutte finit par atteindre sa cible, et la femme se cabra violemment malgré ses liens. «Encore, gémit-elle. S'il te plaît, n'arrête pas!»

Laure se redressa et regarda M. Lampron d'un air interrogateur. Il secoua la tête et elle comprit qu'elle ne pouvait donner à sa maîtresse le soulagement qu'elle désirait. Il s'avança, lui prit la chandelle des mains et la replaça dans son chandelier avant de retourner à la tête du lit.

Soudainement inquiète, Laure balaya la chambre du regard. L'échec était proche. Si elle ne trouvait pas quelque chose rapidement, elle allait devoir revenir aux caresses et aux baisers. Ce serait une régression, une gaffe. Elle devait penser à quelque chose de mieux.

Ses yeux se posèrent un instant sur une malle ouverte dans le coin opposé. Elle ne l'avait pas remarquée auparavant, mais elle y voyait quelque chose de familier : une cravache. En se rapprochant, elle s'aperçut que cette malle renfermait en fait toutes sortes de choses : un enchevêtrement de courroies de cuir, des pièces métalliques, un certain nombre d'objets qu'elle n'arrivait pas à reconnaître.

Un petit sac de velours attira son attention. Elle l'ouvrit et trouva deux pinces métalliques. D'instinct, elle devina leur usage. Même si elle se trompait, elle pouvait tout de même les utiliser. Elle retourna au lit et regarda les seins de sa maîtresse. Comme, à présent, la cire avait presque complètement durci, elle s'empressa de l'enlever. La peau de Madame apparut, luisante et rosée.

Du bout des doigts, Laure caressa les globes moelleux, tordant les mamelons jusqu'à ce qu'ils durcissent de nouveau. Elle sourit : Madame n'avait aucune idée de ce qui allait suivre. À présent, la femme demeurait passive, et goûtait la douceur du toucher de la servante.

Sans aucun avertissement, Laure ouvrit rapidement les pinces et les ferma sur les mamelons durcis de sa maîtresse. Madame haleta de surprise et un éclair d'excitation transperça le ventre de Laure. La femme criait peut-être de douleur, mais le gémissement qui suivit en était un de pur délice.

Monsieur finit par parler. « Je vois que tu commences à comprendre que l'excitation dépasse le simple contact cutané, les baisers et les caresses. »

Laure hocha la tête en souriant. Alors, c'était bien ce qu'on lui demandait. Elle retourna au coffre pour prendre la cravache, celle que M. Lebeau avait naguère utilisée sur elle. Elle se rappelait si bien cette soirée : les coups soigneusement répétés sur son tendre derrière jusqu'à ce qu'elle atteigne l'orgasme, et le plaisir qu'elle avait tiré de la douleur. Ce soir, c'était Laure qui commandait. Et elle pouvait être tout aussi habile.

De l'extrémité de l'instrument, elle traça le contour des seins de Madame, descendit les flancs de sa cage thoracique, soulevant chaque globe et le laissant retomber. Au début, elle utilisait un mouvement doux et tendre, mais elle augmenta graduellement l'intensité. Après un certain temps, elle les frappait presque, amusée de les voir trembloter en les faisant bouger en tous sens.

Peu à peu, la respiration de Madame s'amplifia. Celle de Monsieur aussi. Il ne se contentait plus de rester immobile et déplaçait son poids d'une jambe à l'autre, essayant le mieux possible de garder sa contenance. Mais, de toute évidence, il n'était plus insensible à ce que Laure faisait à sa femme.

Laure en fut encore plus excitée. Enfin, les choses allaient à son gré. Puisque cela plaisait à Monsieur, Laure n'était pas sur le point de s'arrêter. Elle déposa la cravache et se dirigea vers les coins du lit pour détacher les chevilles de Madame. Pour les intentions qu'elle avait en tête, les poignets devaient rester liés. Pas une seule fois, elle ne regarda son maître pour lui demander son approbation. À présent, elle savait ce qu'elle faisait.

Saisissant les hanches de la femme, elle la souleva du lit et la fit se retourner. Le corps inerte n'opposa aucune résistance. Lorsque Madame se trouva sur son ventre, Laure reprit ses soins, cette fois en frappant le derrière blanc rebondi.

Au début, Madame ne réagit pas. Après quelques coups, cependant, son joli derrière s'éleva au-dessus du matelas, ses genoux plièrent et ses cuisses s'écartèrent pour offrir à la cravache une autre cible, plus tendre.

Mais Laure refusa l'invitation. Elle savait ce qui allait arriver si elle posait son instrument directement sur la vulve impatiente, et elle échouerait alors à l'épreuve.

Elle continua donc de frapper les fesses rondes, doucement, presque nonchalamment. Elle prit bien soin de garder un rythme irrégulier et de varier la force de ses coups. La surprise eut un effet puissant sur Madame, dont la voix s'éleva au-dessus des claquements.

«Assez! gémissait-elle. Je me rends! Je n'en peux plus!»

Monsieur tressaillit et s'avança.

«Suffit! dit-il avec force. Je crois que cela a duré assez longtemps.»

Laure retint son souffle un instant. Bien qu'elle fût déçue de voir le jeu tirer à sa fin, elle était également soulagée, car elle savait qu'elle avait réussi à l'examen.

Monsieur vint se joindre à elle et, ensemble, ils détachèrent le corps fragile. Madame souleva son bandeau et laissa échapper un cri de joie.

«Laure! C'était toi! Quelle surprise délicieuse!» Elle ouvrit les bras et accueillit la fille avec un baiser passionné. «Ma chérie, dit-elle doucement. Tu m'as tellement assoiffée de plaisir. Veux-tu mettre fin à ma souffrance, à présent?»

Sa main délicate couvrit sa fente et elle la frotta amoureusement en la collant contre Laure. Puis elle leva ses doigts trempés vers la bouche de la fille en la suppliant de les lécher.

Laure ferma les yeux et suça goulûment chacun des doigts, tour à tour. La douce rosée qu'elle goûtait lui donna envie d'en avoir plus et elle émit un grognement de désir. Glissant sa propre main entre les jambes de sa maîtresse, elle massa dans un mouvement de va-et-vient jusqu'à ce que ses doigts fussent complètement mouillés.

«Allons, ma douce, dit Madame. Bois-moi et fais-moi jouir avec ta bouche, je t'en supplie.» Assise au bord du lit, la femme posa ses deux pieds à plat sur le plancher. Laure s'agenouilla entre ses jambes et plaqua sa bouche sur la chair offerte.

Elle avait la tête serrée entre les cuisses de sa maîtresse, qui gémissait avec délice. Contre les lèvres de Laure, les replis torturés étaient humides et luisants. Elle les caressa à longs coups de langue, et son excitation s'accrut, tout comme l'empressement de sa langue.

Elle n'avait jamais eu aussi faim. Même sa voracité l'étonnait. Ce qui la surprit encore davantage, ce fut de voir M. Lampron s'agenouiller derrière elle et lui soulever les fesses.

Ainsi donc, il allait la soulager pendant qu'elle faisait jouir sa femme. De cette façon, tout le monde serait satisfait. Tendant le bras entre ses jambes, elle l'aida à soulever sa jupe. Sa chair était tout aussi humide que celle de sa maîtresse, et elle avait envie de le sentir en elle.

Il se glissa aisément en elle, bien qu'elle haletât lorsqu'il la pénétra. Elle avait attendu ce moment si longtemps… Elle posa un pouce sur le clitoris de sa maîtresse et l'autre sur le sien pour les masser en même temps. Mais la main de Monsieur lui saisit le poignet lorsqu'elle commença à se caresser.

«Le moment n'est point venu pour toi, dit-il. Tu dois attendre.»

Il la laboura par-derrière et ses grognements se joignirent bientôt aux gémissements de Madame quand le couple atteignit le paroxysme du plaisir. Par contre, Laure n'était toujours pas satisfaite. Et elle était encore tout habillée.

Lorsque le dernier soupir de Madame s'apaisa, Monsieur aida la servante à se relever. «Va m'attendre dans la chambre voisine, ordonna-t-il. Et ne te touche point. Je te rejoindrai dans un moment.»

Laure partit, obéissante, mais non sans lancer un dernier regard soutenu à la femme étendue sur le lit. Madame avait les yeux fermés, on aurait dit qu'elle dormait. Sur son visage, cependant, un sourire sans équivoque trahissait le plaisir dont elle était encore toute retournée.

Laure attendit impatiemment à côté du grand lit de son maître. Dans un instant, il serait avec elle. Que lui demanderait-il d'autre avant de lui accorder sa récompense finale? Elle frémissait à cette pensée. Tout était possible. Mais, au moins, elle savait qu'elle lui plaisait. Elle avait été méritante, en effet.

Il entra dans la chambre et referma la porte derrière lui. Dans cette attente soudaine, le cœur de Laure battit et elle se mordit nerveusement les lèvres. Il se dirigea vers l'autre côté de la chambre et lui fit signe de le rejoindre. Assis dans le grand fauteuil, il la fit se tenir debout devant lui.

«Soulève ta jupe, ordonna-t-il. Je veux voir si tu es encore émoustillée.»

Laure obéit avec joie. Bien sûr, elle était encore chaude, et même plus que jamais.

«Ferme les yeux, dit-il. Et ne me regarde surtout pas avant que je ne te le dise.»

Étouffant un rire nerveux, Laure ferma les yeux. Elle se sentait agitée comme une jeune fille, incapable de deviner ce qu'il allait lui faire. Elle sentit ses mains examiner le contour de ses hanches et de son derrière. Ses doigts épais glissèrent en elle un instant, puis se retirèrent de nouveau.

Il y eut des bruits. Monsieur prit quelque chose dans un grand coffre posé à côté du fauteuil. D'après le son, c'était quelque chose de lourd et de métallique. Laure s'en voulut de ne pas avoir accordé plus d'attention au contenu du coffre. À présent, c'était impossible. Mais elle allait bientôt le savoir.

Une froide pièce de métal lui glissa entre les cuisses, et elle frissonna. Qu'est-ce que cela pouvait bien être ? Elle sentit une sorte de courroie de métal s'étendre jusqu'à son nombril, recouvrant complètement son derrière.

Ses jambes tremblaient d'anticipation et elle se prépara à une pénétration. Ce que tenait Monsieur ne pouvait être qu'un instrument de douce torture qu'il allait habilement utiliser pour lui apporter le soulagement qu'elle avait attendu toute la soirée. L'idée l'énerva encore davantage, et sa chair se dissout dans la moiteur.

Devant elle, Monsieur respirait si fort qu'elle sentait son souffle frôler son ventre. Elle ne pouvait plus attendre. Elle devait regarder. Mais elle se rappela les ordres et s'obligea à rester calme.

Toutefois, lorsqu'elle comprit avec horreur ce que son maître était en train de faire, il était déjà trop tard : l'appareil métallique était fermé des deux côtés, et les loquets verrouillés. Sans tenir compte de ce que Monsieur lui avait ordonné, Laure regarda, soudainement terrifiée : la ceinture de chasteté était en place.

Monsieur éclata d'un rire bruyant et la regarda d'un air cynique. «Alors, dit-il en l'obligeant à lâcher sa jupe. Voyons à quel point tu peux être obéissante.» Il se rassit et se croisa les jambes.

«À partir de maintenant, tu feras tout ce qu'on te demandera. Tout. Que ce soit au travail ou pour le plaisir, et peu importe qui le demande. Tu porteras la ceinture aussi longtemps que je le trouverai nécessaire. Tu ne dois point chercher à l'enlever, ni trouver moyen de te caresser. Mais si on te demande de donner du plaisir, tu obéiras naturellement. Rappelle-toi: ce n'est qu'une épreuve. Tu dois obéir, sinon, tout ce que tu as fait ce soir sera oublié. Et rappelle-toi que j'ai des espions dans tout le château. Ils observeront chacun de tes mouvements et m'en feront rapport. Tu ne dois parler à personne, ni demander qu'on enlève la ceinture. Maintenant, va-t'en. J'enverrai quelqu'un te chercher, le moment venu.»

Laure resta silencieuse pendant quelques minutes, sans être trop certaine de ce qu'elle venait d'entendre. Le métal se réchauffait au contact de sa peau et, à présent, la ceinture était moins inconfortable. Mais elle était tout de même là. Et elle savait que ce serait l'enfer pour elle.

La plus cruelle de toutes les punitions. Combien de temps allait-elle tenir? Et qui étaient ces espions? De toute évidence, d'autres serviteurs avaient dû partager le lit des maîtres. René, elle le savait, mais qui d'autre?

La plupart, probablement. Ce qui expliquait peut-être pourquoi personne n'avait paru étonné lorsqu'elle avait déclaré s'être jointe aux maîtres et à leurs invités. Même si tout le monde, au château, n'avait peut-être pas pris part à ces jeux élaborés, ils savaient tous ce qui se passait dans l'aile opposée, derrière les portes closes.

Touchant son entrecuisse, elle sentit la dureté et la solidité du métal contre sa main. On aurait dit une punition pour un péché qu'elle n'avait pas encore commis. Mais, étrangement, sachant que le plaisir était maintenant interdit, elle se sentait encore plus coquine. C'était nouveau et excitant, et elle s'aperçut aussi qu'aussitôt la ceinture fermée son désir s'était accru.

Monsieur était malin : il savait que la ceinture la garderait dans un état quasi constant d'excitation, mais qu'il serait impossible pour la fille de se soulager. Cependant, c'était mal connaître Laure. Si elle en avait la chance, elle trouverait bien un moyen. Le défi ne servit qu'à rallumer sa détermination et elle lutta pour cacher le sourire qui lui montait aux lèvres. Dès qu'elle serait hors de sa vue, elle penserait à quelque stratagème pour améliorer sa difficile situation.

Mais lorsqu'elle se retourna pour lentement s'avancer vers la porte, elle remarqua que le métal entre ses jambes ne touchait pas du tout sa chair. La ceinture était ainsi conçue afin d'empêcher toute friction sur ses replis gonflés. Elle ne pouvait absolument pas toucher sa chair, encore moins la caresser. Elle s'arrêta et faillit éclater en larmes.

Elle avait sous-estimé son maître, car elle comprit soudainement que le plaisir lui serait refusé aussi longtemps que la ceinture resterait en place.

Lorsqu'elle regagna sa maisonnette, Laure se sentit trahie. Elle n'avait pas reçu sa récompense. Mais même s'il lui fallait vivre avec la ceinture pendant un certain temps, au moins elle gardait l'espoir d'être réinvitée dans le lit de sa maîtresse. Et pour cela, elle était prête à tout.

CHAPITRE V

Le lendemain matin, tôt levée, Laure ne se rendit même pas aux cuisines. L'idée de travailler ne l'attirait guère, car d'une façon ou d'une autre elle soupçonnait tout le monde d'être déjà au courant de sa difficile condition, et sentait tous les yeux tournés vers elle. Mais elle était décidée à obéir aux ordres de son maître.

Il y aurait des épreuves. Monsieur n'avait pas précisé comment ni quand, mais Laure était à la fois curieuse et excitée. Seraient-elles difficiles ? Et puis, elle avait hâte de passer à autre chose, de mériter sa récompense. Elle allait prouver ses qualités à tout le monde. Elle allait leur montrer.

Mais, dès son arrivée au château, personne ne lui accorda la moindre attention. On lui demanda aussitôt d'aller chercher de l'eau, de plumer les poulets et de peler les pommes de terre jusqu'à ce que ses doigts soient rouges d'ampoules. Et comme si cela ne suffisait pas, on lui demanda aussi d'aider les autres à nettoyer les chambres, à nourrir les animaux et à cueillir les légumes. À part cela, personne ne lui dit rien. Après un moment, Laure en vint à se demander si, en fait, quelqu'un savait quel horrible instrument de torture elle portait sous sa jupe.

Vers le milieu de l'après-midi, elle était déjà épuisée. Juliette, la prenant en pitié, l'envoya chercher Martin, le garde-chasse, aux champs.

Laure fut soulagée de prendre le large pendant un moment. Une promenade aux champs allait l'aider à se remettre. Par contre, la perspective de voir Martin ne lui plaisait guère. Elle détestait l'homme et voulait éviter tout contact avec lui.

Encore célibataire, le garde-chasse était environ du même âge que le père de Laure. Il avait plutôt belle apparence, mais Laure lui avait toujours trouvé un air assez repoussant. C'était peut-être ses yeux globuleux, qui regardaient tout sauf l'interlocuteur. Le reste du temps, ils semblaient fouiller dans toutes les directions, mais jamais nulle part en particulier. Martin était surtout porté à dévisager les femmes de la tête aux pieds, en s'arrêtant à certains endroits très précis de leur corps, mais sans jamais les regarder droit dans les yeux.

Particulièrement avec Laure. De toute évidence, elle l'intéressait depuis longtemps, alors que, encore enfant, elle était trop jeune pour comprendre ce qu'il voulait d'elle. À l'époque, bien entendu, son père était là pour la protéger.

Ces deux-là se détestaient cordialement. Le père de Laure avait toujours réprouvé les manières de Martin qui, disait-il, se prenait pour quelqu'un d'autre et ne portait jamais que des chemises blanches et fraîches, qu'il demandait à des jeunes filles de nettoyer en échange de certaines faveurs.

Quant à Laure, elle le méprisait tout entier, surtout la fine moustache accrochée à sa lèvre supérieure comme une chenille malade. Elle savait qu'il la désirait, mais elle aurait préféré mourir plutôt que de se laisser toucher par lui. Ces derniers temps, Martin avait été encore plus effronté avec elle, d'une façon lubrique et repoussante.

Elle le trouva à cheval au bout des champs, presque à l'orée de la forêt. Lorsqu'ils la virent s'approcher, les hommes avec qui il se trouvait cessèrent de parler et retournèrent travailler. Mal à l'aise, Laure rougit avant de lui transmettre brièvement le message qu'on lui avait confié. Elle reprit aussitôt le chemin du retour.

Il n'était pas question qu'elle reste plus longtemps que nécessaire. Les domestiques de la cuisine n'étaient peut-être pas au courant des épreuves annoncées par Monsieur, mais avec Martin elle ne voulait prendre aucun risque.

En se dirigeant vers le château, elle entendit bientôt des bruits de sabots derrière elle. Puis, l'ombre d'un cheval et d'un cavalier se mêla à la sienne. Sans se retourner, elle sut que c'était Martin. Inclinant la tête, elle pria en silence pour qu'il garde son rythme et la dépasse sans un mot. Mais c'était espérer en vain.

Martin fit ralentir son cheval et Laure n'eut d'autre choix que de subir sa compagnie. Ses épaules se trouvaient à la hauteur des pieds de l'homme, qui se rapprochait tellement qu'elle pouvait même sentir le cuir de ses bottes.

Sans un mot, Martin abaissa soudainement sa cravache et, comme pour jouer, lui donna quelques coups au derrière. Le métal fit un bruit sec à travers les vêtements de Laure et lui secoua les fesses. Elle se raidit sans rien dire.

«Je vois qu'on t'a mise à l'épreuve, dit Martin d'un ton sarcastique. Je me demande ce que le maître voit en toi qui vaille la peine.» Avec le bout de sa cravache, il tira le haut de la chemise de Laure jusqu'à ce que les cordons cèdent sous la pression. Laure voulut s'écarter, mais Monsieur avait mentionné que ses espions allaient rapporter toute tentative de résistance. De toute évidence, Martin était au courant, et elle n'avait d'autre choix que d'obéir.

Avec un rire cruel, il plongea la cravache dans le corsage de la fille. «En fait, poursuivit-il avec un ricanement, j'arrive à imaginer une ou deux raisons.»

Laure continua à marcher, la tête penchée. Comme elle le détestait! Elle détestait son rire, sa façon d'utiliser sa cravache pour jouer avec ses seins. N'eût été de l'avertissement de Monsieur, elle se serait déjà enfuie, en traversant les champs là où le cheval ne pouvait la suivre à moins de piétiner les cultures.

Martin sortit son pied de l'étrier et, du bout de sa botte, fit glisser sa chemise sur son épaule alors qu'elle marchait toujours. Le sein droit de Laure surgit et trembla légèrement alors qu'elle continuait de marcher. Martin rit de nouveau.

Il retira la cravache, se pencha légèrement vers elle et lui barra la route avec le manche. En même temps, il tira les rênes pour arrêter le cheval.

Laure resta immobile, se demandant quelle idée germait à présent dans l'esprit tordu de l'homme. Son cœur battait la chamade. Elle détestait ce qu'il était en train de lui faire, mais, curieusement, elle s'en trouvait aussi excitée. Le soleil, en tombant sur sa poitrine, lui caressait la peau d'une façon agréable.

Martin fit se raffermir le mamelon dénudé en le frôlant lentement du bout de sa cravache. Laure gémit, à la fois de honte et à cause de cette rude caresse. Monsieur l'en avait avertie, et elle savait qu'elle n'y pouvait rien. Le cœur battant, elle comprit que l'obéissance n'était qu'un jeu cruel, dont la récompense ne viendrait que beaucoup plus tard, si elle se présentait.

Martin l'observait de haut. La cravache était un prolongement de sa main, qui glissait sur sa poitrine et l'excitait habilement. Il parvint à lui dénuder complètement les seins et, bientôt, les deux mamelons se tinrent fièrement érigés.

Les chauds rayons du soleil amplifièrent leur caresse sur sa peau nue, et elle gémit. C'était tellement bon… Étourdie d'excitation, elle souhaita soudainement que Martin descendît de cheval et vînt à sa rescousse.

Il la désirait. Cela, elle en était certaine. Et il ne pourrait la prendre qu'en retirant la ceinture de chasteté. Un homme comme lui trouverait sans doute le moyen de briser les verrous. Et tant pis si elle le laissait faire. Cela valait mieux que la contrainte. Elle mettrait ses sentiments de côté pour un temps et se donnerait joyeusement à lui si, en retour, il pouvait la satisfaire.

Mais lorsqu'elle entreprit de se déshabiller et de le supplier de l'aider, Martin se redressa et fouetta violemment le cheval. Homme et bête s'enfuirent dans un nuage de poussière.

Laure ne savait pas si elle trouverait la force de survivre à la seconde journée. Comme la veille, elle s'attendait à ce que tout le monde l'ignore, mais en vain.

Au contraire, partout où elle allait, quelqu'un cherchait à la taquiner et à l'humilier. D'abord, ce fut Madeleine, l'aide-cuisinière à qui elle s'était confiée. Cette fois, quand Laure vint la trouver en quête de sympathie, la douce et innocente jeune fille se retourna contre elle.

«Tu avais dit que tu serais bientôt avec eux, dit Madeleine d'un ton froid. Regarde-toi, maintenant. Tu es inférieure à nous tous. Et chacun pense que tu n'es qu'une grande gueule. Personne ne te fait confiance, et personne ne t'aime. On voudrait te voir ramper dans la boue, seulement pour te faire payer pour tous tes airs hautains. C'est ce qui t'arrive quand tu te crois meilleure que les autres. D'après moi, tu mérites d'être traitée ainsi.»

Partout où Laure se rendait, les conversations s'arrêtaient dès que l'on remarquait sa présence. Et dès qu'elle partait, elle les entendait rire et murmurer derrière elle. Qu'avait-elle fait pour mériter cela? Elle fut soulagée lorsque Juliette l'envoya nourrir les poules. Au moins, elle savait qu'elle aurait la paix un moment.

Les volailles se rassemblèrent à ses pieds dans un tourbillon de plumes, caquetant d'une façon agressive les unes devant les autres en essayant d'atteindre les grains qu'elle leur jetait. Elles étaient si drôles à observer, surtout les poussins. Les poules les plus impatientes tentaient de s'envoler jusque dans son panier, mais Laure le souleva bien haut. Elle les fit patienter un peu. Elles n'avaient aucune raison d'être si avides.

Amusée, elle se sentait beaucoup mieux. Même si sa situation paraissait parfois désespérée, elle n'avait qu'à attendre. Bientôt, tout serait fini. Mais alors même que son humeur s'améliorait, une voix derrière elle la ramena à la réalité.

« Toi ! Viens ici ! »

En se retournant, elle reconnut Matthieu, un palefrenier de son âge. Enfants, ils avaient l'habitude de jouer ensemble, mais il avait quitté le château pendant quelque temps, et, depuis son retour, ils ne s'étaient pas du tout parlé.

Debout près de l'entrée du poulailler, il était nonchalamment appuyé contre l'encadrement de la porte. En marchant dans sa direction, elle remarqua un sourire impudent sur son visage, et ses peurs se dissipèrent. Matthieu était trop faible pour elle. D'une certaine façon, c'était encore un petit garçon. Quel mal pouvait-il bien lui faire ?

Elle eut la certitude de pouvoir lui tenir tête – peu importe ce qu'il allait lui demander –, jusqu'à ce qu'elle vît deux autres jeunes hommes sortir du poulailler pour se joindre à lui.

« Allons, dit Matthieu alors qu'elle s'approchait. Voyons ! » L'un des garçons se dirigea vers elle en riant et souleva soudainement sa jupe. En voyant sa ceinture de chasteté, les autres se mirent à rire. Laure sentit bouillir son sang et demeura immobile, les maudissant entre ses dents serrées. Les salauds !

Les trois étaient peut-être un peu plus jeunes qu'elle, trop jeunes et trop bêtes pour prendre une telle initiative. De toute évidence, ils étaient au courant de sa pénible situation. Par contre, Laure doutait que Monsieur les en ait informés. C'était une blague trop crue pour un homme aussi raffiné. Elle soupçonnait plutôt les garçons d'avoir eu vent de son sort et décidé de la tourmenter à la blague. Ils savaient qu'elle ne pouvait leur échapper ; qu'elle devait se plier à toutes leurs exigences. C'était la seule explication à leur audace.

Elle les entendait déjà raconter l'anecdote. Ils allaient en parler pendant des années, en omettant bien d'ajouter, toutefois, que leur lâcheté les aurait arrêtés si elle ne s'était pas trouvée dans une telle position de soumission.

Le garçon s'agenouilla à ses pieds et commença à lui chatouiller les cuisses. « Ouuuuuuuuh ! glapirent les autres. Vas-y ! Plus haut ! Plus haut ! »

Laure devint livide de rage. Comment osaient-ils ? Ils n'avaient absolument aucune considération pour elle. Naturellement, il ne faisait aucun doute que les trois jeunes hommes étaient totalement dépourvus d'expérience avec les femmes. Au moins, elle avait la certitude qu'ils n'outrepasseraient pas la ceinture et, pour une fois, elle était contente de la porter.

Matthieu se dirigea vers elle. Son érection était fort visible sous sa culotte. Il vit que Laure l'avait remarquée et devint cramoisi. Mais cela ne l'empêcha pas de s'avancer vers elle et de s'agenouiller à côté de son acolyte.

Les garçons lui caressèrent les jambes avec hésitation, comme s'ils n'avaient pas l'audace de le faire en hommes. Leurs rires nerveux trahissaient leur juvénile ignorance. Ils durent se pousser mutuellement à remonter le long de sa cuisse, puis à l'intérieur, puis…

« Éloignez-vous d'elle ! » La voix de Juliette couvrit leurs rires.

Ils se redressèrent docilement en se regardant, puis aperçurent Juliette et détalèrent aussi vite que leurs jeunes jambes pouvaient les porter.

Juliette se dirigea vers Laure et lui tendit un grand seau. « On a besoin d'eau, dit la femme d'un ton simple. Apporte-m'en à la cuisine. »

Laure obéit sans répondre, surprise de s'apercevoir qu'elle avait peut-être une alliée, après tout.

À certains moments, cette semaine-là, Laure fut tentée de retourner voir son maître pour le supplier de mettre fin à tout cela. Par chance, Juliette l'avait sortie du pétrin, mais la gouvernante n'était pas toujours là. Le troisième jour, la situation se compliqua davantage.

Les jours de lessive étaient toujours de grands événements au château de Reyval. Il fallait faire bouillir l'eau, trier les vêtements, les laver, les mettre à sécher, les plier et les ranger. Au moins, Laure pouvait se changer les idées en s'occupant.

En grimpant l'escalier pour rapporter les draps jusqu'au placard principal, elle prit subitement conscience d'une présence derrière elle. Avant qu'elle ait eu le temps de se retourner, on lui couvrit les yeux d'un bandeau et on l'emmena dans la première chambre à droite.

La peur s'empara d'elle, mais elle comprit presque immédiatement la situation : c'était une autre épreuve. Il y avait déjà deux hommes dans la pièce, peut-être trois. Elle les sentait et les entendait respirer, sans pouvoir deviner qui ils étaient. Dès que la porte se referma derrière eux, des mains se mirent à la déshabiller.

Cette fois, Laure savait que ces hommes n'étaient pas aussi innocents que Matthieu et ses copains. Son cœur battait d'excitation et de curiosité. Qu'allaient-ils lui faire ? Qu'allaient-ils lui demander ? Mieux encore, y avait-il des chances qu'ils lui enlèvent la ceinture si elle leur faisait obstacle?

Lorsqu'elle fut entièrement nue, debout, quelqu'un lui attacha les mains derrière le dos et la fit s'agenouiller, jambes écartées, sur le plancher de bois. Des mains, des bouches et des langues recouvrirent son corps. Leurs caresses humides serpentèrent sur son ventre, sa poitrine, même sous ses bras. Des lèvres lui mordillèrent le cou et lui sucèrent les lobes de ses oreilles, tandis que des doigts tremblotaient sur ses mamelons.

Les sens vivement aiguisés, Laure tenta de repousser les sensations qui montaient à présent en elle. Peu importe qui ils étaient, ces gens étaient habiles. Des mains rugueuses lui caressèrent les seins, puis d'autres lèvres chaudes et humides lui tirèrent les mamelons jusqu'à ce qu'ils s'allongent, presque douloureusement. D'autres mains lui caressèrent le ventre, les cuisses et les bras.

Laure faiblit. Les hommes prenaient grand soin de l'exciter, mais elle savait déjà que cela ne mènerait à rien, du moins pour elle. Ce n'était qu'une autre épreuve cruelle, qu'elle n'était pas certaine de réussir. Tout son corps tremblait, et elle faisait tout pour étouffer les gémissements qui montaient dans sa gorge.

Respirant profondément, elle tenta de se concentrer sur son entourage, de se détacher de son corps. Ce faisant, elle devint plus désireuse de deviner qui étaient ses mystérieux amants. En écoutant bien, elle les entendait échanger des murmures entre eux et avec un autre homme debout à l'extrémité de la chambre. Sans pouvoir deviner leurs paroles, elle savait bien qui donnait des directives aux autres.

Plusieurs odeurs flottaient dans l'air : de la sueur et de la poussière révélaient que les hommes avaient probablement passé la journée aux champs. Mais par-dessus tout elle remarqua une odeur plus douce, plus familière : l'eau de Cologne de son maître.

Il était là. Cela, elle le savait. Soudain, elle ne se soucia plus d'identifier ces hommes. Tout ce qui comptait, c'était que son maître constate de visu son obéissance.

D'instinct, elle se redressa et obligea sa respiration à devenir régulière. Il l'avait avertie de ne pas chercher le plaisir, et elle ne voulait pas trahir ses sensations devant lui.

Mais les hommes qui la caressaient savaient exactement comment augmenter son excitation. La bouche posée sur ses mamelons suçait avidement, et les mains qui frôlaient l'intérieur de ses cuisses continuaient d'en caresser le point le plus sensible.

Derrière elle, un phallus en érection pénétra dans ses mains liées, tandis qu'un autre se glissa dans sa bouche : ils désiraient qu'elle les soulage. Ses doigts se refermèrent d'instinct autour de l'épaisse hampe, et elle secoua ses poignets en les accordant au rythme des hanches de l'homme.

Sa langue s'insinua habilement autour de la prune qui palpitait à présent dans sa bouche, et qu'elle suça avec force. Le troisième homme était encore occupé à lui téter les mamelons, mais Laure savait que tôt ou tard, elle devrait s'occuper de lui. Il lui embrassait sans cesse la poitrine et elle entendait les bruits humides de la langue sur sa peau. Le son n'était couvert que par les grognements de plaisir des deux autres hommes.

Même s'ils utilisaient sa bouche et ses mains pour se soulager, Laure savait que leur plaisir ne dépendait que d'elle. Une fois de plus, elle détenait le pouvoir, même dans la soumission. Naturellement, elle était contente de leur accorder ce qu'ils voulaient.

Fermant la bouche dans une forte succion, elle augmenta la pression sur le phallus rigide. Le minuscule orifice de la queue suintait, et la tige battait en réponse. La perspective de le recevoir l'excitait, mais elle tenta de ne pas le montrer. Elle se concentra plutôt sur le fait de donner du plaisir à son autre amant, l'homme dont elle tenait la queue derrière son dos.

Elle joua avec lui autant qu'elle put, lui tenant délicatement les couilles d'une main, tout en lui frottant fermement la tige de l'autre. Il fut le premier à répandre sa charge, qui coula le long des fesses et des cuisses de Laure. Elle crut s'évanouir d'excitation.

À peine quelques instants plus tard, le membre qui se trouvait dans sa bouche palpita violemment et elle reçut le sperme au fond de sa gorge. Leurs cris étranglés remplirent la pièce et Laure se sentit satisfaite de sa performance. Elle s'attendait à plus, mais les hommes se retirèrent presque aussitôt. Un moment, elle ne sut quoi penser. Monsieur allait-il enfin venir la libérer? Ou était-il trop tôt?

Elle en voulait davantage: plus de caresses sur son corps resplendissant, plus de chair mâle à caresser. Mais elle entendit partir les hommes et s'aperçut que l'épreuve était terminée. Elle était donc seule avec Monsieur…

Laure demeura agenouillée sur le plancher. Elle ne pouvait montrer qu'elle était consciente de la présence du maître. Un moment plus tard, un craquement lui indiqua qu'il se glissait hors de la pièce. Elle resta immobile et fit semblant de ne pas l'entendre. La porte se referma derrière lui, pour se rouvrir presque aussitôt.

Quelqu'un lui délia les mains et Laure les éleva aussitôt jusqu'à son visage pour se débarrasser du bandeau. Elle trouva Juliette, debout à ses côtés, qui tenait ses vêtements. Sans un mot, la gouvernante la laissa s'habiller et quitta la pièce comme si de rien n'était.

Fin seule, Laure ne savait pas s'il lui fallait rire ou pleurer. Monsieur avait été témoin de son obéissance et elle savait qu'elle avait bien fait. Mais la ceinture demeurait. Combien de temps aurait-elle à souffrir?

Juliette était apparemment la seule alliée de Laure. Elle l'envoyait faire des courses et lui donnait plus que sa part de travail, mais pas une seule fois elle ne fit allusion à la ceinture.

Pendant un moment, Laure fut même tentée de se confier à la gouvernante, mais le quatrième jour elle s'aperçut que Juliette ne faisait elle-même qu'obéir aux ordres et ne pouvait rien faire pour l'aider. En fait, ce fut même elle qui mit en place l'épreuve la plus cruelle de toutes pour Laure.

Ce matin-là, elles étaient seules dans le garde-manger. Juliette semblait nerveuse et distraite, mais Laure ne lui accorda pas beaucoup d'attention, jusqu'à ce que la femme lui donne l'ordre de se rendre à l'extrémité de l'aile sud et d'attendre dans le petit salon.

Laure hésita avant d'ouvrir la porte, incertaine de la raison pour laquelle on lui avait demandé de venir ici. Mais Juliette la rattrapa et lui ordonna d'entrer.

La porte s'ouvrit sur un spectacle surprenant. Sur une grande table, qui avait été libérée pour l'occasion, Martin, le garde-chasse, était étendu, nu, avec Manon, une servante, et ils étaient fort occupés à se caresser.

La première impulsion de Laure fut de s'en retourner. Mais Juliette la poussa dans la pièce et la mena jusqu'à quelques pieds du couple. Martin et Manon éclatèrent de rire en voyant entrer Laure, mais poursuivirent leurs ébats. En fait, on aurait dit qu'ils l'attendaient. Laure comprit qu'elle était censée regarder leur accouplement tout en restant impassible. Et cela ne durerait pas que quelques minutes.

Juliette tira une chaise et demanda à Laure de s'asseoir les jambes écartées et les mains sur la tête. Sur la table, le couple redoubla d'enthousiasme. Pendant un moment, ils se serrèrent et s'embrassèrent avidement, et leurs mains devinrent plus audacieuses. Martin posa sa main sur la vulve de la femme et la caressa vigoureusement. De son point d'observation, Laure vit la rosée luisante couvrir graduellement les doigts du jeune homme et sentit son odeur flotter jusqu'à ses narines.

Pour sa part, Manon s'empara de la queue empourprée de Martin et la serra lascivement pendant que son pouce lissait la prune arrondie. Surprise par sa taille, Laure regretta amèrement de s'être refusée à lui dans le passé. Son membre long et massif était admirable, et tout aussi assuré que son propriétaire.

À mesure que leurs gémissements s'amplifiaient, Martin se laissa glisser graduellement de la table et s'agenouilla à côté d'elle. Saisissant les jambes de Manon, il l'attira vers lui et approcha son visage de sa chair.

Manon se tortillait en s'approchant de lui, pendant qu'il lui écartait les genoux et s'emparait de ses seins. Le soleil luisant à travers la fenêtre soulignait chaque courbe de son corps et caressait ses hanches généreuses.

Le visage de Martin disparut entre ses cuisses. Laure entendait sa langue lécher bruyamment la vulve humide et sentit réagir sa propre chair. Déjà, Manon gémissait fortement, ses seins se soulevaient et ses mamelons prenaient de la rigidité en pointant vers le plafond.

Laure entendait également grogner Martin pendant qu'il se délectait de la femme, ses hanches oscillant violemment et son dur phallus fendant l'air. Elle ne pouvait qu'être impressionnée par sa vue. Tout comme l'homme lui-même, il paraissait arrogant, se tenant fier et droit.

Les cris de jouissance de Manon donnèrent chaud à Laure : l'homme était habile et sa partenaire parvint à l'orgasme à plusieurs reprises. La servante gémissait à chaque respiration ; plus fort, toujours plus fort. Les grandes armoires vitrées, le long du mur opposé, semblaient amplifier les sons, qui se réverbéraient dans l'air frais du matin.

Laure était à la fois emportée et mal à l'aise. Sous sa chemise, elle sentait ses propres seins se gonfler d'excitation, comme si elle-même avait été étendue sur la table. Une fois de plus, elle se sentit prisonnière de ses vêtements. La situation n'aurait pas été si mauvaise, si seulement elle avait pu se débarrasser de son corsage et de sa chemise, sans parler de la répugnante ceinture de chasteté.

Mais le feu qui brûlait sous sa peau ne fit que s'intensifier alors que les cris du couple résonnaient dans toute la pièce. Laure voulait que cela cesse. Elle n'avait d'autre choix que d'écouter, mais elle n'avait certainement pas à regarder.

Elle put fermer les yeux pendant quelques secondes seulement, avant que Juliette ne tende le bras pour la pincer.

«Tu vas regarder! ordonna la femme d'un ton froid. Tu n'y échapperas pas.»

Laure comprit immédiatement que Juliette n'aurait aucune pitié. Elle continuait de regarder, à la fois fascinée et malheureuse. Par moments, elle se tournait vers la gouvernante en une silencieuse supplication. Elle ne voulait pas rester. Bien qu'elle ait pu apprécier un tel spectacle en d'autres circonstances, c'était trop difficile à présent. Mais, chaque fois, le regard froid et coléreux de Juliette lui rappelait qu'elle devait demeurer immobile et regarder.

Manon haletait bruyamment, à peine revenue de son orgasme, lorsque Martin la fit se tenir droit devant Laure. Ses jambes vacillantes trahissaient la violence du plaisir qui tremblait encore en elle.

La soutenant par-derrière, il souleva ses seins dans le creux de ses mains, comme s'il voulait les offrir à Laure. Manon sourit d'un air béat, les yeux mi-clos, fière d'être si coquinement exposée. Elle écarta les jambes et glissa sa main tremblante le long des lèvres de la vulve pour ouvrir celle-ci.

À quelques pouces de son visage, Laure voyait tout des replis roses et luisants. Elle les sentait aussi : l'arôme doux et capiteux de la chair humide et gonflée encore palpitante de plaisir. D'instinct, elle lécha ses lèvres sèches.

Martin et Manon éclatèrent de rire et Laure ne put que deviner ce que signifiait l'expression de leur visage. Conformément à sa nature, Martin, immensément satisfait de lui-même, prenait grand plaisir à tourmenter la pauvre Laure. C'était peut-être sa façon de se venger de l'avoir désirée si longtemps sans succès.

Mais ce n'était pas terminé. Déjà, Manon gémissait en se caressant. La main de Martin prit la relève et frotta malicieusement la tendre chair qui suintait d'excitation jusqu'à lui couvrir les doigts. Ensemble, ils fixèrent Laure d'un air cruellement provocateur.

Incapable – et maintenant peu soucieuse – de détourner les yeux, Laure voyait la vulve de Manon se contracter sous la main de l'homme, le minuscule bouton encore dressé et demandant sa part d'attention. Elle était hypnotisée à la vue des doigts de Martin qui allaient et venaient le long de la fente humide.

Plus que jamais, Laure savait que si seulement elle l'avait laissé faire il aurait torturé sa chair aussi habilement. Mais, malgré ses regrets et son désir, elle le détestait encore plus. Elle les détestait tous, tous ceux qui, au château, s'étaient ligués pour la tourmenter.

Elle savait qu'elle n'avait pas à accepter cela. À tout moment, elle pouvait se lever et partir, mais alors, elle aurait échoué à l'épreuve cruelle que Monsieur avait conçue pour elle. Malgré toute la difficulté, elle ne les laisserait pas faire.

Alors, elle continua de regarder, se concentrant sur les genoux tremblants de Manon pendant que Martin continuait de frotter la fente coquine jusqu'à lui donner un autre orgasme. Manon renversa la tête contre la poitrine nue de l'homme et sa bouche se tordit dans un sourire de délice.

Laure était assoiffée de la chair humide et pulpeuse qui palpitait et luisait à quelques pouces à peine de sa bouche. Sa propre chair répondit de même : sa chemise était trempée et sa vulve était devenue douloureuse à mesure que leur excitation prenait de l'intensité.

Manon atteignit l'orgasme une fois, puis deux. Ses cris assourdissants assaillaient les oreilles de Laure et descendaient le long de sa poitrine et de son ventre pour se réverbérer au creux de son sexe. À présent, Manon était comme une poupée de chiffon entre les bras de Martin, son corps parfois secoué par de faibles tremblements à mesure qu'elle revenait à elle.

Contre sa hanche, le phallus de Martin semblait grossir et durcir. Il la souleva du sol et guida son organe entre ses jambes. Laure regarda fixement la prune gonflée apparaître entre les cuisses serrées de Manon, se frotter contre sa chair et la provoquer.

Chez Laure, la colère se changea en pure jalousie. Sentant l'arôme viril se mêler à celui de la femme, elle avait faim des deux. Elle serra les poings sur sa tête, les seins tremblant de rage et les mamelons douloureux.

Manon revint graduellement à ses sens et se tortilla contre la poitrine de Martin. Il la remit sur ses jambes et elle s'agenouilla pour le prendre dans sa bouche. Lorsque son épaisse hampe disparut complètement, ils émirent tous les deux un grognement.

Laure sanglota. Elle salivait ; elle pouvait presque le goûter. Elle voulait se joindre à eux ; elle les désirait tellement ! Des larmes remplirent ses yeux et elle se tourna brièvement vers Juliette. La femme lui lança le même regard dur et froid.

Le couple était tout aussi bruyant qu'avant, mais cette fois les gémissements de Manon étaient étouffés par la merveilleuse queue qu'elle avait en bouche. Insatiable, elle lui saisit délicatement les couilles et lui mit le doigt dans l'anus à plusieurs reprises. Laure, qui les voyait de côté, ne manquait rien de l'épaisse queue qui donnait des coups dans la bouche de Manon, et du jeu de ses doigts à elle entre ses jambes à lui.

Martin se tenait debout, grand et stoïque, mais on aurait dit qu'il s'étouffait, les paupières plissées et la bouche tordue comme par la douleur. Toutefois, il n'y avait aucun doute qu'il ne ressentait qu'un pur plaisir.

Manon se retira et laissa son membre luisant de salive pointer directement vers Laure. Avec un sourire malin, elle regarda bien en face la pauvre servante alors qu'elle commença à le masturber. Elle le manipulait rudement, glissant sa main d'un bout à l'autre de l'épaisse queue, à une vitesse étonnante.

Laure savait qu'elle le verrait jouir. En fait, il était si près d'elle qu'elle s'attendait à recevoir sa semence sur elle. La pensée la fit faiblir de désir et elle se tortilla sur sa chaise. Tout son corps tremblait involontairement. Toute cette excitation était épuisante et elle ne put se retenir davantage. Sa chair était si chaude et humide de désir que sa chemise était complètement trempée. Elle ne put retenir le soupir qui sortit de sa bouche, mais seulement un moment plus tard, elle sentit les doigts de Juliette lui pincer le bras.

«Reste tranquille, répéta la femme. Que je ne t'y reprenne plus!»

À présent, Martin haletait et ahanait profondément. Il flageola et tomba à genoux. Il poussa Manon sur le plancher, lui saisit les pieds et lui écarta les jambes. La traînant vers lui, il lui souleva les hanches avec force et la pénétra sans avertissement.

Manon glissa vers lui, sans vie, et émit un faible cri alors qu'il l'empalait. À présent, seules ses épaules touchaient le sol. Martin, toujours agenouillé, la tenait par les hanches pour ramener le vagin à la hauteur de sa queue.

Il poussa avec force et rapidité, ses cuisses lui heurtant le derrière si fort qu'elle en eut tout le corps secoué. Elle retrouva ses sens juste assez longtemps pour regarder Laure avec un sourire cynique. Ses yeux se fermèrent et elle se retrouva à nouveau inerte comme une poupée de chiffon, alors que Martin creusait à maintes reprises en elle.

Laure était folle de rage. C'est elle qui aurait dû se trouver sur le plancher, à se faire prendre par cet homme qu'elle haïssait mais qui s'était avéré un amant d'un talent étourdissant. Leur bruyant accouplement l'excitait et la provoquait, et elle ne put retenir les larmes qui lui montaient aux yeux.

Elle contempla la scène de leur orgasme puis s'effondra, enfouissant son visage dans ses mains. C'était trop cruel. Laure comprit qu'ils ne faisaient probablement que suivre les ordres de Monsieur. Et pourtant, ils semblaient prendre autant de plaisir à la torturer qu'à jouir ensemble. Leur étalage était presque méprisant dans sa cruauté, et ils s'en délectaient. Ce n'était tout simplement pas juste de la provoquer ainsi.

Lorsque Laure leva les yeux vers la gouvernante, celle-ci ne put camoufler un sourire de contentement. Elle aussi avait tiré satisfaction du malheur de la fille.

«À présent, dit-elle, retourne à la cuisine et attends sur le tabouret près de la grosse cuisinière. Naturellement, il t'est interdit de te toucher. Chacun te surveillera. Je descendrai sous peu.»

Laure fila aussi vite qu'elle le put. En fait, l'idée de retourner travailler était encourageante. Elle avait besoin de faire quelque chose, n'importe quoi, pour écarter de son esprit ce qu'elle venait d'observer. Elle éprouva du soulagement en entrant dans la cuisine et en allant s'asseoir sur le tabouret, comme on le lui avait demandé.

Mais quelques minutes plus tard elle vit que son tourment ne finirait pas aussi aisément. Juliette arriva et lui ordonna de se tourner face au mur. Pour une fois, Laure souhaitait que la gouvernante lui assignât des tâches. Assise immobile sur le tabouret, elle ne pensait qu'à la scène du salon. Malgré tous ses efforts, elle ne pouvait oublier les événements qui s'y étaient déroulés. Sa chair palpitante faisait encore mal, son corps était enflammé de désir, et elle croyait encore entendre les gémissements de plaisir de Martin et de Manon.

Bien qu'elle eût espéré que Juliette ait pitié d'elle et lui trouve du travail, après un moment, elle comprit que ce ne serait pas le cas. En fait, elle demeura dans ce coin jusqu'à l'heure du coucher.

Le sommeil ne fut pas une délivrance. Toute la nuit, Laure se tourna et se retourna, son sommeil constamment dérangé par des images de chair palpitante et invitante déployée devant elle, mais qu'elle n'avait pas le droit de toucher.

Elle se leva avant l'aube, affaiblie par sa nuit agitée, mais déterminée à garder l'esprit clair. Dans la cuisine, il y avait tellement de travail à faire qu'elle n'attendit même pas les ordres. Elle apporta trois paniers remplis de légumes du jardin, qu'elle nettoya et pela avant même l'arrivée du cuisinier. Elle était continuellement en train de chercher quelque chose à faire, et son zèle semblait impressionner et amuser tout le monde.

Peu avant midi, Juliette lui annonça que Monsieur voulait la voir. Cette fois, pensa Laure, ce ne pouvait être qu'une bonne nouvelle. Elle avait été obéissante, travailleuse, et avait réussi toutes les épreuves conçues pour elle. Ses pieds touchaient à peine le sol alors qu'elle se rendait jusqu'à la pièce de séjour. Enfin ! Après cinq journées horribles, elle serait libérée de la ceinture de chasteté.

En repensant aux journées qu'elle venait de passer, elle était très fière d'elle-même. Bien sûr, cela avait été très dur, mais au moins elle n'avait pas échoué. Combien d'autres, ayant été soumis à la même épreuve, avaient pu crier victoire ? Certainement pas beaucoup. Elle était meilleure que la plupart d'entre eux – sinon tous. Elle était vraiment digne d'une récompense. Dans son esprit, elle imaginait déjà Monsieur lui offrant la clé des cadenas de la ceinture et mettant fin à son malheur.

Lorsqu'elle entra dans la pièce, il lui sourit et lui fit signe d'approcher. Comme d'habitude, il était assis dans le grand fauteuil, semblable à celui de sa chambre à coucher. Transportée de joie, Laure vint se planter devant lui, étourdie et excitée à la perspective d'être enfin libre.

Sans un mot, il défit les cordons de sa chemise et exposa ses seins généreux. Laure poussa un cri aigu d'allégresse, heureuse de s'offrir à ses caresses. Il suça chaque mamelon jusqu'à ce qu'ils fussent devenus longs et rigides, puis les pinça jusqu'à ce qu'elle gémît.

Laure pleura de plaisir et de soulagement. Cela lui paraissait si incroyablement bon, comme si c'était la première fois qu'un homme la touchait. Elle était impatiente de voir ce qu'il allait lui demander, mais par-dessus tout elle voulait qu'il la prenne, elle voulait sentir son membre dur à l'intérieur de sa caverne secrète.

Il la déshabilla rapidement et la fit s'asseoir sur ses genoux. Laure se tortilla dans ses bras, frottant son corps contre le torse vêtu, nue à part la ceinture qui, elle le savait, allait bientôt se défaire. Sa peau, réagissant à la friction de son pourpoint, devenait de plus en plus chaude et sensible.

Au départ, il n'eut même pas à bouger. Laure frétilla avec tant d'enthousiasme qu'il la laissa tout simplement utiliser son corps pour se caresser. Puis, sa bouche à lui goûta chaque pouce de sa peau dénudée, la léchant et la mordant furieusement. Laure hurla de délice sous l'assaut.

Il allait bientôt libérer sa chair et la prendre de toute sa force. Elle s'impatientait de sentir son gros membre l'empaler et pousser jusqu'à ce qu'elle se rende. Mais pour l'instant, elle était assez heureuse qu'il la tourmente sensuellement.

Lorsqu'elle eut la peau couverte de sa salive et des marques de ses morsures, il la fit s'agenouiller devant lui et se redressa. Laure obéit promptement et le regarda, hypnotisée, déboutonner rapidement sa culotte.

Son membre surgit devant elle et elle s'y précipita d'un coup, le prenant avec voracité dans sa bouche et le suçant avidement. La tige se durcit encore davantage dans la fournaise de sa bouche, et elle le caressa avec une faim qui l'étonna.

En même temps, elle utilisait tous ses talents pour l'exciter. Sa langue le mouillait profusément, tandis que ses mains poursuivaient leur tourment lascif. Déjà, Monsieur gémissait de satisfaction, sa queue palpitant contre ses mains. Elle était convaincue qu'il allait la prendre d'une minute à l'autre. Elle voulait que ce moment vînt le plus tôt possible; elle voulait le sentir en elle.

Et pourtant, aujourd'hui, Monsieur semblait doté d'une incroyable retenue. Malgré tous ses efforts, Laure n'arrivait pas à lui faire perdre le contrôle. Pour l'instant, il se contentait de se laisser exciter.

Ses gémissements trahissaient son excitation, mais il restait debout. Elle le sentit proche d'éjaculer; si près qu'elle craignit qu'il n'ait pas le temps de la pénétrer. Soudain, sans avertissement, ses fesses se contractèrent et il se répandit dans sa bouche et sur son visage, incapable de se retenir.

Mais, lorsqu'elle leva les yeux vers lui, le sourire sur son visage lui dit que c'était là son intention.

«C'était bien, dit-il en reboutonnant sa culotte. Maintenant, tu peux t'en aller.»

Laure était abasourdie. «M'en aller? murmura-t-elle timidement. Mais… et moi? Et la ceinture?»

Monsieur éclata de rire. «Quoi? Tu croyais vraiment que j'allais te libérer? Ma chère, il est beaucoup trop tôt. Si tu es aussi empressée après quelques jours seulement, je frémis à l'idée de ce que ce sera après quelques semaines!»

Laure sentit son sang se glacer. Quelques semaines ? N'avait-elle pas déjà suffisamment souffert ? Elle chercha quelque chose à dire, mais la rage lui paralysait l'esprit. Un seul mot résonnait clairement dans sa tête : « semaines ». Elle ne croyait pas pouvoir supporter cela un seul jour de plus !

Mais avant qu'elle eût pu parler, Monsieur était déjà parti. Pour lui, la question était réglée. Une fois de plus, Laure fondit en larmes.

CHAPITRE VI

Laure comprit en quelque sorte que sa seule chance d'être libérée de cette horrible ceinture de chasteté consistait à s'assurer l'aide de René. Madame avait avoué que le garçon d'écurie avait été son amant. Peut-être connaissait-il bien Monsieur également. Même s'il ne semblait pas impliqué dans les épreuves qu'elle devait subir, même s'il ne pouvait l'aider à enlever la ceinture de chasteté, du moins saurait-il peut-être convaincre Monsieur de la libérer.

En quelque sorte, Laure se sentait coupable de l'avoir négligé depuis qu'elle avait été invitée à se joindre aux Lampron et à leurs invités. Après la soirée passée avec eux, elle n'était plus aussi intéressée à voir René. Mais elle savait qu'elle lui plaisait. Elle parvenait toujours à l'amener à faire ce qu'elle voulait, et elle ne doutait pas de pouvoir se réconcilier avec lui.

Sous le couvert de l'obscurité, elle traversa la cour en silence et arpenta le petit sentier menant à l'écurie. Elle lui avait si souvent rendu visite dans son grenier, au-dessus des stalles, qu'elle savait exactement comment se rendre chez lui sans être vue.

Lorsqu'elle entra, l'odeur de foin éveilla des souvenirs d'une époque plus heureuse. C'était là qu'elle jouait, enfant, les jours de pluie et en hiver. Plus récemment, cela avait été le décor de ses amours frénétiques avec l'homme qui, à présent, était étendu à l'étage.

Elle s'arrêta un moment pour écouter. Elle n'entendit qu'un léger ronflement qu'elle reconnut immédiatement. Doucement, elle referma la porte derrière elle et alluma une lampe avant de se diriger vers l'échelle étroite. Comme la ceinture de chasteté gênait ses mouvements, elle eut de la difficulté à grimper. Elle ne pouvait à la fois tenir la lampe, soulever sa jupe et s'agripper aux montants. Ce fut une ascension malhabile, mais elle continua, un échelon à la fois, le cœur battant.

René allait-il pouvoir l'aider? Le voudrait-il? S'il refusait, Laure savait qu'elle pouvait trouver des façons de le faire changer d'idée…

Au sommet de l'échelle, elle souleva la lampe pour le regarder. Elle vit sa silhouette endormie se retourner sous la couverture de laine, mais ce ne fut que lorsqu'il s'éveilla et se redressa que Laure vit qu'il n'était pas seul.

Pendant quelques secondes, ils se fixèrent en silence. À présent, elle se sentait bête d'être venue. À la lueur de la lampe, Laure aperçut des jupons en dentelle et une robe, juste devant elle. De toute évidence, René n'avait pas besoin d'elle.

Sa compagne s'éveilla elle aussi et se redressa dans le lit. Tout d'abord, Laure ne la reconnut pas. Mais il y avait quelque chose de familier chez cette femme aux cheveux de lin éparpillés sur le visage. Ses seins petits et guillerets étaient ornés de mamelons rose pâle qui se plissèrent dans l'air frais de la nuit. La petite ossature et la peau claire donnaient au corps l'allure d'une figurine de porcelaine.

Puis, elle écarta ses cheveux de son visage et Laure laissa échapper un cri de surprise en reconnaissant sa maîtresse. À présent, elle se sentait doublement idiote. En effet, elle n'aurait jamais dû venir. Et surtout, elle s'en voulait d'être si naïve. Bien sûr, René était un allié des Lampron, comme tous les gens du château. Comment avait-elle jamais pu espérer obtenir son aide?

Elle murmura une excuse et regarda derrière elle. Elle devait sauver la face. Elle devait descendre et sortir de là au plus vite. Mais, lorsqu'elle prit pied sur un échelon inférieur, elle entendit Madame qui l'appelait d'une voix douce et endormie.

«Ne pars pas! dit-elle. S'il te plaît, viens me voir!»

Laure hésita, puis déposa la lampe près du sommet de l'échelle, et s'approcha de la couchette basse où Madame et René étaient tous deux assis, blottis l'un contre l'autre.

Madame l'accueillit à bras ouverts et Laure éclata en larmes. La femme rit doucement et caressa la longue chevelure de la domestique, lui embrassant le front et essuyant les larmes de son visage.

«S'il te plaît, dis-moi ce qui ne va pas», dit Madame.

Mais Laure ne pouvait refréner ses sanglots, et encore moins parler.

La femme la retint fermement contre son corps chaud et nu. Elle l'embrassa dans le cou, frottant son dos de longues caresses et la berça doucement. Ses mouvements étaient lents et affectueux. Mais lorsqu'elle posa sa main sur la hanche de la servante, le dur métal attira son attention et elle relâcha abruptement son étreinte.

«Laure? demanda-t-elle d'un ton inquiet. Qu'y a-t-il sous ta robe?»

Encore secouée par les sanglots, Laure ne put répondre et se contenta de soulever sa jupe pour montrer à sa maîtresse l'horrible instrument qui la tenait prisonnière depuis quelques jours.

Madame parcourut de la main la jambe de la fille, s'arrêtant net à la ceinture de chasteté, comme si elle avait peur d'y toucher. Puis elle rabaissa rapidement la jupe de Laure et souleva le visage de la servante pour la regarder dans les yeux.

« Qu'est-ce que tu fais avec cela ? demanda-t-elle, soudain en colère. Qui t'a fait porter cela ? »

Laure parvint à se calmer et raconta tout : Monsieur, par la ruse, lui avait fait porter la ceinture, et elle avait été ridiculisée, provoquée, et même humiliée pendant des jours.

Madame écouta sans répondre. Lorsque Laure eut fini de parler, elle se redressa et rassembla ses vêtements à la hâte.

« Mon mari est allé trop loin, décréta-t-elle. Je dois lui parler clairement, cette fois. Vite ! Aide-moi à m'habiller ! Il faut que nous allions le voir. »

Avant que Laure n'ait eu le temps de réaliser ce qui se passait, elle sortit de l'écurie et revint au château, trottant derrière sa maîtresse. René les suivait d'un pas nonchalant, follement amusé par les événements.

Madame se rendit tout droit à la chambre à coucher de son mari et, sans même frapper, poussa violemment la porte. Il était étonnant de voir une femme d'allure si frêle se mettre dans une telle colère. Mais, sur le seuil, elle s'arrêta si brusquement que Laure faillit la heurter. De toute évidence, Madame ne s'attendait pas à trouver son mari ainsi occupé.

Et Monsieur fut tout aussi surpris de voir sa femme. Lorsque Laure entra dans la chambre, suivie de René, elle se mordit les lèvres d'embarras. Le moment était bien mal choisi.

Monsieur se tenait debout, dans sa glorieuse nudité, derrière une jeune gigolette. Elle aussi était nue, penchée et agrippée à la colonne du lit, ses seins généreux pendant comme des poires mûres au-dessus du matelas. Pour sûr, l'énorme queue de Monsieur, brûlante d'envie, était sur le point de pénétrer les fesses écartées.

Rouge de colère, Madame respira profondément et fit un pas.

« Qu'est-ce que c'est ? explosa-t-elle. Qu'est-ce que vous faites avec cette fille ? »

Bien qu'ébranlé par l'arrivée du groupe, Monsieur retrouva rapidement sa contenance. « Cela semble évident, n'est-ce pas ?

– Oui ! Je sais ! dit-elle, furieuse. Mais qui est cette fille ? Vous savez que c'est moi qui choisis les filles avec lesquelles vous devez partager votre lit ! J'étais censée la prendre en premier ! »

Chez Laure, témoin de la querelle des maîtres, l'embarras fit place à de l'amusement. Maintenant, Madame avait une autre raison d'être en colère contre son mari, une raison qui n'avait rien à voir avec Laure. Elle se tourna vers René, qui la regarda en souriant.

Madame paraissait minuscule à côté de son gigantesque mari, mais à présent elle le dominait nettement. Elle le repoussa du lit, rassembla les vêtements de la fille pour les lui jeter, et lui ordonna de sortir de la pièce.

La fille ne prit même pas le temps de se rhabiller. Elle serra le tas de vêtements contre sa poitrine et sortit de la chambre en courant, sans regarder aucun des Lampron. En croisant Laure, cependant, elle leva les yeux vers elle, le visage rouge de honte.

C'est alors seulement que Laure reconnut son amie Madeleine. Elle s'écarta pour la laisser passer, mais sa colère devint soudainement si profonde qu'elle eut davantage envie de la frapper.

Madeleine… La douce et gentille fille qui ne croyait même pas ce que Laure lui racontait à propos des Lampron. Tout ce temps, sa stupéfaction et sa perplexité n'avaient été qu'une comédie. Ou peut-être Madeleine ne savait-elle vraiment rien. À voir la réaction de Madame, la jeune fille était probablement la dernière conquête de Monsieur.

Cette idée ne fit qu'accroître la colère de Laure. Comment Monsieur pouvait-il lui faire subir l'épreuve de la ceinture de chasteté et préférer prendre une fille comme Madeleine? Comment osait-il donner à Madeleine l'attention qu'elle désirait tant et qu'elle savait mériter? Ce n'était pas juste. Par chance, Madame allait bientôt le corriger.

La femme ordonna à René d'entrer et de fermer la porte. À présent, son mari avait perdu son érection et Laure, amusée, regarda le fier membre pendre mollement.

Madame arpenta la pièce, hurlant à son mari: «Nous nous sommes entendus sur le fait de ne jamais avoir de secrets l'un pour l'autre. Nous avons également accepté que je choisisse toutes les filles que nous inviterions à nous joindre à nous. Cependant, vous avez omis de m'interroger à propos de Madeleine. Vous ne m'avez jamais consultée. C'était une erreur. »

S'approchant de Laure, elle saisit la jupe de la servante et la souleva. « Et vous ne m'avez pas non plus consultée à propos de ceci, hurla-t-elle en désignant la ceinture. Vous n'avez pas le droit de mettre quelqu'un à l'épreuve sans mon consentement manifeste. Vous le savez très bien. »

Elle se dirigea vers lui et leva le visage vers sa tête penchée. Le gros ours semblait impressionné par la fougue que démontrait sa petite souris de femme. Soudain, Laure soupçonna Madame d'être le véritable maître du jeu.

« Vous serez puni pour tout cela, dit la femme d'un ton cynique. Vous punissez rapidement ceux qui errent, mais, maintenant, voyons si vous apprécierez qu'on vous rende la monnaie de votre pièce. »

Reculant, elle regarda son visage malheureux et réfléchit un instant à la situation. Puis, elle fit lentement le tour de la pièce, ses yeux s'allumant alors qu'elle devenait de plus en plus excitée : elle avait un plan.

Elle revint vers Laure et la prit dans ses bras tout en fixant son mari. « Vous paierez en nature, annonça-t-elle. Il est temps que Laure soit récompensée et que vous soyez puni, et je crois que nous pouvons faire les deux en même temps. »

Elle regarda René, lui fit signe de s'approcher de son maître, puis se tourna de nouveau vers son mari. « Vous allez regarder, dit-elle à Monsieur. Et tout comme vous l'avez ordonné à Laure lorsque vous avez conçu cette horrible épreuve, vous n'aurez pas le droit de vous toucher jusqu'à ce que je vous le dise. »

Tenant encore Laure dans ses bras, elle se tourna vers elle et ferma les yeux. Resserrant son étreinte, elle colla sa joue contre celle de Laure. «Alors, ma chérie, murmura-t-elle doucement, je crois que le moment est venu de mettre fin à ton épreuve. »

Elle se dirigea vers la table de chevet de Monsieur, prit les clés dans le tiroir, puis revint vers Laure et la déshabilla. Lorsque la servante fut nue, Madame s'agenouilla devant elle et, pendant une minute, elle se contenta de regarder la ceinture qui luisait à la lumière des chandelles.

Elle parcourut légèrement de ses mains les hanches laiteuses de Laure et la partie de ses fesses qui n'était pas couverte par le pan arrière de la ceinture. Pendant un moment, Laure s'inquiéta du fait que Madame pourrait en fait trouver ce spectacle assez captivant, et décider de ne pas la libérer tout de suite. Elle retint son souffle alors que les doigts de sa maîtresse tentaient de se glisser sous les pans métalliques. Puis, d'un air déterminé, Madame défit les verrous et la ceinture tomba avec fracas sur le plancher.

Tout d'abord, Laure n'eut aucune sensation. Puis, l'air frais frôla sa peau humide et ses genoux se séparèrent spontanément. Elle regarda la ceinture, maintenant posée, inoffensive, à ses pieds, et se sut enfin libre.

Elle voulait pleurer, rire et hurler à la fois. Elle se sentait vengée. Les mains de Madame lui caressèrent alors la peau qui avait été caparaçonnée pendant longtemps, et son toucher était presque étranger à Laure. Ses doigts s'enfonçaient doucement dans les fesses chaudes et sa bouche vint embrasser la chair ardente.

Monsieur observait la scène avec une expression vide. Il ne semblait pas beaucoup se soucier de ce que sa femme venait de faire, mais Laure savait que, quels que fussent ses sentiments, son orgueil ne lui permettrait jamais de les laisser paraître. De toute façon, il allait bientôt souffrir autant qu'elle. Sa maîtresse allait trouver moyen de faire réagir son mari.

Madame se redressa et se dépouilla rapidement de ses vêtements en traversant la chambre. Laure frissonna lorsqu'elle la vit s'arrêter près du grand coffre. C'est de là que provenait la ceinture. Qu'y avait-il d'autre? Encore des instruments de torture pour elle?

Sans hésiter, Madame saisit un grand fouet et s'arrêta un moment pour le contempler. Un sourire malicieux parcourut lentement son visage serein. Malgré ses traits délicats et son allure angélique, son esprit savait tirer le meilleur parti d'un mélange de douleur et de plaisir.

Elle enroula le fouet long et souple autour de son corps, le tordit comme un serpent autour de sa taille nue et le glissa vers le haut pour caresser le dessous renflé de ses seins. Le manche pendait mollement par-dessus son avant-bras et elle le laissa se balancer en marchant vers son mari. Nonchalamment, elle l'utilisa pour lui frapper le derrière une ou deux fois.

Monsieur ne bougea pas. Le visage impassible, il gardait les yeux fixés droit devant lui. Madame saisit sa queue flasque et la caressa jusqu'à ce qu'elle retrouve son érection.

Le soulagement de Laure fit rapidement place à une pure excitation, et elle eut le cœur battant à la perspective d'être témoin d'une séance de flagellation.

Cependant, elle était également mal à l'aise. Le couple semblait avoir tout à fait oublié les spectateurs et Laure n'osa pas bouger, de peur de les déranger. Puis, les mains de René vinrent la caresser par-derrière.

Elle n'avait aucune raison de s'inquiéter. Elle était destinée à se trouver là. Sachant à quel point Madame était enthousiaste à l'idée de se venger de son vilain mari, la servante devinait que ce serait la démonstration de sa vie. Déjà, la rosée se ramassait entre ses jambes, à cause de la scène qui s'était déroulée devant elle, et grâce aux caresses expertes de René sur ses seins gonflés.

D'une certaine façon, elle doutait que cela pût jamais être plus intense. Mais lorsque Madame se dirigea vers elle en lui tendant le fouet, Laure crut qu'elle allait s'évanouir d'excitation.

«Tu connais les règles, dit Madame. Punis-le. Fais tout ce que tu veux, mais rappelle-toi qu'il n'a pas le droit d'atteindre l'orgasme.»

Laure se retourna vers René qui souriait et l'encourageait d'un hochement silencieux de la tête. Puis, elle regarda les Lampron. Monsieur fixait toujours un point devant lui, docile et résigné. La vengeance allait être douce. Et vilaine.

Madame monta sur le grand lit et s'allongea contre les oreillers pour observer la scène. D'un pas hésitant, Laure se dirigea vers son maître, laissant traîner le fouet derrière elle. Où commencer? En s'approchant, elle le sentit stoïque, mais il ne resterait probablement pas insensible très longtemps. Déjà, elle détectait un faible tremblement de ses genoux. L'anticipation était peut-être le meilleur aphrodisiaque.

Ses instincts s'emparèrent d'elle. Elle ne savait pas ce qu'elle allait faire, mais elle voulait d'abord lui donner l'érection la plus forte de sa vie. Saisissant sa queue fermement, elle glissa sa main dans un mouvement de va-et-vient le long du manche charnu, jusqu'à ce qu'elle le sente se durcir. Elle le relâcha, recula, et contempla la scène. À présent, il était temps d'entrer dans le vif du sujet.

Le fouet était lourd et difficile à manier. Laure leva le bras et l'abaissa aussi rapidement qu'elle le put. Le fouet émit un faible sifflement dans l'air et atterrit sur le derrière de Monsieur avec un claquement sec.

Le coup le fit sursauter. Le fouet tomba mollement sur le plancher, et Laure s'inquiéta soudain de ne pas avoir la force de lui donner une punition convenable. Mais une ligne rose apparut alors en travers de ses fesses serrées. Regardant Madame, elle sourit d'un air triomphant. Ce n'était qu'un début.

Enhardie par cette satisfaction, elle leva le bras encore et encore, visant à maintes reprises le derrière de l'homme, qui fut bientôt orné d'épaisses lacérations. Mieux encore, chaque coup ne faisait qu'augmenter son érection. Sa queue se tint bientôt fière et raide.

Laure arrivait à peine à se contrôler, se sentant transportée de joie malgré sa douleur lancinante dans l'épaule. Elle ne savait pas combien de temps elle pourrait continuer, mais c'était si bon, si enivrant de se balader nue, enfin libérée de l'horrible ceinture qui l'avait tourmentée depuis ce qui lui semblait à présent des siècles. C'était encore meilleur de décharger sa frustration sur l'homme horrible qui avait conçu une punition aussi cruelle et imméritée.

Elle se sentit chaude et coquine, immensément excitée à la vue de la queue de son maître, qui ne demandait qu'à être caressée jusqu'au soulagement. Mais, à ce stade, Laure ne voulait surtout pas le toucher. Elle allait faire tout son possible pour le priver de sa récompense. Ce serait sa meilleure revanche.

Sur le lit, Madame était étendue nue. Ses mains caressaient oisivement sa peau pâle et elle frétilla en regardant Laure s'épuiser. Après un moment, elle tendit ses bras ouverts en direction de la servante.

« Laisse René s'occuper de lui, maintenant, suggéra-t-elle. Viens ici, ma chérie. »

Laure laissa tomber le fouet et courut presque vers sa maîtresse. Elle avait chaud et se sentait fatiguée de l'avoir fouetté avec tant de force. Elle avait besoin d'un peu de repos.

Madame la fit s'étendre à côté d'elle afin qu'elles puissent toutes deux observer la suite. Déjà, René avait laissé tomber ses vêtements. Son membre était aussi dressé et fin prêt que celui du maître. Laure se mordit les lèvres et colla tout son corps contre celui de sa maîtresse. Le garçon d'écurie étant fort, qui savait quel genre de traitement il allait infliger à Monsieur ? Mais, à la surprise de Laure, au lieu de choisir le fouet, René regarda Madame avec un sourire entendu.

« Oui, dit Madame. Tu sais quoi faire. »

Elle attira Laure plus près encore et caressa ses douces courbes. Leurs jambes se mêlèrent et se caressèrent, et la main délicate de la femme frôla doucement l'intérieur de la cuisse de la servante.

Laure gémit de satisfaction. C'était tellement bon de pouvoir sentir enfin le contact d'une peau douce, délicate. Les baisers passionnés de Madame sur son cou devinrent bientôt des coups de langue longs et lascifs.

Mais ni l'une ni l'autre ne voulut s'abandonner complètement, car elles étaient fascinées à la vue de Monsieur agenouillé sur le plancher, les mains liées derrière le dos.

René alla fouiller dans le coffre et ramena une sorte de braguette cousue à un harnais, et avec laquelle il musela fermement la queue rigide de Monsieur. Un phallus de bois attaché à l'une des courroies fut alors promptement inséré dans le derrière de l'homme. René acheva de boucler les courroies, qui laissèrent le maître sodomisé, mais incapable d'enlever quoi que ce fût ni de se caresser.

Sur le lit, Madame fit s'asseoir Laure devant elle, face à son mari. Elle écarta les petites lèvres pour montrer à Monsieur la chair rose et humide maintenant avide de cajoleries.

Laure se réjouit de le voir se lécher les lèvres. Cela allait le provoquer tout comme il l'avait provoquée, peut-être encore plus. Il tremblait faiblement, conscient qu'il n'aurait pas le droit de se joindre à elles. À présent, les rôles étaient carrément inversés : aujourd'hui, le maître allait obéir au garçon d'écurie et regarder les femmes se faire plaisir sur le lit. Elles allaient maintenir son excitation, mais lui refuseraient le soulagement ultime. Ses yeux trahissaient sa colère et son regret pendant que les doigts de Madame parcouraient à maintes reprises la chair lisse de Laure.

S'adossant de nouveau contre la poitrine nue de la femme, Laure laissa la passion l'envahir. Long et brûlant, son orgasme ne fut ni violent ni puissant, comme elle l'aurait voulu. Mais c'était le sien. Monsieur n'avait pu l'empêcher d'atteindre la jouissance, qui lui revenait de droit. Oui, ce n'était que juste. Mais cela pouvait-il compenser tout ce qu'elle avait enduré durant les derniers jours? À elle, à présent, de s'en assurer.

Voyant la queue magnifique de René en érection, elle se libéra de l'étreinte de sa maîtresse et se dirigea vers lui. Il était temps qu'elle prenne de nouveau un rôle actif dans la punition de Monsieur.

Elle s'agenouilla devant les hommes, à seulement quelques pouces du maître. Mais ce n'était pas lui qu'elle voulait. Ce soir, elle ne fantasmait absolument pas sur de la chair aristocratique. Elle s'empara du membre de René avec force et le prit dans sa bouche, en se disant qu'il avait meilleur goût que celui de son maître. D'ailleurs, René s'était toujours montré plus reconnaissant et plus empressé de retourner ses caresses. Plus que Monsieur, il méritait ses faveurs.

Au-dessus de sa tête, elle entendait les hommes respirer plus calmement. Peut-être Monsieur pouvait-il s'imaginer que c'était à lui qu'elle était en train d'administrer une fellation, mais il devrait bientôt affronter la dure réalité: la servante n'allait pas le toucher ce soir.

Madame vint trouver Laure et, ensemble, elles s'occupèrent du membre rigide de René. Chacune suça tour à tour la prune gonflée, tandis que l'autre léchait délicatement la longue tige.

Bientôt, Laure oublia de plus en plus la réaction de Monsieur, mais Madame ne s'abandonna jamais complètement à la vénération de la merveille qu'elle tenait dans sa bouche. Il était important que son mari continue de regarder.

René poussa avec force dans la bouche de sa maîtresse tandis que Laure se tenait debout et caressait son corps musclé, collant sa poitrine nue contre son dos. Madame se retira et le caressa à deux mains jusqu'à l'orgasme. Laure s'agenouilla devant lui et reçut sa semence dans la bouche.

Le garçon d'écurie hurla en atteignant le paroxysme du plaisir. Près de lui, Monsieur demeurait stoïque, sachant qu'il ne recevrait pas le même traitement ce soir-là.

Les femmes retournèrent au lit. Madame, encore affamée, se jeta sur la chair frémissante de Laure. Se roulant sur le lit, elles frétillaient et se frottaient l'une contre l'autre. Leurs mains ne laissaient jamais la chair de l'autre, et le plaisir se déchaîna dans leurs corps, encore et encore. Chaque fois que Laure levait les yeux, elle voyait le visage de Monsieur maintenant livide d'envie.

Enfin, Madame fit s'asseoir Laure sur le bord du lit, les jambes grandes ouvertes. Guidé par René, Monsieur s'abaissa docilement à quatre pattes, suffisamment près pour voir et sentir la fente étalée, mais trop loin pour pouvoir la toucher, encore plus pour la goûter.

Laure était heureuse de laisser Madame lui donner du plaisir. La servante atteignit de nouveau l'orgasme, sous les yeux de son maître. Elle était alors épuisée, mais son bonheur était complet. Monsieur avait expié tout le tourment qu'il lui avait causé. Mieux encore, il avait souffert tout comme il l'avait fait souffrir. À présent, ils étaient quittes.

CHAPITRE VII

Au réveil, Laure avait soif. La gorge irritée, elle toussa à maintes reprises. À côté d'elle dans le lit, le corps immobile de Madame était également secoué, de temps à autre, par des quintes de toux.

Laure décida de se lever pour tirer paresseusement les rideaux du lit. Mais, dès qu'elle ouvrit les yeux, elle sut que quelque chose allait mal, terriblement mal.

Une lueur jaune scintillait à la fenêtre. Cela aurait pu être le lever du soleil, sauf que la lumière vacillait. Et de l'endroit où elle se trouvait, Laure ne la voyait qu'à travers une brume. L'horreur s'empara d'elle au moment où elle s'aperçut que la chambre était remplie de fumée.

À présent tout à fait réveillée, elle comprit la cause de ce goût âcre dans sa bouche et pourquoi elle n'arrivait pas à soulager ses quintes de toux. Cette lueur à la fenêtre ne pouvait être que du feu. Incapable de parler, car sa gorge devenait rugueuse et épaisse, elle secoua sa maîtresse afin de la réveiller.

Madame réagit faiblement, et Laure dut la traîner sur ses pieds et l'aider à passer une robe. Ensemble, elles rampèrent jusqu'à la chambre de Monsieur, fermant la porte derrière elles. Encore à quatre pattes, Laure se faufila jusqu'au lit, qu'elle trouva froid et vide. Elle se redressa sur ses pieds, saisit la cruche d'eau sur la table de chevet et en avala rapidement une grande gorgée, puis tendit la cruche à Madame et l'aida à boire.

La femme était affaiblie. Son corps frêle tremblait contre celui de la servante. Sa gorge se détendit quelque peu, mais Laure savait que cela ne suffirait pas. Elle devait agir rapidement. Il leur fallait sortir au plus vite, mais il était trop dangereux de passer par la chambre de Madame. La fumée s'insinuait déjà sous la porte mitoyenne.

Tenant une chandelle à la main, Laure parvint au couloir, soutenant et tirant à la fois sa maîtresse. Le plancher était chaud sous leurs pieds, mais en arrivant aux escaliers du fond, elles furent soulagées de constater que la fumée venait seulement de commencer à envahir l'aile du château dans laquelle elles se trouvaient.

Arrivées au rez-de-chaussée, elles purent toutes deux respirer plus facilement. Laure prit sa maîtresse par la main et la guida le long des sombres couloirs, traversant les buanderies et le logement des domestiques, jusqu'au hall. Là, elle poussa la porte et l'air frais de la nuit les accueillit. Elles traversèrent l'avant-cour, oubliant les graviers pointus sous leurs pieds et les débris brûlants qui pleuvaient sur elles. Laure continua de traîner sa maîtresse jusqu'à ce qu'elles sentent enfin l'herbe humide et froide sous leurs pieds. Puis, elles s'effondrèrent, soufflant à fond pour vider leurs poumons de l'âcre fumée.

Se redressant, Laure regarda la déflagration, horrifiée. Déjà, l'aile était une coquille noire, des flammes orange et voraces léchant les poutres carbonisées. Tout autour d'elle, des hommes couraient en hurlant avec des seaux d'eau, tentant de contenir l'incendie.

À côté d'elle, Madame s'assit elle aussi et appela son mari. Elle se releva brusquement et courut vers l'enfer rugissant. « Mon mari ! Mon mari ! Où est mon mari ? »

Les gens faisaient à peine attention à ses cris. Laure courut après elle pour la retenir. Elle fut soulagée de voir Juliette parmi la foule. La gouvernante les aperçut également et vint les trouver.

« Monsieur est sorti ! dit la femme. Je l'ai vu plus tôt. Je crois qu'il ne reste personne dans le château. »

Avec force, elle les écarta pour permettre aux hommes de travailler. Les trois femmes s'enlacèrent et regardèrent, impuissantes, le toit de la grande salle s'effondrer, lançant des milliers d'étincelles dans le ciel noir.

Juliette fut la première à signaler le lever du soleil. Madame se redressa avec une expression triste sur son visage, les bras serrant bien fort la taille de Laure.

Monsieur était allé les voir plusieurs fois au cours de la nuit. Chaque fois, son visage était plus sale, noirci par la cendre et la suie. La sueur dégoulinait sur ses tempes à mesure qu'il s'épuisait à tenter de récupérer le plus grand nombre d'objets possible de l'édifice en feu.

Une servante leur avait apporté des chaises, mais Madame avait refusé de s'asseoir. Au total, on n'avait pas sauvé grand-chose. Même le gros fauteuil de la chambre de Monsieur était irréparable. Ses pattes étaient carbonisées et le tissu des accoudoirs, complètement brûlé. Laure le regarda une dernière fois et ferma les yeux. Elle savait que les choses ne seraient jamais plus les mêmes.

« Vous pouvez rester quelque temps, dit la Mère supérieure. Mais je vous prie fortement de prendre d'autres ententes dès que possible. Je ne peux pas vous laisser dehors, mais votre présence ici est fort inappropriée. »

Laure était renversée. Comment la Mère supérieure pouvait-elle être si cruelle envers les Lampron ? Puisque c'était un ordre de religieuses charitables qui aidaient avec zèle les pauvres et les malades, pourquoi ne pouvaient-elles pas accueillir les gens du château ?

Monsieur répondit courtoisement, mais ne parut pas surpris. Il remercia la Mère supérieure et fit doucement sortir sa femme du parloir. Ses mains étaient encore noires de suie, mais il s'était lavé le visage. Laure l'aida à mettre Madame au lit, car elle était à présent aussi faible qu'un enfant, et dépourvue de volonté propre.

« Reste avec elle, ordonna Monsieur d'une voix brisée. Je dois m'occuper de certaines affaires. »

À travers des bribes de conversation avec sa femme, Laure avait saisi que Monsieur n'avait pas pu sortir de sa chambre son argent et ses précieux actes de propriété. Elle avait également entendu certains domestiques parler de se trouver du travail. Elle avait été horrifiée de voir les gens pressés de préparer la suite de leur vie, avant même que les cendres de la conflagration ne fussent refroidies. Laure n'avait pas encore eu le temps de penser à ce qu'elle allait devenir.

Ces derniers jours, Laure avait partagé le lit de sa maîtresse. Madame était encore furieuse contre son mari, dont le comportement envers Laure avait pourtant beaucoup changé depuis le soir de sa punition. Il était docile et affable, empressé de rejoindre sa femme et sa protégée au lit. Néanmoins, Madame ne voulait pas de lui. Elle désirait surtout faire oublier à Laure l'horrible malheur des épreuves imposées par son mari.

Laure n'était même pas retournée aider aux cuisines. Et, comme elle l'avait espéré, les serviteurs s'étaient occupés d'elle. Madame avait promis que ce serait permanent : Laure n'aurait plus jamais à travailler. De toute évidence, ni Madame ni son mari ne pouvaient plus respecter cette promesse. Eux-mêmes ne savaient pas comment ils allaient se rétablir de la perte de leur propriété.

Laure essuya une grosse larme sur la joue de sa maîtresse. Madame n'avait pas prononcé un mot depuis qu'ils avaient échappé à l'incendie et, jusqu'à présent, son visage était demeuré figé dans une expression hébétée.

« Qu'allons-nous faire ? » finit-elle par demander d'une voix faible en soulevant son visage rempli de larmes. « Mon mari craint qu'il ne nous reste plus rien. »

Laure prit le corps frêle dans ses bras et le berça doucement comme un enfant. « Nous sommes sains et saufs, dit-elle, tentant de la rassurer. Nous trouverons un moyen. Et nous resterons ensemble. »

Sa dernière phrase était davantage une question qu'une affirmation. Elle n'était plus en position d'exiger quoi que ce fût des Lampron. Confuse et perplexe, elle regarda autour d'elle et fut presque étonnée de se trouver dans cette chambre étrange. Les murs nus étaient tout simplement blanchis à la chaux ; la fenêtre, minuscule, dépourvue de rideau. Pour seule décoration, un chapelet accroché à un crucifix de bois. Deux lits étroits, de simples cadres métalliques surmontés de matelas minces. Les draps étaient rudes et il n'y avait aucune courtepointe, que de minces couvertures de laine grise. Un seul oreiller sur chaque lit, et plat en plus ! Entre les lits, une petite commode et un prie-dieu. Quel contraste avec les luxueux appartements auxquels Madame était habituée!

La main posée sur son bras se ramollit et Laure s'aperçut que Madame était enfin tombée endormie. Elle se leva aussi doucement que possible, sans déranger le sommeil de sa maîtresse. Elle voulait rencontrer les autres domestiques pour savoir ce qui allait leur arriver.

En parcourant le long couloir, elle ne put s'empêcher de jeter un coup d'œil dans chacune des chambres minuscules qu'elle longeait. Si la chambre de Madame était simple, celles-ci étaient carrément sinistres! Toutes identiques, elles ne renfermaient qu'un lit simple, une boîte en bois sur laquelle était étendu un matelas de paille sans housse. Une mince couverture était soigneusement repliée au pied de chaque lit et certains n'avaient même pas d'oreiller.

Dans le couloir, le plancher de marbre était si propre et si luisant que Laure vit son reflet en retournant jusqu'au parloir de la Mère supérieure. À mesure qu'elle approchait, des voix fortes attirèrent son attention et elle s'arrêta juste avant d'entrer dans la pièce. Avec précaution, elle se glissa près de la porte et y colla son oreille.

« Je ne peux croire que vous êtes la femme que j'ai connue, dit un homme. Chère Éloïse, vous aviez une personnalité si engageante! »

Laure reconnut la voix de son maître. Mais à qui parlait-il? En poussant un peu la porte, elle s'aperçut que celle-ci n'était pas convenablement fermée, et elle arriva à l'ouvrir suffisamment pour voir qui d'autre se trouvait dans la pièce.

Monsieur continuait de parler à la Mère supérieure. Seulement, à présent, leur conversation était beaucoup moins formelle, tout comme les manières de Monsieur. Se rapprochant de la religieuse, il lui encercla la taille et lui caressa les seins à travers son habit. La Mère supérieure frémit, mais ne le repoussa pas.

Il lui prit la main qu'il colla contre son entrejambe. La Mère supérieure baissa les yeux, les joues rouges de gêne, mais ne fit tout de même aucun effort pour se libérer.

« Vous vous rappelez, dit-il, il y a tant d'années. Comme vous aviez l'habitude de crier quand je vous caressais d'une façon si exquise que vous pouviez à peine le supporter ; comme votre corps magnifique prenait vie sous mes mains. Je me rappelle le goût de votre chatte. Je vous le jure, je voudrais bien vous prendre maintenant ! »

En parlant, il souleva rapidement son habit et passa ses deux mains sales sur les jambes immaculées. Sous les nombreuses couches de lin, les cuisses de la religieuse apparurent, blanches et douces, contrastant de façon saisissante avec son habit noir. Avec une espiègle curiosité, Laure vit la Mère supérieure laisser Monsieur s'agenouiller devant elle et embrasser ses jambes flageolantes. Elle laissa échapper un petit cri lorsque la langue de l'homme se perdit dans son buisson frisé et qu'il la lécha avec un plaisir évident.

Derrière la porte, Laure entendit les bruits humides de sa bouche sur la chair de la religieuse, et se sentit soudainement trempée d'excitation. Encadré par la cornette rigide, le visage de la religieuse trahissait le plaisir qui faisait rage en elle. Laure entendit une respiration haletante suivie d'un gémissement et, une seconde plus tard, la Mère supérieure repoussa Monsieur.

«Vous êtes le diable, Émile Lampron!» s'écria-t-elle avec dégoût. Elle descendit son habit et, retrouvant sa contenance, s'arc-bouta sur le rebord du grand bureau. «Vous avez fait tout ce que vous vouliez de moi quand j'étais jeune et folle, mais maintenant je suis plus sage! Vous et vos manières dépravées, sortez d'ici! Vous partirez avant la fin de la semaine, en emmenant tous vos gens avec vous! Je ne vous laisserai pas corrompre cette maison sainte! Votre simple présence est une insulte à tout ce que cet ordre représente! Maintenant, partez. Je ne veux pas que vous reveniez dans mon parloir!»

Monsieur se redressa lentement et rit de façon dédaigneuse. «Vous le voyez peut-être ainsi à présent, dit-il. Mais donnez-moi seulement quelques jours et vous changerez d'idée. Je connais votre point faible, et vous savez que vous avez beaucoup à gagner à être en bons termes avec moi. Je reviendrai.»

Laure eut à peine le temps de s'écarter de la porte et de se cacher derrière une colonne avant qu'il ne quitte la pièce. De toute évidence, Monsieur et la Mère supérieure s'étaient déjà connus dans le passé. Et elle avait le sentiment que cette information pouvait avoir des avantages fort intéressants.

Cette première nuit, elle dormit sur l'autre lit dans la chambre de Madame. Annonçant qu'il partirait pour quelques jours, Monsieur avait ordonné à Laure de rester avec sa femme.

Mais Madame voulait qu'on la laisse seule dans son lit. Laure ne pouvait ressentir que de la tristesse en se rappelant le confort du lit de sa maîtresse, contre laquelle elle aurait pu se blottir et qu'elle aurait pu tenir toute la nuit.

Mais Madame n'était pas dans son assiette aujourd'hui. Après une conversation privée avec son mari, elle avait dit des choses que Laure ne pouvait tout à fait saisir, mais qui ne lui plaisaient pas pour autant. Madame avait parlé de payer le prix de ses excès, affirmant qu'elle allait désormais vivre seule, et d'autres choses que Laure ne voulait pas comprendre.

Les autres serviteurs n'avaient pas été très utiles. Ceux qui n'avaient pas de famille avaient déjà rassemblé leurs maigres biens pour aller se trouver du travail ailleurs. Ils ne voulaient pas attendre qu'on leur dise qu'il n'y en avait pas pour eux dans la région. D'autres avaient trouvé refuge auprès d'amis ou de parents.

Seule Laure restait en plan. Elle devait se fier à ses maîtres pour voir ce qu'il allait advenir d'elle. Et elle n'était même pas sûre qu'ils le savaient eux-mêmes.

Lorsque Monsieur revint, il alla tout de suite voir la Mère supérieure, même si elle le lui avait interdit. Comme la première fois, Laure demeura à la porte pour écouter en silence. Elle manqua le début de la conversation, mais ce qu'elle entendit lui permit de comprendre de quoi il s'agissait.

« C'est du chantage ! siffla la Mère supérieure. Vous n'avez pas le droit d'exiger quoi que ce soit de ma part !

— Ma chère, répondit Monsieur, je l'ai déjà dit et je le répète : vous avez intérêt à faire ce que je vous demande. Vous ne voudriez sûrement point que quelqu'un sache que nous avons jadis été de bons amis. Et si vous acceptez mes conditions, nous pourrions en être de nouveau. »

Laure entendit la religieuse marcher derrière son bureau. « Imaginez, poursuivit Monsieur, ce que ferait l'évêque s'il apprenait que vous avez jadis donné naissance à un enfant, à mon enfant…

– Vous n'avez pas le droit…, répéta la Mère supérieure.

– J'ai tous les droits! éclata Monsieur. Je sais où il se trouve et je peux prouver qu'il est à nous. Tout ce que je vous demande, c'est de nous accueillir aussi longtemps que ce sera nécessaire. Et de nous fournir la modeste somme qu'il me faut. »

Laure s'éloigna de la porte. Elle en avait assez entendu. Au moins, elle savait que tant qu'elle serait avec les Lampron elle n'aurait pas à s'inquiéter. Mais, bientôt, Monsieur allait partir. Madame et lui ne pourraient pas rester très longtemps ici. Qu'allait-il arriver ensuite?

Depuis leur arrivée au couvent, il y avait eu très peu de contacts entre la servante et ses maîtres. Monsieur et Madame avaient d'autres choses en tête, des secrets qu'ils ne voulaient pas partager avec Laure, et l'atmosphère avait été tendue entre eux.

Leurs affaires privées lui importaient peu, mais elle s'ennuyait des câlins et des caresses. Elle avait souvent essayé d'aller au lit avec Madame, mais chaque fois on lui avait refusé la chaleur et la douceur du corps délicat.

La question troublante de son avenir immédiat inquiéta fortement Laure pendant ces quelques jours, et elle découvrit la vérité lorsqu'une lettre que Monsieur avait attendue avec impatience arriva finalement. C'est Madame qui annonça la nouvelle à Laure. Elle entra dans la pièce, portant un léger manteau et des gants. Ses cheveux étaient soigneusement noués en un chignon complexe et poudrés.

Il ne pouvait y avoir qu'une seule explication à cette tenue élégante : les Lampron partaient. Et puisque Laure n'avait pas été informée de ce départ, cela ne pouvait signifier qu'une chose.

« Ma chérie, dit Madame, le regard impassible. Malgré notre infortune, nous avons la grâce d'avoir une bonne famille. Le frère de mon mari accepte de nous prendre avec lui à Paris. » Elle fit une pause et lui tourna le dos.

Laure retint son souffle. Le ton de sa maîtresse n'augurait rien de bon pour elle.

« Nous ne pouvons pas t'emmener avec nous, laissa rapidement échapper Madame. Il y a très peu de place, et pas de travail pour toi. Mon mari attend des nouvelles de l'un des envoyés du roi. Nous tenterons de faire en sorte que tu ne manques de rien. »

Elle se retourna pour faire face à Laure. La servante voulait que sa maîtresse se rapproche et la prenne une dernière fois dans ses bras. Mais plutôt Madame recula. Ses yeux étaient rivés sur le plancher, son visage était pâle et sans vie.

Lentement, sans même oser lever les yeux, elle se dirigea vers la sortie. Elle fit une dernière pause, sa main sur la poignée de la porte, et émit un faible murmure : « Adieu ! »

Lorsque Monsieur apparut dans l'encadrement de la porte, il n'eut que le courage de jeter un coup d'œil de quelques secondes à la servante avant de détourner le regard : « Tu resteras ici au couvent, dit-il d'un air sévère. La Mère supérieure t'expliquera ses conditions. »

Son bras passé autour des épaules de sa femme, il la fit sortir de la chambre et referma la porte derrière eux. Laure regarda fixement la porte, espérant très fort qu'elle s'ouvrirait de nouveau et qu'ils reviendraient la chercher. Mais, bientôt, le silence lui dit qu'elle attendait en vain.

« Il serait dans votre meilleur intérêt d'épouser le premier jeune homme que nous vous trouverons, conseilla la Mère supérieure. Vous ne pouvez pas vous permettre d'être difficile. Orpheline, vous ne seriez rien si M. Lampron ne vous avait permis de devenir pupille du roi. Et puisque vous avez clairement signifié que vous ne vouliez pas prendre l'habit... » La Mère supérieure fit une pause, regarda Laure avec mépris et émit un soupir hautain. « Considérant votre origine, je doute que vous deveniez une bonne religieuse, de toute façon », murmura-t-elle comme si elle se parlait à elle-même.

« Mais vous avez affirmé ne pas vouloir trouver de travail ailleurs, poursuivit la femme. Par conséquent, nous essaierons de vous trouver un mari convenable. Entre-temps, vous vivrez comme nous, en pratiquant la charité et l'humilité. Prenez le temps de réfléchir aux causes de votre arrivée ici. Rappelez-vous qu'il y a une raison à tout. Ne blâmez pas le sort pour ce qui vous est arrivé, à vous et aux Lampron. Dieu fait expier les péchés, d'une façon ou d'une autre. À présent, partez. Sœur Pauline vous donnera les tâches de la matinée. Ensuite, vous pourrez assister à la messe avec les autres filles. »

CHAPITRE VIII

Quand Laure se réveilla, les filles qui partageaient sa cellule étaient déjà parties. Les cinq lits étroits étaient vides, les couvertures soigneusement repliées. Elle se dit qu'elles assistaient probablement à la première messe. Tant mieux. Elle ne voulait voir aucune d'entre elles. Au cours des derniers jours, elle avait découvert que tout ce qu'elle avait en commun avec elles, c'était qu'elles étaient orphelines et restaient au couvent jusqu'à ce qu'elles trouvent un mari convenable.

Mais, à la différence de Laure, ces filles ne semblaient pas détester ce mode de vie austère. Elles vivaient peut-être ici depuis trop longtemps. Elle l'avait bien vu en leur parlant des activités lubriques dans lesquelles elle s'était engagée au château. Leurs cris d'orfraie, lorsqu'elle leur racontait avoir fait jouir quatre hommes à la fois, disaient tout.

Pour sa part, Laure était prête à vendre son âme au diable pour le plaisir de sentir la chaleur d'un amant, d'un corps nu se tortillant contre le sien, ne serait-ce que pour une nuit. Mais elle se retrouvait seule, étendue dans ce lit odieux.

Dès le départ des Lampron, elle avait reçu l'ordre de cacher ses cheveux, et avait dû porter de multiples épaisseurs de jupons par-dessus une épaisse culotte bouffante qui camouflaient complètement ses hanches. Tout son corps était emprisonné, hors d'atteinte, isolé. Tous ses sens étaient engourdis. Et, au plus profond d'elle-même, le feu du désir brûlait plus ardemment que jamais.

Son sommeil avait été constamment dérangé par des images de corps nus dansant lascivement devant elle. Des hommes et des femmes, après l'avoir provoquée malicieusement et caressée voluptueusement, s'étaient enfuis lorsque Laure avait tenté de les toucher.

Elle venait de rêver qu'elle portait une ceinture de chasteté. Seulement, cette fois, elle était recouverte du cou aux chevilles et seuls ses mains, ses pieds et son visage étaient dénudés. Elle se débattait pour l'enlever, tirant les bords métalliques. Après un moment, elle vainquit l'horrible appareil et parvint à libérer ses jambes et ses chevilles. Des mains lui caressèrent les cuisses, qu'elle écarta d'une façon dévergondée, désireuse de faire voir à ses amants à quel point elle aspirait à s'abandonner.

Le bruit de ses propres soupirs l'avait réveillée. À présent, elle savait qu'elle s'était débattue avec ses propres vêtements dans son sommeil. Sa chemise était plissée autour de sa taille et sa culotte bouffante était posée sur le plancher, déchirée en lambeaux. Les mains qui avaient caressé l'intérieur de ses cuisses étaient les siennes.

Laure riait et pleurait à la fois, soulagée de voir que sa ceinture de chasteté n'existait que dans son rêve, mais déçue de se retrouver de nouveau seule. Caressant distraitement sa chatte, elle fut légèrement surprise de la sentir moite. Ce rêve avait probablement eu un puissant effet sur elle.

Du pied, elle repoussa la couverture sur le plancher. Puisqu'elle était seule, elle ne voyait aucune raison de ne pas en profiter. Son bassin se souleva à maintes reprises et fit grincer le lit en rebondissant sous sa main. Son autre main serpenta sous sa chemise, et elle gémit en sentant son mamelon durcir sous ses doigts experts.

Sa chair frémit, et elle se caressa avec ardeur, augmentant le rythme de sa main et de ses hanches. Elle sentait déjà son vagin se serrer à l'approche de l'orgasme.

Elle se mordit les lèvres pour étouffer son cri de joie. Dans sa chambre isolée, personne ne pouvait l'entendre, mais elle ne voulait pas attirer l'attention au cas où quelqu'un passerait dans le couloir. Le feu du plaisir s'accrut. Elle y était presque. Sa main glissa plus rapidement sur sa chair, la caressant avec force. Les muscles de ses cuisses se contractèrent et un sanglot s'éleva dans sa gorge. Seulement quelques secondes de plus…

Soudain, la main de la Mère supérieure claqua sur la sienne et la retira de son entrejambe. «Petite dévergondée! cria-t-elle. Comment oses-tu t'abandonner à des activités aussi obscènes alors que tu devrais prier à la chapelle?»

Avant que Laure pût se rendre compte de la tournure des événements, la femme avait saisi son bras et l'avait fait sortir du lit.

«Comment oses-tu?» hurla la religieuse en la secouant violemment. Elle leva le bras et frappa Laure au visage à maintes reprises. «Tu le paieras! Tu en répondras devant Dieu! Tu feras pénitence et Le prieras de te donner la force de vaincre cette luxure!»

Sans relâcher le bras de Laure, elle la fit sortir de la chambre et la tira dans le couloir. Laure trébuchait, car il lui fallait presque courir pour suivre la femme. Marchant d'un pas long et rapide, la Mère supérieure continuait de frapper Laure de sa main libre.

« J'aurais dû m'en douter ! » Sa voix furieuse se répercutait dans le couloir obscur et vide. « J'aurais dû te faire expier tes péchés quand tu es arrivée ici ! Tu es faible, femme ! Et Dieu réprouve cette faiblesse impie ! »

Lorsque la Mère supérieure la jeta rudement dans le parloir, Laure glissa et tomba sur le plancher de marbre poli, ce qui lui coupa le souffle. Elle entendit claquer la porte et, levant les yeux, vit la nonne s'avancer vers elle avec un petit fouet à la main. Laure frissonna, autant par anticipation du plaisir que de la douleur. Voyant la peur apparente de la fille, la nonne fit une pause, abaissant son fouet.

« Tu comprends et tu acceptes la raison pour laquelle je fais cela ? » demanda la religieuse.

Laure fit un faible signe de la tête. Elle aurait pu protester, mais elle consentait à sa punition et ne se défendit pas, même lorsque la religieuse se pencha pour soulever sa chemise et dénuder ses cuisses. Le premier coup s'abattit juste au-dessus du genou de Laure et la fille tressaillit malgré elle.

« Ne bouge pas ! » tonna la Mère supérieure en traînant Laure par la chemise à travers la pièce. Puis elle l'obligea à s'agenouiller sur le prie-dieu et à se prosterner. « Tu souffriras dans le silence et la contemplation. »

Laure n'osait pas bouger un seul muscle. La Mère supérieure était furieuse, les yeux exorbités et le visage rouge. Sa colère lui donnait de la force. Cette force, combinée à la furie qu'elle étalait, ne pouvait être apaisée que par l'obéissance.

Laure se ressaisit et fixa son regard sur le portrait du Christ accroché au mur devant elle. Elle entendait la Mère supérieure haleter derrière elle. Elle n'osait pas défier la femme. Le simple fait de se retourner pouvait augmenter sa colère. Mieux valait la laisser se calmer d'abord.

Une main tremblante souleva sa chemise. Les premiers coups de fouet s'abattirent sur sa peau, mais pas aussi forts que Laure s'y était attendu. Et puis, elle avait connu pire.

Un moment, Laure ne put s'empêcher de penser que la religieuse allait peut-être prendre un plaisir pervers à la fouetter. Elle se rappelait comment elle s'était sentie le soir de la punition de Monsieur. Elle se demandait s'il y avait eu des rencontres aussi coquines entre la religieuse et le maître du château de Reyval.

Les soupçons de Laure s'accrurent lorsqu'elle songea à la rapidité avec laquelle la Mère supérieure avait décidé de la punir et avait saisi le fouet. Même si elle ne voyait pas la religieuse, elle pouvait très bien s'imaginer l'expression de son visage chaque fois qu'elle la frappait. Il ne faisait aucun doute, dans l'esprit de Laure, que la relation entre cette femme et M. Lampron avait été assez tumultueuse. En fait, la flagellation de Laure lui servait peut-être à se venger du chantage de Monsieur.

Les doutes de la fille furent bientôt confirmés. Pendant que le fouet s'abattait à maintes reprises sur l'arrière de ses cuisses et de ses fesses, Laure entendit la religieuse soupirer d'exaltation. Sa peau frémissante toléra aisément la douleur jusqu'à ce que les coups faiblissent. La Mère supérieure se fatiguait déjà.

Quand la religieuse s'agenouilla auprès d'elle, Laure décida de renverser les rôles. Elle écarta légèrement les jambes afin d'exposer sa chair rose. Elle sentait sa moiteur et soupçonnait la Mère supérieure de ne pas pouvoir résister à la vue de ses replis lustrés.

Elle tenta d'étouffer son excitation, mais en vain. En effet, son séjour au château lui avait bien appris à tirer le plus grand plaisir possible de la douleur. Aujourd'hui, la seule différence se trouvait dans les intentions de la nonne, qui ignorait complètement que punir Laure de cette façon aurait l'effet contraire.

Le fouet tomba sur le plancher et la Mère supérieure continua de frapper à main nue le derrière dévêtu. Peu à peu, les claques ralentirent et bientôt, Laure se demanda si elles étaient destinées à la blesser ou à la caresser.

Tournant légèrement la tête, elle vit le regard exalté de la religieuse. Ses yeux étaient fermés, ses lèvres légèrement écartées et tremblantes. Laure ne put s'empêcher de sourire. Le moment était venu. Elle souleva son derrière et écarta davantage les jambes. Lorsque la main de la religieuse s'abattit mollement sur sa fente, elle entendit la femme émettre un grognement étranglé. Lorsque la main s'abattit de nouveau puis resta, Laure rapprocha ses jambes pour l'attraper. Elle sentit immédiatement les doigts crochus caresser ses replis humides, et entendit la religieuse qui respirait encore plus profondément. À présent, la Mère supérieure était penchée sur les hanches de la fille, son menton à seulement quelques pouces de la peau frémissante.

Monsieur avait dit vrai : la Mère supérieure avait des désirs cachés qu'elle ne voulait révéler à personne. Avait-elle pris l'habit en guise de pénitence pour son propre dévergondage ? D'après ce que Laure avait vu, personne ou presque, au couvent, n'était au courant de la véritable nature lubrique de la Supérieure.

Le plus beau, c'était que Laure n'avait quasiment rien fait pour inciter ce genre de comportement chez la religieuse. Elle croyait vraiment que la Mère supérieure avait d'abord eu l'intention de la punir, puis qu'elle avait succombé à son propre instinct.

Les doigts de la femme lui caressaient la fente, et Laure savait qu'elle allait bientôt atteindre l'orgasme. Cependant, son excitation fit place à la surprise lorsqu'elle sentit la Mère supérieure ramper derrière elle et lécher sa chatte frémissante.

Encore agenouillée sur le prie-dieu, Laure écarta les jambes et put voir ce qui se passait sous elle. La religieuse ne leva même pas les yeux : elle se baissa immédiatement et colla sa bouche sèche à la chair humide de la fille.

Cela dépassait toutes les attentes de Laure! La femme était penchée entre ses jambes écartées, la léchant avidement jusqu'au paroxysme du plaisir. Laure frétilla et souleva son derrière, le bougeant lascivement, appuyant sa chair contre la bouche coquine de la Mère supérieure.

La religieuse s'empara des jambes de Laure, la tira vers l'arrière et la fit se retourner pour s'étendre sur le plancher, les jambes écartées. Sans regarder une seule fois la fille, elle plongea rapidement la tête vers la chair étalée. À présent, Laure ne voyait qu'une figure humaine, recouverte d'un voile noir, qui se tortillait entre ses jambes écartées. Elle frétilla et éleva les jambes afin de ramener ses genoux à sa poitrine. Une seconde plus tard, la Mère supérieure tendit les bras et ramena ses jambes par-dessus ses épaules.

Contre ses hanches, Laure sentit le tissu rude de l'habit de la religieuse et les pointes de sa cornette creusant des plis à mesure que la tête bougeait sur sa chair. Voyant la Mère supérieure en proie à la passion, elle souleva encore davantage sa chemise. Elle aurait préféré être nue, pour laisser le plancher de marbre froid étancher le feu qui palpitait à la surface de sa peau.

Mais lorsque les mains de la religieuse, moites du jus de la fille, vinrent se joindre aux siennes, Laure sut que ses prières avaient été exaucées. Elle gémit lorsque, ensemble, elles secouèrent ses mamelons et serrèrent voluptueusement les globes pâles.

Laure avait réprimé si longtemps son désir qu'elle atteignit plusieurs fois l'orgasme sous la langue experte de la femme. Les doigts crochus de la religieuse creusèrent davantage sa peau, trahissant sa propre excitation.

Soudainement, la Mère supérieure leva les yeux, émit un cri effrayant et sauta sur ses pieds. Laure l'entendit respirer profondément alors qu'elle lissait rapidement les faux plis de son habit, redressait sa cornette et ramassait promptement le fouet pour le cacher dans le tiroir du bas de son bureau.

«Retourne à ta chambre, grinça-t-elle d'une voix tremblante. Ne souffle pas un mot de cela à qui que ce soit. Jamais.»

Laure quitta la pièce sans trop s'inquiéter des menaces. En fait, elle parcourut nu-pieds le plancher de marbre presque en dansant. Sa chair se serrait encore sporadiquement à mesure que les restes de sa jouissance se retiraient lentement. Que pouvait-elle demander de plus ?

Pour elle, personne n'avait péché aujourd'hui. Le seul péché, c'était qu'une femme qui savait donner autant de plaisir s'était condamnée à une vie où elle ne pouvait donner libre cours à sa passion.

Chapitre IX

Laure ne fut pas étonnée lorsque sœur Germaine lui ordonna de ne pas dormir dans la même pièce que les autres filles. Elle devait plutôt partager une cellule avec trois religieuses.

Ses nouvelles compagnes étaient en vigile constante, priant jour et nuit et dormant à peine. Elles prenaient même leurs repas dans la cellule. Au moins l'une d'elles restait éveillée à tout moment, afin de pouvoir, sous le prétexte d'une contemplation fervente, garder l'œil sur Laure.

Si c'était ainsi que la Mère supérieure avait l'intention de punir Laure, cela valait mieux que toute forme de châtiment corporel. Son nouveau lit était une planche de bois recouverte de paille en vrac et, pour les trois premiers jours, elle fut nourrie au pain et à l'eau.

Les religieuses priaient constamment, sans jamais parler. Même si Laure n'était pas obligée de se joindre à elles en prière, elle sentait néanmoins leurs yeux sur elle chaque fois qu'elle s'étendait pour dormir. Aucune intimité, pas même une couverture. Mais pour ses compagnes de cellule il s'agissait d'un choix volontaire. C'était la vie qu'elles avaient voulue.

Adossée contre le mur de pierres froid, Laure regarda tour à tour chacune d'elles. Trois têtes penchées de côté et fixant le crucifix sur le mur, toutes encadrées de façon identique par une cornette noire ; des yeux remplis d'adoration, brillant à la lumière d'une unique chandelle.

Heureusement, elles ne lui avaient pas demandé pourquoi ni comment elle avait péché. Laure aurait été plus qu'heureuse de leur dire quel genre de femme, en réalité, était la Mère supérieure.

Mais elle n'osa pas révéler le secret. À part la Mère supérieure – que Laure n'avait pas revue depuis le fameux après-midi –, chacune, au couvent, avait été d'une extrême gentillesse avec elle. Habituellement, ce genre d'attention lui aurait plu.

Bientôt, cependant, l'atmosphère glauque lui pesa. Cette vie austère avait ses limites. Il lui fallait sortir de là. Il lui fallait quitter le couvent avant de devenir trop semblable à celles qui y habitaient.

Le salut prit les traits d'un certain père Olivier. Laure et les autres filles n'étaient pas au courant de sa visite. Elles ne savaient à quoi s'attendre lorsqu'on leur demanda de se rassembler promptement au parloir de la Mère supérieure.

Les autres filles prirent le temps de se peigner et de changer de tablier. Quant à Laure, eh bien, elle ne prit pas la peine de s'arranger, sachant qu'il était inutile de vouloir attirer l'attention de quiconque en ayant l'air collet monté et comme il faut.

Dans le parloir, à côté des autres couventines, elle sentit immédiatement qu'elle donnait une image fort différente du charmant tableau que la Mère supérieure avait espéré présenter à leur visiteur.

Mais c'est Laure, avec sa mèche rebelle tombant dans son visage, son bonnet de travers et ses chaussures boueuses, qui attira immédiatement l'attention du prêtre.

À peu près du même âge que Monsieur, le père Olivier était un homme mince, au charme vieillot. Il aurait eu meilleure allure si sa chevelure n'avait pas été si courte et lissée, et avec un peu plus de couleur au visage. En tout cas, il ne ressemblait pas à un prêtre.

«Comme vous le savez peut-être, dit-il en parcourant chaque fille du regard, notre bon roi Louis a pris possession d'un territoire situé au-delà de l'océan Atlantique. Nous avons maintenant une colonie en pleine croissance, et bien des jeunes gens ont quitté la France pour établir de nouveaux territoires.» Il s'arrêta et fit semblant de regarder ses chaussures.

La tête inclinée, mais les yeux constamment fixés sur lui, Laure remarqua qu'en fait il la dévisageait.

«Je sais, par la Mère supérieure, que vous, jeunes filles, n'avez aucune famille, et que vous avez hâte de vous marier et d'avoir des enfants. Naturellement, les quelques dernières années ont été difficiles pour tout le monde en ce beau pays, et cette région renferme très peu de jeunes prétendants convenables.»

La Mère supérieure se leva et s'approcha de lui. «Mes chères filles, dit-elle. Le roi désire vous envoyer à l'étranger, afin que vous puissiez devenir les épouses des colons de la Nouvelle-France. Si vous acceptez, Sa Majesté augmentera bien sûr votre dot d'une façon substantielle. En ce moment, ce nouveau pays comporte beaucoup d'hommes et pas assez de femmes. Votre roi a besoin de votre aide… »

Laure se raidit. Même si ce qu'elle venait d'entendre semblait plutôt inoffensif, elle sentait que quelque chose ne tournait pas rond. Le ton de la Mère supérieure était doucereux ; or il était habituellement beaucoup plus sévère. On aurait dit qu'elle tentait de les persuader. Laure garda la tête baissée et ferma les yeux.

En effet, elle avait entendu parler du nouveau pays. Plus précisément, elle avait entendu dire que c'était un lieu perdu, grouillant de sauvages massacreurs, et aux hivers durs et longs.

Elle se demanda ce que savait au juste la Mère supérieure – ou même le père Olivier. Mais elle se rappelait les propos de Raymond, ancien valet au château de Reyval. Il était censé se rendre dans la nouvelle colonie pour y rejoindre son frère. Mais, en moins d'un an, il avait annulé son plan. Son frère lui avait écrit pour l'avertir que la vie était rude là-bas et qu'il ne devrait pas tenter le voyage à moins de n'avoir rien devant lui.

Cela, en plus du ton mièvre de la Mère supérieure et du père Olivier, avait incité Laure à croire qu'elle ne devrait pas s'engager pour l'instant. Elle avait besoin d'en savoir davantage. Elle avait besoin de savoir précisément ce qu'elle aurait à gagner en y allant.

Mais, à mesure que le prêtre parlait, Thérèse et Jacqueline, deux compagnes de couvent de Laure, paraissaient déjà nerveuses et excitées. Elles n'étaient pas particulièrement jolies et, puisqu'elles n'avaient pas rencontré de prétendant convenable au cours des derniers mois, elles savaient qu'elles avaient probablement une meilleure chance de se marier si elles acceptaient de partir.

Pour Laure, les choses étaient différentes : elle ne voulait pas se marier. Elle voulait seulement être libre d'aller et venir comme il lui plaisait, sans devoir travailler, bien sûr. Devenir la femme d'un colon, cela voulait dire soutenir un mari et aussi s'occuper de bien d'autres tâches. Mais la vie au couvent était tout aussi difficile pour elle. Elle ne s'était jamais sentie aussi contrainte, et elle savait qu'elle ne pourrait supporter beaucoup plus longtemps ce manque de liberté.

Quand le père Olivier annonça qu'il resterait après la messe pour répondre à leurs questions, Laure décida d'en apprendre davantage.

Son regard disait tout. Le père Olivier était peut-être un ecclésiastique, mais c'était tout de même un homme. Et sa façon d'accueillir Laure lorsqu'elle entra dans le parloir ne laissa aucune place au doute.

« Je suis content que tu aies demandé à me voir », dit-il en la laissant entrer. La main qu'il posa sur son dos glissa vers ses fesses, et ses doigts s'enfoncèrent légèrement à travers la robe de Laure. « Je devine que tu as plusieurs questions à m'adresser, poursuivit-il alors qu'elle s'assoyait près de lui sur un banc de bois. Mais d'abord, je dois te dire quelque chose que j'ai négligé de dire aux autres. »

Il se rapprocha d'elle et posa la main sur sa cuisse. Son nez touchait presque sa joue lorsqu'il se pencha pour murmurer à son oreille. « Tu vois, mon enfant, les filles n'auront pas toutes la permission de partir. Je mène une vaste recherche pour trouver les meilleures jeunes filles qui serviront Dieu et leur pays. Si tu veux être choisie – et je sais bien que oui –, tu devras t'en montrer digne. »

Son bras se glissa autour de la taille de Laure et il l'attira vers lui en frôlant son sein du bout des doigts. Laure ne pouvait s'empêcher de trouver cela drôle. Bien sûr, elle avait eu le sentiment qu'il essaierait quelque chose de semblable. C'était précisément ce qu'elle avait espéré.

Elle sourit avec fausse modestie en faisant semblant de se dégager. « Mais, père…

– Chut ! » Il posa son doigt sur ses lèvres. « Tu dois obéir. L'obéissance et la servitude sont les voies qui mènent à Dieu. À présent, ferme les yeux. »

Laure aimait se prêter à ce jeu. Si cet homme voulait s'imaginer en train de séduire une jeune vierge réservée, voilà l'illusion qu'elle lui donnerait. Pourvu qu'elle obtienne de lui ce qu'elle voulait.

Elle soupira faiblement lorsqu'il glissa sa main le long de sa jambe et sous sa robe. En même temps, il la serra davantage contre lui et lui embrassa le cou. Ses doigts se frayèrent rapidement un chemin sous sa culotte bouffante. Tout d'abord, elle ne savait pas si elle devait l'aider. Mais lorsqu'il dégagea sa main et saisit la sienne, elle décida de tirer le meilleur parti de cette rencontre.

Il posa la main de la jeune fille sur son membre, qui palpitait sous son épaisse soutane. Laure feignit la surprise, mais, en réalité, elle n'avait pas le moindre scrupule à jouer le rôle d'une pupille modeste mais empressée.

Elle le frotta à travers le tissu rude et épais, lui administrant expressément des caresses malhabiles et sans subtilité. C'était un vilain, qui avait fait vœu de chasteté et qui tentait maintenant de séduire celle qu'il croyait de toute évidence être une fille innocente. Ce serviteur de Dieu devenu pécheur avait besoin d'être puni.

169

Elle enfonça ses ongles dans son membre et le serra jusqu'à ce qu'il halète de douleur. Mais comme ce membre durcissait et tressautait, elle n'eut aucun doute sur l'effet qu'elle lui faisait.

Il la repoussa sur le banc et la fit s'étendre, une jambe au plancher et l'autre sur le siège. « Conduis-toi bien, murmura-t-il en s'étendant sur elle. Si tu te conduis bien, Dieu te récompensera. »

Laure gémit d'excitation. La bouche du prêtre lui frôla l'oreille et lui murmura de se calmer. « N'aie pas peur, dit-il. C'est la volonté de Dieu. Tu es Sa servante et tu Lui dois obéissance. » Il lui mordilla le cou et couvrit sa peau d'une salive chaude. Alors qu'il se tortillait sur elle, elle sentit son membre, dur comme fer, à travers plusieurs couches de vêtements. D'après la pression et la rigidité qu'elle sentait contre son entrejambe, Laure déduisit, satisfaite, qu'il était d'une taille assez considérable.

Le père Olivier grognait comme un animal, excité à l'idée d'un plaisir interdit. L'homme avait pour les femmes une passion à laquelle sa position l'empêchait de s'abandonner.

Laure ne se rappelait pas la dernière fois qu'un homme avait été emballé par elle au point de ne pas pouvoir se retenir. Se savoir l'objet d'un tel désir l'excitait encore davantage. Elle gémit lorsqu'il souleva ses hanches et que ses mains fouillèrent avec frénésie les couches de jupons qui dissimulaient sa chair.

Il finit par atteindre la ceinture de sa culotte, la déchira d'un mouvement frénétique du poignet et la lui arracha. À présent, ce comportement l'amusait. Il ne pouvait vraiment pas attendre, non ?

Cependant, au moment où il soulevait sa soutane et allait la pénétrer, elle le repoussa avec force et il tomba sur le plancher. Le moment était venu d'inverser les rôles. Avec un rire diabolique, elle courut vers le bureau de la Mère supérieure pour quérir le petit fouet qui, elle le savait, se trouvait dans le tiroir du bas.

Lorsqu'elle se retourna, le père Olivier était assis sur le plancher, les jambes repliées et écartées, son vêtement enroulé à sa taille et son membre rigide pointant vers le haut, bien en vue. Il paraissait nettement abasourdi.

« Méchant prêtre ! siffla-t-elle d'une façon sarcastique en se dirigeant vers lui. Regarde-toi ! »

Le visage cramoisi, le père Olivier tâtonna sa soutane, essayant de couvrir sa virilité palpitante, mais Laure l'arrêta au moyen d'un coup de fouet bien placé sur le poignet.

« Arrête-toi, ordonna-t-elle. Dieu te regarde ! Nous ne voulons pas qu'il voie de quelle façon tu vénères ton maître, n'est-ce pas ? »

Elle souleva sa robe pour mettre son buisson frisé bien en vue, puis se rapprocha, ondulant lascivement des hanches. Debout devant lui, jambes écartées, elle fit tourner son bassin, amenant plusieurs fois sa chatte à quelques pouces de son visage. Le père Olivier gémit et s'empara de son membre. Une fois de plus, Laure s'empressa de l'arrêter.

« Pas maintenant ! lui ordonna-t-elle en le frappant à la tête. Nous avons des choses à régler. »

Elle s'assit sur le plancher, devant lui, et posa une jambe sur les siennes. Il regarda la vulve lustrée, tout comme elle s'y attendait. Elle en frotta nonchalamment la fente, écartant ses petites lèvres pour l'exciter.

« Alors, dit-elle d'une voix douce. Tu dois m'aider à sortir d'ici. »

Son visage s'éclaira. « Tu acceptes ? dit-il d'un ton sirupeux. Tu veux partir vers le nouveau pays ?

– Je veux sortir d'ici, répliqua-t-elle. Je me fiche de ta colonie, mais… » Elle se pencha vers lui et lui caressa légèrement la queue.

Le prêtre lui saisit la main et la fit resserrer sa poigne sur son membre.

« Je vois, murmura-t-il. Si tu te conduis bien, je pourrai peut-être t'aider… »

Laure parvint à se dégager et se releva en riant. « C'est tout ce que tu cherches, vieux fou lubrique ! » Tournant autour de lui, elle lui donna de petits coups de fouet sur les cuisses, ce qui le fit se tordre et reculer en se traînant. « Qu'est-ce que j'en tirerai ? » demanda-t-elle d'un air défiant.

« Eh bien, il est plutôt difficile de recruter des jeunes femmes, dit-il. Nous pourrions dire à la Mère supérieure que je te prendrai comme assistante. Lorsque ce sera fini, je pourrai te garder comme servante. »

Ce dernier mot fit bouillir le sang de Laure.

« Servante ! » Elle le frappa plus fort, regardant son membre se dresser et une goutte s'échapper de son orifice. Mais elle ne s'en souciait guère plus. Elle voulait bien assurer sa sortie du couvent, néanmoins devenir servante était hors de question.

Alors qu'elle était sur le point de le frapper de nouveau, le père Olivier attrapa le fouet et l'attira vers lui. Déséquilibrée, Laure tomba à genoux, s'affalant sur lui.

« Je vois que tu n'es pas faite pour obéir », murmura-t-il. Laure sentit son souffle chaud lui frôler le visage, et sa jambe nue se frotter contre la sienne. Son cœur battait la chamade.

«Conduis-toi bien, répéta-t-il. Je pourrai probablement m'arranger pour obtenir ce que tu veux…»

Il la tira vers lui et l'embrassa sur la bouche. Laure sentit une chaleur humide monter en elle. Elle reprit son souffle au moment même où la main du prêtre remontait le long de sa jambe, et elle se dégagea.

«Pas si vite, dit-elle. Je veux des assurances.

– Comme quoi?

– Tu dois me promettre de me sortir de ce couvent, mais, d'un autre côté, je ne veux pas passer le reste de ma vie dans la servitude.

– Ah non?» Il se rapprocha de nouveau et, cette fois, appuya sa main directement sur sa fente humide.

«Le fait d'être avec moi a des avantages…» Une fois de plus, son baiser faillit lui faire perdre le contrôle. Elle posa les deux mains sur les épaules du prêtre et le repoussa. Mais il était plus fort. Il la retint fermement de son bras autour de la taille et elle succomba à son étreinte.

«Nous dirons à la Mère supérieure que tu as accepté d'aller à la colonie», murmura-t-il à son oreille. Il cessa un instant de parler pour lui mordiller le cou, et Laure écarta instinctivement les jambes pour lui donner un meilleur accès.

«À la dernière minute, juste avant que tu t'embarques, j'enverrai quelqu'un te chercher. Tu viendras avec moi à Paris, tu seras ma servante.» Laure se raidit dans ses bras, mais il la calma d'un autre baiser. Elle se retira légèrement et le regarda dans les yeux.

«Nous serons seuls à savoir que tu es ma maîtresse. Est-ce que ça ne vaut pas mieux pour toi?

« – Devrai-je prendre mari ? demanda Laure en hésitant.

– Seulement si tu le veux. Même alors, nous resterons proches, n'est-ce pas ? »

Laure sourit. La perspective de devenir la maîtresse d'un prêtre semblait fort attirante. Quant à être à son service, ce n'était qu'un petit inconvénient.

« J'accepterai, dit-elle. Mais seulement lorsque tu m'auras montré ce que j'ai à gagner à devenir ta maîtresse… »

Elle eut à peine le temps de terminer sa phrase. Déjà, les mains du prêtre grimpaient sur son ventre, sous sa robe, cherchant ses seins. Elle poussa des cris de délice lorsqu'il les trouva.

Même si l'homme avait fait vœu de chasteté, il n'était sûrement pas étranger aux plaisirs de la chair. D'un toucher rude mais empressé, ses doigts titillèrent ses mamelons jusqu'à ce qu'ils durcissent et gonflent. Sa bouche ne cessa de dévorer la sienne, et Laure répondit tout aussi passionnément à ses baisers.

Après un moment, il s'écarta et la fit s'asseoir. Il lui montra son phallus massif qu'elle engloutit avec empressement. On aurait dit qu'elle n'avait pas pris d'homme dans sa bouche depuis des années. Finalement, en voilà un qui la désirait au point de risquer la damnation éternelle.

Elle gémit en le sentant palpiter dans sa bouche. Il avait un goût nouveau et elle en voulait davantage, suçant si fort qu'elle faillit s'étouffer. Lorsqu'il commença à pousser, elle relâcha son étreinte et leva les yeux vers lui.

« Moi d'abord », dit-elle avec un petit sourire malin.

Le prêtre eut un sourire méprisant et la fit s'étendre avant de s'agenouiller pour lui embrasser le ventre. Sa main fouillait sa chair lustrée d'un toucher si impatient qu'il la faisait se tortiller d'une manière irrépressible.

Elle souleva les jambes et les attira vers sa poitrine. Le prêtre, continuant de lécher sa peau douce, glissa inexorablement sa bouche vers le buisson fragrant. Ses doigts suivirent sa langue et bientôt le pénétrèrent. Entre-temps, son pouce frottait contre le bouton, de haut en bas et en petits cercles. La chair se contracta autour de ses doigts, et il leva les yeux vers elle.

«Veux-tu que je te fasse jouir maintenant, mon enfant?

– Oui! Oui!

– Alors, tu dois le demander poliment.

– S'il te plaît, fais-moi jouir!

– Et tu dois m'appeler père...

– Fais-moi jouir, s'il te plaît, père!

– C'est mieux.»

Ses doigts, luisants de sa rosée, la frottèrent plus fort, plus vite. Laure gémit sous l'assaut. Ce n'était plus qu'une question de secondes, mais cela semblait si long...

«Tu es une pécheresse, n'est-ce pas, mon enfant?

– Oui, père!

– Ta chair est vicieuse. Nous devons la dompter.»

Laure ne put répondre. Le plaisir se déchaîna en elle et ses hanches furent violemment secouées. La main posée sur sa chair poursuivait néanmoins son assaut. Laure atteignit l'orgasme à plusieurs reprises, ses cris s'élevant de plus en plus fort, et il les étouffa avec sa bouche. Pendant qu'il continuait de la caresser, elle suçait avidement ses doigts, encore affamée.

Le père Olivier grimpa par-dessus elle et chevaucha sa poitrine. Son membre se fraya un chemin à l'intérieur de la bouche brûlante, et elle l'accueillit avec un gémissement sonore.

« Vilaine petite fille, croassa-t-il. Voici ta pénitence ! »

Il poussa dans sa bouche à quelques reprises avant de se retirer et de s'étendre à son côté. Laure se retourna pour s'emparer de lui de nouveau, d'un autre angle, posant ses hanches devant son visage. Il avait déjà posé sa bouche sur sa fente et elle haleta de délice.

Il suça avidement, goûtant sa moiteur à fond. Sa langue glissait profondément en elle et fouillait ses luisants replis pour la goûter davantage. Ses gémissements d'appréciation s'élevèrent et se joignirent à ceux de Laure en un mélange de bruits et de grognements gutturaux.

Saisissant bien fermement son membre, elle le parcourut de la langue, le caressant de la base de la tige gonflée jusqu'au bout de sa prune fendue. Bougeant au même rythme que lui, elle inséra sa langue dans la bouche minuscule et poussa pour en extraire, goutte à goutte, les larmes salées.

Lorsque les hanches du prêtre se cabrèrent contre le visage de Laure, elle sut qu'il était sur le point d'atteindre le paroxysme du plaisir. Relâchant la pression sur son membre, elle s'empara du fouet qui traînait encore sur le plancher et en poussa le manche dans son cul.

Les genoux du prêtre tremblèrent alors qu'elle imprimait un mouvement de va-et-vient au manche. Sa bouche s'éloigna de la touffe et elle entendit un sanglot étranglé. Devant ses yeux, le phallus en érection eut des tremblements violents et elle vit son sac se resserrer et se rétracter.

Sachant qu'il était presque au point de non-retour, elle retira le manche et s'empara rapidement de la base de sa hampe en la serrant jusqu'à ce que son érection diminue légèrement. Il protesta avec véhémence contre cette initiative, mais Laure le fit taire d'une petite claque au derrière.

Sans lâcher prise sur son membre, elle se retourna pour lui faire face.

«Alors, mon père», gémit-elle d'un ton enfantin tandis que sa main le ramenait rapidement à la rigidité.

Il la fit basculer pour la monter et, cette fois, elle ne tenta pas de l'arrêter, lui enfonçant ses ongles dans les fesses et l'attirant dans ses profondeurs. La circonférence du membre remplit sa caverne et l'étira agréablement. Il poussa puissamment, à un rythme plus diabolique qu'angélique.

La poitrine vêtue du prêtre pesait lourdement sur la sienne, et Laure songea qu'ils ne s'étaient même pas déshabillés. Cela semblait encore plus malin, comme s'ils dissimulaient leur accouplement aux yeux de Dieu. Cette épaisse soutane sentait maintenant la sueur et la jouissance, et Laure savait que le parfum de leur plaisir imprégnerait aussi le tissu.

Ils se tortillèrent contre le plancher de marbre, leurs corps unis en une étreinte délicieusement honteuse. L'os du pubis du prêtre se frottait contre le clitoris gonflé de Laure, et ils atteignirent un nouvel orgasme. Il tressauta plusieurs fois en elle et émit un ultime cri. Laure fut transportée de joie en sentant s'échapper la chaude semence. Heureusement, l'homme savait donner du plaisir autant qu'il en prenait. Mieux encore, il lui permettrait de sortir du couvent.

DEUXIÈME PARTIE

Le Nouveau Monde

CHAPITRE X

Si la vie au couvent était infernale, la traversée de trois mois vers la Nouvelle-France fut encore pire.

Dès que Laure arriva au quai de La Rochelle, elle sut que quelque chose ne tournait pas rond. Le père Olivier était censé se présenter, comme convenu, pour retenir ses services de domestique. Mais elle ne le voyait nulle part.

Des dizaines de prêtres et de religieuses étaient rassemblés autour d'elle, prêts pour l'embarquement à bord de *La Marie-Louison*. On chargeait de grandes caisses sur le bateau, alors que des passagers échangeaient des adieux émus avec leur famille.

Sœur Mélanie, qui chaperonnait Laure pour le voyage, ne la quittait pas des yeux.

« Je suis aux anges, dit-elle en glissant son bras sous celui de Laure. Restons ensemble. Je veux m'assurer que tu ne partiras pas sans moi. »

Mais, à cet instant, partir était la dernière chose que Laure avait à l'esprit. Le père Olivier aurait dû être déjà là. Qu'allait-elle faire s'il ne venait pas ?

Elle ne pouvait s'empêcher de frissonner dans la lumière du petit matin, tremblant de la tête aux pieds.

« Qu'y a-t-il ? demanda sœur Mélanie.

– Rien. Je comptais voir le père Olivier plus tôt. L'avez-vous vu ? »

Sœur Mélanie lui lança un regard étonné. « Le père Olivier ? Je l'ai rencontré au couvent, il y a deux jours, et il était sur le point de retourner à Paris. Tu dois te tromper. »

Laure se figea. Il était retourné à Paris ? Ce n'était pas ce qui était entendu. Peut-être avait-il tout simplement menti aux religieuses, tout en se préparant à venir tel que promis ? Lorsque le bateau fut chargé, Laure se dit que c'était peut-être à elle qu'on avait menti.

Avec nervosité, elle regarda partout autour d'elle, et perdit son dernier espoir lorsque sœur Mélanie l'attira à bord du vaisseau.

« Nous devons embarquer maintenant, dit-elle d'une voix exaspérée. Nous ne pouvons pas manquer la marée. »

Tout en cherchant des yeux le père Olivier, Laure suivit docilement son chaperon. Même à bord, elle continua de fouiller du regard la foule de badauds qui envoyaient des signes de la main. Le père Olivier n'était pas venu.

En voyant qu'on hissait les voiles et qu'on larguait les amarres, elle sut qu'on l'avait abandonnée. La colère qui monta en elle ne la quitta pas pendant la majeure partie de la traversée. Cette trahison fut difficile à accepter. Elle n'aurait jamais dû lui faire confiance.

Une fois de plus, elle se retrouvait seule, incertaine de son sort. Elle n'avait aucun moyen de savoir à quoi s'attendre à son arrivée dans la colonie. Elle pouvait seulement espérer que sa vie là-bas serait meilleure qu'au couvent.

Elle se trouva mal dès que le bateau quitta La Rochelle. Les passagers, le bétail et la cargaison qui remplissaient les entrailles du vaisseau ne lui laissaient pas beaucoup d'espace ni d'intimité. Elle décida de passer le plus clair de son temps sur le pont pour échapper à l'atmosphère étouffante de la cale. À certains moments, elle crut ne jamais pouvoir supporter la traversée. Des tempêtes successives menacèrent de détruire le bateau. La pluie et le vent déchaînés l'obligeaient souvent à rester dans la cale, désespérément secouée par le tangage.

Trois bébés naquirent durant la traversée. Deux passagers moururent. Après un certain temps, beaucoup perdirent espoir de revoir un jour la terre. Le voyage dura plus longtemps que prévu, et chacun s'inquiéta de ne pas avoir assez de nourriture pour tenir jusqu'à Québec.

Laure s'en souciait particulièrement. La dot accordée par le roi consistait en deux vaches, un cochon et six poules. Elle était plus riche que jamais. Mais, à mesure que les rations diminuaient, on parlait de tout lui enlever pour nourrir les passagers.

Heureusement, le bateau entra dans l'estuaire du Saint-Laurent et on n'en arriva pas à cette situation extrême. Des chaloupes furent envoyées vers plusieurs colonies le long de la côte pour quérir de la nourriture. Laure voulut débarquer pour rester là, mais toutes ses demandes furent reçues avec contrariété. Selon son contrat, elle s'en allait à Québec. En partant maintenant, elle perdrait tous ses biens. De plus, il était naturellement hors de question qu'elle parte sans chaperon.

À mesure que le bateau remontait le fleuve, Laure retrouva graduellement sa bonne humeur. Lorsqu'elle apprit qu'on allait accoster dans moins de deux jours, elle fut transportée de joie pour la première fois depuis longtemps. La dernière nuit, elle ne put dormir. Elle avait tenu bon jusque-là, prête à tirer le meilleur parti de ce qu'elle allait trouver en débarquant. De nouveau elle-même, elle mangeait tout ce qui lui tombait sous la main.

Par-dessus tout, elle avait soif du contact d'un corps humain. Depuis trois mois, on lui avait refusé le toucher qu'elle avait appris à tant désirer, et on ne la laissait même pas caresser son propre corps. Tout le voyage avait été supervisé par des membres des diverses communautés religieuses qui l'avaient organisé. Même les couples mariés n'eurent pas droit à l'intimité. Ce n'était pas le temps de forniquer, leur avait-on conseillé avant le départ. La prière allait permettre aux corps et aux âmes de rester purs durant la traversée.

Au début, cela n'avait pas été trop difficile. Mais, à présent, son désir était si impérieux qu'elle était prête à tout faire pour sentir la poitrine nue d'un homme contre ses mamelons durcis, des doigts sondant sa chair humide. Ce fut particulièrement difficile la dernière nuit, car sœur Mélanie était allongée auprès d'elle dans la courte couchette, et son corps fluet remuait de façon languide dans son sommeil.

En voyant son chaperon presque nu en ces rares occasions où on avait accordé aux femmes l'intimité nécessaire pour se laver, Laure avait été troublée à la vue de ses formes graciles.

Sans son habit, sœur Mélanie devenait une étrange créature. Ses cheveux coupés ras et ses petits seins lui donnaient une allure plutôt masculine, tout comme son ossature mince, à la garçonne. Mais la courbe de ses

184

hanches et le renflement de son derrière étaient imman-
quablement féminins.

Laure avait souvent laissé courir son imagination,
se rappelant les instants passés avec Mme Lampron et su-
perposant l'image de la religieuse à celle de la femme
qui lui avait appris à aimer un corps de femme.

Elle s'ennuyait de la vie au château de Reyval. Elle
avait la nostalgie de ce qu'elle était avant, de sa propre
concupiscence et de sa soif de plaisir, restées latentes
depuis son embarquement sur *La Marie-Louison*. À présent, elle se serait contentée de n'importe qui, même de
son chaperon.

Sœur Mélanie était étrange, à sa façon. Sa force et
sa sévérité n'étaient peut-être qu'une façade. En effet,
la religieuse, sans doute douce et gentille, devait garder
son allure impassible et ne montrer aucune émotion,
comme toutes les religieuses de sa congrégation.

Cela ne la rendait que plus mystérieuse et attirante
aux yeux de Laure. Durant la traversée, elles avaient
souvent partagé le même lit, leurs corps étendus côte à
côte dans le sommeil, sans jamais chercher à se toucher
ni à se réchauffer.

Ce soir-là, Laure était dévorée par le désir. Toutefois, dans cette aire ouverte où étaient entassées toutes
les couchettes, et où certains dormaient à même le plancher nu, Laure allait-elle oser étendre son bras pour en-
cercler le corps menu paisiblement étendu à ses côtés?

Elle devait agir prudemment. Même en pleine nuit,
certaines lampes encore allumées jetaient une lueur vacillante dans la pièce. La plupart des passagers étaient
profondément endormis, mais leurs ronflements en gar-
daient d'autres éveillés.

Sous la couverture rugueuse, la main de Laure glissa lentement vers la religieuse étendue sur le côté, tournée vers sa compagne de lit. Elle s'arrêta un moment sur la hanche arrondie, appuyant délicatement pour en sentir la chaleur à travers l'étoffe rêche de la robe grise et informe qu'elle portait sous son habit et qui servait également de robe de nuit. Sœur Mélanie ne bougeait pas, et son souffle régulier révélait un profond sommeil.

En remontant lentement sa main, Laure sentit la courbe de la taille de la religieuse et continua prudemment, à la recherche d'un sein coquin. Elle trouva sa proie et la saisit tendrement. Le mamelon durcit aussitôt et Laure fut enchantée par cette réaction aussi immédiate. Sœur Mélanie se retourna lentement sur le dos, encore endormie et totalement inconsciente du fait que sa protégée avait l'audace d'explorer son corps chaste.

Laure poursuivit sa fouille, abaissant sa main jusqu'au rebord de la robe de la religieuse. Ses doigts s'insinuèrent sous le tissu, caressant avec délicatesse la peau douce, effleurant de nouveau la jambe fine, en montant.

Elle s'arrêta à mi-cuisse, posant la paume à l'intérieur, là où la chair était chaude et laiteuse. De l'autre main, elle tira sa propre chemise au-dessus de sa taille, les doigts dirigés vers cet espace entre ses jambes où les frisettes sombres devenaient de plus en plus humides à chaque battement de cœur.

Dans son sommeil, sœur Mélanie écarta légèrement les jambes, comme pour inviter la main de Laure à explorer davantage. La servante continua à caresser de bas en haut la cuisse de la nonne, tandis que son autre main entamait rapidement une danse sensuelle dans ses propres replis humides.

Des bruits parvinrent d'en haut : le pont bourdonnait d'activité. Les cris et les pas couvrirent le soupir qui s'éleva de sa gorge lorsqu'un éclair de plaisir transperça son bouton palpitant. Tournant le visage vers sa compagne, elle s'aperçut que sœur Mélanie, éveillée, l'observait, les yeux mi-clos.

Sa main remonta lentement, très haut, jusqu'à ce que le bout de ses doigts effleure la vulve frémissante de la religieuse. Les replis humides avaient envie d'être touchés par Laure, son bouton de joie, gonflé, était déjà rigide. En même temps, la main de sœur Mélanie remonta elle aussi la cuisse de Laure, afin de lui rendre la pareille et de découvrir le trésor de sa protégée. Un moment, les femmes restèrent étendues côte à côte, se caressant en silence tandis que les bruits se faisaient de plus en plus insistants au-dessus d'elles.

Bientôt, leurs bouches se collèrent. Laure devint plus audacieuse lorsque l'effervescence qui régnait sur le pont créa une diversion bienvenue. Elle s'empara rapidement des lèvres minces de sœur Mélanie, saisissant délicatement la bouche en un chaud baiser.

La religieuse était étendue, immobile, à l'exception de ses doigts qui tentaient modestement de se frayer un chemin entre les jambes de la fille. Soudain, elle se retira.

« Nous ne devrions pas… », protesta-t-elle faiblement dans un murmure.

Laure se rapprocha et se blottit contre elle pour la calmer.

« Ne parle pas, lui conseilla-t-elle. Jouissons en silence ; il nous reste très peu de temps. »

Une fois de plus, ses lèvres se pressèrent contre la bouche de la femme. Il était clair que la religieuse n'avait jamais été touchée, mais brûlait d'être séduite par son adorable protégée.

Elles demeurèrent immobiles alors que certains hommes se levèrent et traversèrent la pièce, se faufilant entre des corps endormis. De toute évidence, beaucoup avaient envie de savoir ce qui se passait sur le pont. Ils sortirent les lampes de la cale, qui fut aussitôt plongée dans l'obscurité.

Laure tira immédiatement parti de cette intimité inattendue et retira rapidement leurs deux chemises. Elle se roula par-dessus sœur Mélanie, laissant leurs seins se frôler. Les globes moelleux et volumineux de Laure couvrirent entièrement les petits seins coquins de la religieuse.

Leurs mains explorèrent à l'aveugle leurs courbes sensuelles et leur chair chaude, avant de redécouvrir les replis humides. Laure étant devenue l'enseignante, son toucher expert fut bientôt repris par les mains minuscules de la religieuse alors que leurs bouches demeuraient collées ensemble en un baiser passionné.

Leur désir éclata : l'appétit de Laure avait été refréné si longtemps ; la sensualité de la religieuse finit par se révéler.

Le brouhaha augmenta à l'extérieur de la pièce. La plupart des passagers se réveillaient et montaient l'un après l'autre sur le pont, attirés par la lumière du petit matin, ou tout simplement curieux. Personne ne remarqua ce qui se passait sur la petite couchette près du mur du fond, où étaient étendues la religieuse et sa protégée.

Quelques minutes plus tard, un message fut relayé sur tout le bateau : on était arrivés à Québec.

Des clameurs de joie fusèrent de toutes parts, noyant les soupirs de sœur Mélanie. Oubliant totalement ce qui se passait autour d'elles, Laure était tout excitée à la pensée de prendre la vierge étendue à ses côtés. Deux de ses doigts pénétrèrent à fond la religieuse, engouffrés par la chair chaude et palpitante. Sorti de son sommeil imposé, le bouton rigide dépassait de façon invitante.

À présent, la religieuse apprenait rapidement, ses mains se déplaçant sur le corps de la jeune fille, tremblotant modestement sur les lèvres d'amour humides, découvrant la chair d'une autre femme. Laure soupira, elle aussi. Enfin, elle pouvait apprécier le contact rapproché de la chair chaude.

Sœur Mélanie était brûlante, sa peau explosait sous la force de la passion si longtemps restée latente. Laure goûta la douceur du cou de la femme avant de poser sa bouche sur ses petits seins. Les mamelons en joie, la nonne gémissait à chaque coup de langue.

La femme à présent passive désirait être guidée vers la jouissance. Laure se rendit volontiers utile. Il ne restait presque plus personne dans la grande pièce. La plupart des passagers étaient montés sur le pont, attendant que le bétail soit déchargé pour pouvoir débarquer.

Mais Laure et son chaperon avaient oublié le reste du monde, et leurs gémissements et leurs soupirs prenaient de l'ampleur à chaque caresse. Laure supportait à peine la violence de la passion qui montait en elle et ne demandait qu'à sortir. Sa bouche encore collée aux seins de la religieuse, elle se roula sur le côté et glissa ses mains entre ses propres jambes.

Son bouton rigide avait besoin d'une caresse, une caresse assez forte pour le faire éclater de plaisir. Elle le frotta énergiquement du bout des doigts, sa main étant trop petite pour couvrir toute la vulve humide et gonflée. La main de sœur Mélanie se joignit à la sienne dans les replis glissants, ce qui engendra une douce torture qui se traduisit bientôt en vague, soulevant ses hanches alors que son dos s'arc-boutait en un spasme de satisfaction.

Elle lâcha sa propre vulve et entreprit une fois de plus d'explorer celle de la religieuse. Mais sœur Mélanie ne cessait pas de la caresser. Le doux toucher de ses doigts de novice suffit à ramener Laure au bord de la jouissance, imprimant à ses hanches une série d'élancements qui lui procurèrent un nouvel orgasme.

Laure lui rendit la pareille, déterminée à donner à la religieuse un aperçu des plaisirs qu'elle n'avait sans aucun doute jamais ressentis auparavant. S'agenouillant entre ses jambes écartées, Laure se pencha pour la caresser de sa bouche, sa langue titillant d'une manière experte la minuscule tige gonflée, tandis que ses doigts continuaient d'assaillir la caverne vierge.

Sœur Mélanie s'étendit, s'abandonnant aux caresses de sa compagne, saisissant et pétrissant ses propres seins afin d'élever son plaisir. Elle atteignit l'orgasme avec un sanglot, enfin délivrée du désir réprimé depuis qu'elle avait prononcé ses vœux.

En silence, elles restèrent étendues l'une à côté de l'autre durant ce qui parut une éternité. À présent, Laure se sentait endormie, heureusement comblée par la douceur du plaisir, encore bouleversée par son feu. Ses membres lourds et épuisés ne pouvaient plus bouger, et pourtant elle voulait tellement quitter ce lieu au plus vite. Elle se sentait remplie de bien-être et en sécurité dans les bras de son amante, même après une si brève rencontre.

On était en train de décharger le bateau, qui trépidait sous les pas lourds du bétail. Sœur Mélanie se leva lentement et s'habilla sans un mot, essayant de garder son équilibre en dépit du tangage. Pas une fois elle ne regarda Laure, comme si elle avait honte de ce qui venait de se passer.

Laure n'avait aucun regret de la sorte. Tout ce qui lui importait vraiment, c'était d'avoir pris et reçu du plaisir, car elle ne pouvait s'en passer. Avec de la chance, elle avait peut-être connu sa dernière privation.

Sœur Mélanie quitta la cale. Laure se recoucha. Elle allait d'abord laisser les autres débarquer. Maintenant qu'ils étaient arrivés, elle n'était plus pressée de quitter le navire. Elle savourait le commencement de sa nouvelle vie, qui venait tout juste de démarrer sur une bonne note.

Elle eut conscience d'une main posée sur la sienne, mais elle dormait si profondément qu'elle ne réagit pas tout de suite. Des doigts doux mais forts traçaient lentement les contours de son derrière. La couverture avait été repoussée et Laure était étendue nue sur son ventre, les yeux clos, les jambes légèrement écartées.

La main poursuivit son exploration, les doigts glissant dans la raie des fesses, s'immisçant dans la vallée encore humide, jusqu'à ce qu'ils frôlent son bouton endormi. C'est alors seulement que Laure ouvrit les yeux. Sa chevelure foncée était tombée sur son visage, formant un rideau qui lui permettait de voir sans être vue.

La lueur orange d'une lampe fournissait assez de lumière pour voir la main qui la tenait, une main probablement semblable à celle qui la caressait délicatement à ce moment précis. Laure frissonna d'excitation à cette pensée, imaginant cette main, mais ne pouvant la voir. L'homme tenait la lampe de ses longs doigts pâles, recourbés autour de la poignée. Les deux premiers doigts étaient curieusement tordus.

Maintenant tout à fait réveillée, elle remarqua une bosse particulière sur le côté de la main de l'homme, juste au-dessus du poignet de sa chemise blanche, comme si l'os cassé ne s'était pas bien replacé. Le bras de l'inconnu semblait fort, mais c'était tout ce qu'elle pouvait voir de lui, le reste de son corps restant dans l'obscurité.

Elle était en train d'être caressée par un inconnu, un homme qu'elle ne voyait pas. La pensée l'excitait. Elle l'entendait respirer et sentait un peu de la chaleur de son souffle sur son dos nu. Elle s'obligea à demeurer immobile, même si le doigt qui torturait sa fente humide s'efforçait de la faire réagir. Elle repoussa ses hanches de côté, lascivement, comme si elle était endormie et faisait semblant d'échapper innocemment à l'invasion.

Lorsqu'il se rapprocha du lit, elle put presque apercevoir son visage dans l'ombre. À présent, elle voyait ses yeux, deux billes noires qui brillaient en parcourant rapidement son corps, sans remarquer qu'elle était éveillée et qu'elle observait la scène à travers le rideau de ses cheveux. Il tenait fermement la lampe pendant que son autre main excitait prestement la belle endormie.

Laure ne put réprimer un faible soupir. Il effleurait à peine du bout d'un doigt son bouton gonflé, mais il arrivait tant à la tourmenter qu'elle sentait rapidement monter son plaisir. Le doigt glissait de haut en bas à un rythme lent et affolant, oscillant de côté et jouant avec la tige minuscule qui paraissait bien en vie. La pression, forte par moments, diminuait souvent jusqu'à un simple frôlement, et elle sentait son plaisir monter de plus en plus.

De nouveau, elle le regarda. Cette fois, elle vit une mâchoire carrée, des lèvres sensuelles légèrement entrouvertes, et les yeux noirs qui brillaient toujours de désir. Elle aurait aimé se retourner et s'offrir complètement, mais elle sentait qu'il préférait qu'il en soit ainsi ; un corps nu, endormi, à moitié caché sous la sombre toison de ses cheveux, une simple esclave de ses doigts experts.

Cet homme savait faire jouir une femme par la lente montée d'une douce excitation sensuelle. Peu importe qui il était, Laure avait envie de lui. Elle voulait d'abord qu'il la fasse jouir, puis qu'il se joigne à elle dans le lit. Pour l'instant, il comblait ses espoirs, et elle continua de faire semblant de dormir. Elle ne voulait pas bouger, de crainte de rompre le sortilège. Mais elle ne pouvait s'empêcher de secouer les hanches à mesure que la vague d'excitation s'amplifiait en elle. Elle savait que son plaisir était proche.

Elle jouit violemment, les muscles de ses jambes tendus sous la force de l'orgasme. Elle ferma les yeux et sentit sa main se retirer alors qu'il reculait. Dans quelques secondes, elle allait se retourner et l'inviter à se joindre à elle. À présent, elle était encore transportée par les vagues de plaisir qui, en se retirant, contractaient sporadiquement sa vulve, suscitant des frissons à travers tout son corps.

Elle respira profondément, se préparant à affronter l'inconnu. Elle ouvrit les yeux et rejeta sa tête en arrière, écartant ses cheveux de son visage. Mais elle ne vit que l'obscurité. L'homme était parti.

Tournant rapidement la tête de l'autre côté, elle aperçut la lueur de la lampe qui disparaissait en haut de l'échelle menant au pont.

CHAPITRE XI

Laure faillit perdre l'équilibre en faisant ses premiers pas sur la terre ferme. Elle se sentait maladroite en marchant sans devoir compenser le tangage auquel l'avait habituée la longue traversée. Elle inspira profondément, presque surprise de ne pas sentir une odeur saline.

Elle remarqua plutôt celle des aiguilles de pin, du bois fraîchement scié et de l'herbe humide. Elle se sentait heureuse, affamée, impatiente. Elle avait hâte de courir dans la forêt, de s'étendre dans le foin frais et d'enfoncer profondément ses doigts dans la terre molle.

Elle prit plaisir à regarder les visages inconnus. Des badauds observaient à distance les débardeurs qui sortaient les nombreuses caisses de marchandises du bateau. Laure remarqua rapidement que le père Olivier avait dit vrai : il y avait trop d'hommes dans cette ville, et pas assez de femmes.

À la façon dont les débardeurs les dévisageaient, elle et les autres filles qui venaient de débarquer, Laure sut qu'elle serait bien accueillie. Elle se prélassa un instant sous leurs regards, tout sourire et rayonnante, marchant d'un pas nonchalant parmi eux, et fascinée par les corps à demi nus qui luisaient de sueur dans la lueur du petit matin.

Au cours du voyage, tout le monde à bord avait été fort correct, même les marins. Malgré les conditions difficiles, on ne voyait ni chevilles ni avant-bras, encore moins de poitrines nues. Mais, à présent, elle était revenue à la réalité. Les prêtres et les religieuses étaient maintenant minoritaires parmi les villageois. Sœur Mélanie semblait avoir disparu et, un moment, Laure se sentit libre, heureuse d'être en vie. Des hommes la frôlaient et ne manquaient jamais l'occasion de lui envoyer un sourire ou un clin d'œil. Dans chaque salut, Laure guettait un signe, sachant que l'inconnu du bateau ne pouvait être très loin. Elle allait le trouver et le reconnaître : il suffisait que ses yeux rencontrent les siens.

Mais, une fois les charrettes chargées, les passagers aussi se rendaient lentement à destination, et bientôt Laure fut une fois de plus abandonnée avec un groupe de religieuses et de prêtres.

« Et voilà, dit la voix de sœur Mélanie derrière elle. Nous devons partir maintenant. Viens. »

Laure fut conduite vers une voiture où les autres filles étaient déjà assises. En jetant un dernier coup d'œil derrière elle avant de grimper à bord, elle remarqua deux hommes qui la regardaient avec un intérêt certain. Elle les entendit murmurer, sans pouvoir deviner leurs paroles. Trois mots parvinrent à ses oreilles et résonnèrent dans sa tête : « filles du roy ». La ville savait qu'elles étaient arrivées.

Laure était ravie d'avoir suscité autant d'intérêt. Mais elle voulait surtout retrouver son mystérieux amant du bateau. Alors que le cheval tirait lentement la lourde charge sur la colline abrupte jusqu'en haut de la ville, Laure scrutait la foule. Il devait se tenir tout près et savoir qui elle était. Avec un peu d'astuce, il avait deviné qu'une jeune femme voyageant seule et escortée par des religieuses ne pouvait être qu'une fille du roy. Mais allait-il s'efforcer de la retrouver ?

Elle étudia chaque visage. À présent, le soleil s'était levé et la ville s'animait. La scène semblait irréelle : des hommes à perte de vue – soldats, commis, fermiers et ouvriers. Ils s'écartèrent pour faire place à la voiture et des chapeaux furent levés avec déférence pour l'accueillir. Laure se sentait comme une princesse.

Dès le lendemain, elle brûlait d'envie de sortir. Elle partageait une chambre avec sept autres jeunes femmes, dans un dortoir du dernier étage du couvent, où les lits étaient disposés en rangées droites, chacun avec une grande malle à son pied.

Laure avait été séparée des autres filles arrivées sur *La Marie-Louison*. Elles dormaient dans une autre pièce. Cela lui importait peu. Même si elle avait dû passer plus de trois mois avec elles, elle ne s'était fait aucune amie.

Les filles qui partageaient son dortoir s'y trouvaient depuis quelque temps, et des amitiés s'étaient déjà formées. Laure se sentait comme une étrangère, mais elle ne fit aucun effort pour se mêler à elles, préférant être seule, de toute façon.

Les filles étaient toutes sympathiques et joyeuses, à l'exception de Marguerite, une grande rousse qui prenait plaisir à mener tout le monde par le bout du nez. Le premier soir, alors que Laure examinait son trousseau, Marguerite se dirigea vers elle, escortée par deux autres filles. Elle dévisagea Laure avec dédain, puis se tourna vers l'une de ses compagnes qui regardait également Laure en ricanant.

« Alors, demanda Marguerite, qu'est-ce que tu crois que les hommes vont voir en toi ? Qu'est-ce que tu as à leur offrir en tant qu'épouse ?

— Je ne sais pas, répondit Laure avec prudence. Je crois que nous ne sommes pas très nombreuses. Nous allons toutes nous trouver des maris assez tôt.

— Elle a raison, dit une dénommée Louise, à l'autre bout de la pièce. On a le choix. Et, pour ma part, je ne suis pas pressée.

— Moi non plus, ajouta une autre fille. Pour autant qu'il possède une grande ferme et beaucoup d'animaux. »

Marguerite éclata de rire. « Une grande ferme ! Ma chère, les biens d'un homme n'en font pas nécessairement un bon mari.

— C'est très vrai, dit sa compagne d'un ton sarcastique. Nous voulons aussi que nos maris soient pieux et bons, n'est-ce pas ? » Le trio éclata de rire alors que Louise marchait lentement vers Marguerite. Laure la trouva un peu plus âgée que les autres et pas du tout jolie.

« Tu sembles si méprisante à l'égard des jeunes hommes qui se sont adressés à nous récemment, dit Louise à Marguerite. Qu'est-ce qui ne te convenait pas, pour que tu refuses leurs propositions de mariage ? Si j'avais eu la chance de recevoir une proposition, je me serais mariée il y a longtemps. Tous tes prétendants sont des hommes affables et travailleurs. Lorsqu'ils se marieront, ils auront leur propre terre. Qu'est-ce que tu veux de plus ? »

Marguerite se tourna vers Laure. «Voyons ce que notre nouvelle amie a à dire, lança-t-elle en riant. Si tu pouvais avoir un homme, qu'est-ce que tu rechercherais? Quelqu'un qui possède sa propre ferme? Des chevaux? Une grande terre?» Elle fit une pause en fixant Laure.

Laure soutint son regard. Marguerite lui ressemblait, d'une certaine façon. Les cordons de son corsage étaient lâches et, sous son bonnet, ses cheveux semblaient défaits. À sa seule démarche, il était clair que Marguerite, comme Laure, en savait assez sur les hommes pour ne pas se contenter d'un mari qui ne fût un bon amant.

La question de Marguerite demeurait en suspens. Laure la regarda et sourit. «Un bon corps, bien sûr, répondit-elle.

– Naturellement, dit Louise. Moi aussi, je veux un homme en santé. Mais ce n'est pas une priorité, hein?»

Laure et Marguerite se contentèrent d'échanger un regard. Elles savaient à présent qu'elles partageaient une passion commune, un désir de la chair qui ne pouvait être apaisé par n'importe qui.

Le long trajet en voiture fut inconfortable. Laure tenta d'appuyer sa tête sur l'épaisse pile de vêtements posée à côté d'elle sur le siège. Mais la route cahoteuse l'empêchait de dormir.

Parties avant l'aube, elles ne s'étaient arrêtées qu'une fois pour laisser les chevaux se reposer. La voiture était chargée de nourriture et de vêtements que les religieuses apportaient dans un village éloigné. L'aller-retour allait prendre toute la journée, et elles avaient demandé à Laure de les accompagner. Ainsi, elle pourrait mieux voir son nouveau pays, et peut-être prendre connaissance de ce qu'on attendait d'elle en tant qu'épouse de colon.

Elles arrivèrent à midi. Le chaud soleil de la fin d'août dardait ses rayons. Même si Laure ne portait qu'une mince robe grise, les couches de jupons l'irritaient. À l'insu des religieuses, elle avait laissé son épaisse culotte dans sa chambre, enfouie sous les oreillers. Laure préférait risquer une réprimande plutôt que de porter une autre couche de vêtement.

La forêt s'ouvrit soudainement sur de vastes champs. D'instinct, Laure se redressa. Un moment, elle se serait crue de retour en France. Les cultures étaient abondantes et la récolte battait son plein. Le blé se dressait dans la douce brise. Au loin, elle voyait à peine les têtes des hommes au travail.

Dès qu'ils repérèrent la voiture, plusieurs jeunes hommes laissèrent leurs outils et se mirent à courir à sa rencontre, ne ralentissant que lorsqu'elle atteignit le minuscule village. Laure passa la tête à la portière, fascinée à la vue de tous ces hommes qui la poursuivaient.

« Ils nous attendaient, expliqua sœur Agathe. Parfois, il nous faut patienter pendant des mois avant de leur apporter les vivres dont ils ont besoin. »

Le village même n'était composé que de quelques cabanes disposées en carré autour de l'église. Un homme portant sa perruque de travers ouvrit la portière de la voiture et accueillit les religieuses. « Bienvenue, mes sœurs ! Bienvenue ! »

De toute évidence, l'homme était important dans le village, mais l'état de ses vêtements laissait beaucoup à désirer. Sa chemise était taillée dans un tissu précieux, mais sale et déchiré, presque en lambeaux. Sa culotte était en meilleur état, mais il marchait pieds nus.

En fait, la plupart des gens qui s'étaient rassemblés autour de la voiture étaient vêtus simplement, en habits de travail. Certaines des religieuses détournèrent les yeux lorsque des jeunes hommes, torses nus, commencèrent à décharger les boîtes perchées sur le toit de la voiture. De grands nuages de poussière s'élevèrent des pieds qui martelaient le sol, et des cris de joie entourèrent les religieuses et leur protégée. Laure était distraite et confuse. Mais, au moins, elle n'avait manqué aucun des sourires timides lancés dans sa direction, même si, à présent, tout le monde semblait beaucoup plus s'intéresser aux marchandises que les religieuses avaient apportées.

Derrière elle, sœur Jeannette prit Laure par le bras et l'éloigna du groupe. «Viens, mon enfant. Nous assisterons à la messe et cet après-midi nous irons dans les fermes distribuer le reste des vivres.»

Laure se tourna vers elle et recula immédiatement en hurlant. Derrière la religieuse se tenait un homme qui semblait sortir tout droit de son pire cauchemar. C'était vraiment une étrange créature, avec une peau cuivrée et une chevelure lisse, d'un noir d'encre, tressée de part et d'autre de son visage. Mais ce qu'il avait de plus effrayant, c'était la peinture qui couvrait ses traits d'une série de bandes rouge vif tracées en diagonale de son nez jusqu'aux oreilles. À une bande de cuir, attachée derrière sa tête, était fixée une poignée de plumes. Ses yeux perçants étaient noirs et insondables. Impassible, il se contenta de regarder Laure. Sœur Jeannette lui lança un regard étonné, se retourna et éclata de rire, en même temps que tous les villageois qui comprirent vite ce qui avait effrayé Laure.

« Ne crains rien, mon enfant! Voici Œil-de-Faucon, un membre de la tribu des Hurons. Il habite ici avec les fermiers. Il ne parle pas très bien notre langue, mais c'est un bon chrétien. »

Tandis qu'ils se rendaient à l'église, Laure regarda par-dessus son épaule. En effet, Œil-de-Faucon aidait les hommes à décharger la voiture et, de loin, il n'avait pas du tout l'air effrayant. Tous ses vêtements étaient taillés dans de la peau de cerf, tout comme ses étranges pantoufles. Alors, était-ce l'un de ces sauvages dont elle avait tant entendu parler? Encore mal à l'aise, Laure s'empressa de suivre les religieuses, afin de s'éloigner de la créature.

Il régnait dans l'église une chaleur agréable. Dans la sacristie, Laure reçut une serviette et de l'eau fraîche pour se laver le visage et les mains. Elle se sentit mieux, bien que fatiguée. Au cours de la messe, elle s'assoupit, agenouillée, le front posé contre ses mains jointes. Les religieuses n'osèrent pas déranger ce qu'elles prirent probablement pour une prière fervente. Les cloches la réveillèrent et elle sortit rafraîchie et reposée.

La première ferme qu'ils visitèrent était située plus haut sur la route de terre. La maison était énorme, tout comme la grange et l'écurie. La voiture ne s'était même pas arrêtée que déjà le fermier, sa femme et leurs douze enfants sortaient de partout.

Devant le regard étonné de Laure, sœur Jeannette s'esclaffa de nouveau. « Ce sont aussi de bons chrétiens, dit-elle. Et comme tu peux le voir, les familles sont très nombreuses, ici. »

Derrière les enfants, plusieurs jeunes hommes accoururent également. Une ferme de cette taille avait sans doute besoin de l'aide de nombreux ouvriers.

Les jeunes hommes semblaient heureux de voir les religieuses, mais encore davantage de rencontrer Laure. L'un d'eux, Louis, attira immédiatement son attention. C'était peut-être sa barbe, si pâle qu'elle semblait presque blanche. Mais le reste de sa personne n'avait rien de vieux. En effet, c'était de loin le garçon le plus joli. Ses cheveux bouclés, attachés derrière son cou, étaient moins pâles que sa barbe, mais faisaient ressortir encore davantage sa peau bronzée. Il soutint un moment le regard de Laure.

Elle devinait les contours de ses muscles à travers sa chemise trempée de sueur. Elle sentit tout de suite à quel point elle était affamée de jeune chair mâle. Lorsqu'il lui offrit, mine de rien, de lui faire visiter l'endroit, elle n'attendit pas l'approbation de sœur Jeannette. Après tout, elle avait été envoyée ici pour se trouver un mari.

Il lui fit faire le tour de la grange et du poulailler avec fierté, comme s'ils lui appartenaient, et en parlant continuellement.

« Vous savez, mademoiselle Laure, je suis très travailleur, expliqua-t-il. Il me faut beaucoup d'argent pour acheter ma propre ferme l'an prochain. Mais si je me mariais, le gouverneur me ferait cadeau de la terre... »

Laure ne l'écoutait pas vraiment. Devant chaque bâtiment, elle regardait autour d'elle pour voir s'ils étaient seuls. Malheureusement, il y avait toujours un enfant en vue, et elle s'impatienta rapidement.

Lorsque Louis mentionna à Laure qu'avant son arrivée il travaillait derrière la grange pour trier la récolte de maïs, Laure montra soudain un vif intérêt et lui demanda de l'y emmener.

Comme elle l'espérait, ils se retrouvèrent seuls, loin des regards indiscrets. Mais cela ne suffisait pas à donner des idées à Louis. Peut-être toutes ces incitations à être un bon chrétien l'avaient-elles rendu aveugle aux autres joies que le monde – et Laure – avait à lui offrir. Il poursuivit son exposé sur la récolte du maïs, prenant un épi et le pelant pour montrer à Laure les grains dorés disposés, rangée après rangée, en un épais cylindre.

En refermant la main autour de l'épi, elle fut surprise de sentir sa chaleur. Chaque grain arrondi luisait au soleil, doux et ferme. La chaleur irradia dans la main de Laure et fit monter son désir. Du coin de l'œil, elle observa la réaction de Louis alors qu'elle resserrait sa poigne sur la tige et la caressait de haut en bas, sur toute sa longueur.

Au départ, il ne sembla pas comprendre grand-chose, mais le regard qu'elle lui lança suffit à lui faire saisir ce qu'elle voulait. Il vira au cramoisi et recula. Sans cesser de caresser l'épi d'une manière coquine, Laure se rapprocha de lui. Louis sembla surpris, mais n'essaya pas de s'enfuir.

Son odeur virile l'excita encore davantage et elle colla ses hanches contre ses cuisses. Avec hésitation, il posa ses mains sur ses épaules et rougit de nouveau.

« Mademoiselle Laure ? Qu'est-ce que vous faites ? »

Pour toute réponse, elle laissa tomber l'épi de maïs et lui délia rapidement la culotte. Elle le sentit tressaillir, mais, cette fois encore, il ne tenta pas de l'arrêter.

Glissant sa main dans son pantalon, elle s'empara de son phallus gonflé et, d'une main experte, l'amena à la rigidité.

Le sentir prendre vie dans la paume de sa main la mit en joie. Elle s'aperçut alors qu'elle ne s'était pas trouvée si proche d'un homme depuis longtemps.

Elle le caressa à deux mains, regardant cette merveille se réveiller en tressautant. Louis grogna, mal à l'aise, et Laure fut amusée de sa réaction.

« Qu'est-ce qu'il y a? demanda-t-elle. Tu n'as jamais été avec une femme?

– Oh oui, mademoiselle! bégaya-t-il. Seulement…

– Seulement quoi?

– Ben, ça fait longtemps, et c'était pas une belle fille comme vous. Alors, je pense qu'on devrait se marier si… »

Elle le fit taire d'un baiser. Son sexe à elle était déjà humide de désir pour lui et elle savait qu'elle aurait très peu de temps. Léchant la sueur de son cou, elle devint encore plus excitée et le sentit se réchauffer aussi à son contact.

Elle défit les boutons qui refermaient le devant de sa robe, ainsi que les cordons de sa chemise. Louis hésitait encore, mais lorsqu'elle lui eut pris les mains et les eut posées sur ses seins gonflés, il perdit soudain toutes ses inhibitions.

Il l'allongea sur la pile de maïs et s'étendit entre ses jambes écartées. En une fraction de seconde, il glissa en elle et Laure haleta de joie. Des sensations presque oubliées refirent surface et elle gémit contre sa poitrine.

Des oiseaux gazouillèrent au loin et le chaud soleil d'été lui rappela l'époque insouciante du château.

Peut-être était-elle destinée à vivre ici. Après tout, elle était tout aussi indomptée que ce pays, sauvage et libre.

Elle se laissa transporter par le plaisir alors que la tige gonflée de Louis allait et venait en elle à une vitesse incroyable. Ils atteignirent l'orgasme ensemble, presque immédiatement. Louis roula alors sur le dos et ferma les yeux. Étonnée, Laure regarda son phallus rétrécir illico, et s'écria : « Quoi ? C'est tout ? »

Il avait l'air perplexe. « Euh… pour l'instant… »

Laure grimpa lascivement sur lui et frotta son entrejambe sur le sien. Elle en voulait davantage. Collant sa poitrine sur son visage, elle se tortilla avec application, car elle voulait le sentir bien plus et espérait réveiller sa virilité.

Cela eut très peu d'effet. Malgré sa jeunesse et son désir, Louis était probablement trop épuisé par le travail aux champs pour la satisfaire. Elle, par contre, sentait que sa propre chair avait besoin de plus de stimulation. En glissant, elle se coucha sur le côté, lui prit la main et la posa sur sa fente humide.

Il la caressa plutôt maladroitement, juste assez pour maintenir son excitation. Laure se mordit les lèvres, car elle comprit que pour en avoir plus elle devrait prendre les choses en main.

Son attention fut attirée par l'épi de maïs qu'elle avait laissé tomber sur le sol, tout à côté. Sa forme lui donna une idée des plus coquines. Regardant Louis d'un air de défi, elle saisit l'épi et se l'inséra dans le vagin.

Consterné, il la regarda se masturber. Alors qu'elle approchait de l'orgasme, il s'empara de l'épi de maïs et le fit aller et venir. Elle était étendue, les bras grands ouverts et les genoux contre sa poitrine, tandis que son amant manœuvrait le phallus improvisé à l'intérieur de sa caverne. De son autre main, elle frotta rapidement son bouton gonflé. En effet, il y avait là du potentiel, songea Laure. Elle atteignit de nouveau le paroxysme de la jouissance, gémissant sous la vague de plaisir.

Posant les yeux sur lui, elle vit son membre encore endormi. Dans un soudain accès de colère, elle le repoussa, rabaissa ses jupons et referma son corsage. Le plaisir la soulevait encore, mais elle savait que c'était sa dernière fois avec Louis. Elle ne voulait plus de lui.

En retournant à la ferme, elle ne perçut aucun signe de désapprobation chez ses chaperons. De toute évidence, elles n'avaient pas la moindre idée de ce qu'elle venait de faire. Étouffant un grognement de satisfaction, Laure s'aperçut qu'il serait plutôt facile d'échapper à leur surveillance et de rencontrer les hommes en cachette. Elle résolut de garder l'œil ouvert sur toute occasion et sur tout corps robuste – et consentant.

Louis venait à peine d'apparaître derrière elle que sœur Jeannette annonçait qu'il était temps de partir. Juste avant de grimper dans la voiture, elle sentit sa main sur son épaule et se retourna, légèrement irritée.

«Mademoiselle Laure, dit-il d'une voix hésitante. Voulez-vous vous marier avec moi?»

Laure lui jeta un regard vide et monta à bord. «Je suis désolée, Louis. Tu ne me plais pas tant que ça.»

Ses yeux tristes la suivirent alors que le cocher fouettait les chevaux. Laure détourna le regard. «C'était très sage, dit l'une des religieuses. Vous ne devriez pas accepter la première proposition. Il y aura d'autres jeunes hommes, ne vous en faites pas.» Laure ne répondit pas, mais, au fond d'elle-même, elle espérait que la religieuse disait vrai.

Le trajet de retour vers Québec fut plus confortable, car la voiture était maintenant presque vide, à l'exception des passagers. Mais cela parut plus long à Laure. Ils s'arrêtèrent au village pour prendre de la nourriture, et le soleil entama bientôt sa descente.

Elle dodelinait de la tête contre le dossier de son siège. La journée avait été longue, elle était très fatiguée et elle s'assoupit. Soudain, un fort craquement suivi d'une violente secousse la réveilla en sursaut. Le cocher lâcha un juron, puis s'excusa immédiatement auprès des religieuses. Laure faillit perdre l'équilibre et s'arc-bouta pour ne pas tomber du banc de bois. Elle n'eut pas à sortir pour savoir qu'une roue s'était brisée.

À l'extérieur, le soleil bas rayait le ciel de traînées orange et jaunes. Le cocher insista pour qu'elles restent à l'intérieur de la voiture, pendant qu'il estimait les dommages.

«Mauvaise nouvelle, mes sœurs, dit-il par la portière. C'est une vilaine fêlure et je ne sais pas combien de temps il faudra pour la réparer. Est-ce que quelqu'un au couvent peut venir vous chercher?

– Pas avant longtemps, répondit sœur Jeannette. Ils s'attendent à ce que nous revenions assez tard.»

L'homme souleva sa casquette et se gratta la tête d'un air perplexe. «Ah ben, je vais faire de mon mieux…»

Il eut à peine le temps de finir sa phrase qu'un homme sortit des bois et s'approcha de la voiture.

«Je peux vous aider?»

Sœur Jeannette regarda par la portière, et son visage s'éclaira soudainement. Elle remercia l'inconnu et ordonna à ses sœurs et à Laure de sortir de la voiture.

«Lui faites-vous confiance? chuchota sœur Laurette. Ne savez-vous pas qui est ce jeune homme?

– Oui, répondit sœur Jeannette. Mais nous avons maintenant besoin d'aide. Venez!»

Le cocher les aida à descendre du véhicule tandis que l'inconnu s'agenouillait à côté de la roue brisée. Fatiguée par sa journée, Laure n'aurait même pas pensé à le regarder si ce qu'elle venait d'entendre n'avait piqué sa curiosité. Elle s'écarta de la voiture, tout en gardant les yeux rivés sur l'inconnu. Elle fut surprise de voir qu'il avait l'air jeune; sa voix grave et suave résonnait davantage comme celle d'un homme plus mûr.

Les deux hommes étaient fort affairés, et Laure eut tout le temps voulu pour examiner l'inconnu. Il avait quelque chose de très attirant. Sa chevelure sombre et rebelle était négligemment attachée avec un ruban noir derrière son cou. Il portait d'étranges bottes, en cuir de cerf, ornées de perles de verre colorées. Sous ses manches remontées, ses bras étaient bronzés et musclés, sa peau couverte de fins poils noirs. Dans le soleil couchant, tout dans sa personne paraissait encore plus foncé: ses cheveux, ses yeux et son teint.

Sa forte mâchoire et son nez aquilin le rendaient tout à fait attirant. Elle aimait particulièrement voir ses joues imberbes se creuser juste sous les pommettes. Cela lui donnait du caractère.

En fait, plus elle le regardait, plus Laure était séduite. À l'affût de bouts de conversation entre les religieuses, elle apprit que l'homme était un trappeur, l'un de ces gens qui avaient presque tourné le dos à la vie civilisée pour se mêler aux indigènes et apprendre leurs mœurs. En fait, c'était le contraire de ce que voulait le roi. Chacun, dans la colonie, devait s'efforcer d'enseigner aux indigènes, et non l'inverse. Pis encore, l'homme allait à peine à l'église. Mais c'étaient des failles mineures dans l'esprit de Laure. Elle se rapprocha encore, tentant d'attirer son attention.

Malheureusement, il était alors complètement absorbé par la tâche. La noirceur et la fraîcheur du soir tombaient. Mais Laure n'en avait cure. Elle n'arrivait tout simplement pas à détacher son regard de lui. Elle fut heureuse d'entendre le cocher lui demander d'aller chercher la lampe à huile. Enfin, elle pourrait mieux le voir. En essayant de distinguer son visage dans la lumière vacillante, elle reconnut quelque chose de familier, sans pouvoir dire quoi, au juste.

Ce ne fut que lorsqu'il prit la lampe et qu'elle put distinguer sa main qu'un éclair d'excitation la traversa. Elle reconnaissait ces longs doigts, dont les deux premiers se tordaient autour de la poignée, et l'étrange bosse sur son poignet. C'était l'inconnu du bateau.

«Est-ce qu'on en a pour longtemps?» s'entendit-elle demander d'une voix tremblante. Elle n'attendait pas vraiment de réponse, espérant seulement que l'homme la regarde.

C'est ce qu'il fit. Mais son regard était désintéressé, sans chaleur.

«Ça sera plus très long, mademoiselle.»

Et il avait raison. Quelques instants plus tard, la roue était réparée et les religieuses grimpaient à bord de la voiture. L'inconnu rassembla sa petite panoplie d'outils et se prépara à partir. Laure tenta désespérément de penser à quelque chose qui lui permettrait de la reconnaître. Bien sûr, il n'avait jamais vu son visage. Sur le bateau, elle était étendue sur le ventre et ses cheveux dissimulaient ses traits.

Elle eut soudain une idée. Ce n'était guère subtil, mais cela valait la peine d'essayer. En douce, elle défit le ruban de son bonnet et retira délicatement l'épingle qui retenait ses cheveux. Elle se dirigea vers l'étranger, debout près de la voiture, qui aidait les religieuses à monter.

À la dernière minute, elle fit semblant de trébucher et se jeta vers l'avant. En s'écrasant de tout son long sur le sol, dans la poussière, elle secoua la tête afin de faire tomber sa chevelure en désordre sur son visage.

Les religieuses poussèrent des cris aigus. Alors que l'étranger s'agenouillait pour l'aider à se relever, Laure émit un faible gémissement. Il la saisit par le bras, la fit se redresser et, d'une main sale, lui écarta les cheveux de la figure.

Ils se dévisagèrent. En voyant l'étincelle dans son regard, elle eut la certitude qu'il l'avait reconnue. Sa poigne sur son bras se resserra légèrement, et elle gémit de nouveau.

«On s'est rencontrés? lui demanda-t-il d'un ton amusé.

— Je ne crois pas, répondit Laure. Je suis arrivée sur le bateau d'hier matin.

— Je vois.»

Il l'aida à dépoussiérer sa robe et, ne relâchant sa poigne qu'au dernier moment, la fit monter dans la voiture.

«Allez-vous toutes au couvent? demanda-t-il d'un ton déférent.

— Naturellement, répondit sœur Jeannette. C'est là que nous habitons. Où voulez-vous que nous allions à cette heure-ci?»

Il referma la portière et se pencha vers elles.

«Bon, ben, je vous souhaite bonne route.

— Merci beaucoup pour votre aide, dit l'une des religieuses. Et nous espérons vous voir à la messe de dimanche, François.»

Il sourit et les regarda tour à tour, en insistant légèrement sur Laure. «Je viendrai certainement, si je vais en ville.»

Il recula, fit signe au cocher et, immobile, regarda partir la voiture. De son point de vue, Laure vit sa silhouette graduellement disparaître dans l'obscurité. François... Au moins, elle savait son nom. Et il l'avait reconnue.

Il irait bientôt la voir. Elle le savait.

CHAPITRE XII

Laure frissonna dans l'air frais du soir. C'était la troisième soirée qu'elle passait près de la fenêtre ouverte, dans l'espoir de voir cette silhouette à présent familière rôder autour de l'édifice, à sa recherche. François viendrait la chercher, elle en était sûre. Mais quand ?

Chaque soir, elle attendait patiemment alors que les autres filles dormaient. Personne ne la voyait dans l'obscurité. Même si elle grelottait, elle n'osait pas refermer la fenêtre. Et s'il venait ? Serait-elle capable de soulever assez rapidement la grande vitre pour l'appeler ? Elle ne voulait même pas prendre ce risque.

Alors que l'aube s'élevait derrière les arbres, elle décida finalement de retourner au lit. Il ne restait que quelques heures avant la messe du matin. Bien sûr, elle aurait suffisamment d'occasions de s'assoupir en faisant semblant de prier.

La quatrième nuit, des bruits la firent tressaillir. Elle se redressa, le cœur battant, fouillant anxieusement la nuit noire. Au début, elle ne savait pas d'où provenaient les sons, mais elle avait entendu nettement des murmures et des ricanements.

Puis, elle les vit. Trois silhouettes, vêtues de capes noires, franchirent la pelouse en courant et disparurent entre les arbres. Laure crut reconnaître Marguerite, qui était plus grande que les autres, mais elle n'en était pas certaine. Sa curiosité augmenta bientôt et elle cessa de surveiller par la fenêtre.

Le plus silencieusement possible, elle fit le tour du dortoir. En atteignant le lit de Marguerite, elle vit une silhouette bien moulée sous la couverture. Alors, ce ne pouvait pas être elle. Vraiment?

Se rapprochant, elle n'entendit aucun son autour du corps étendu. Elle tira la couverture, et ses soupçons furent confirmés: ce corps endormi n'était en fait qu'un tas de chiffons disposés de façon à faire croire qu'une personne était étendue dans le lit.

Puis, elle vérifia les lits de Marie et d'Antoinette. Comme elle l'avait deviné, le trio était sorti pour la nuit. C'étaient donc elles qu'elle avait vu courir. Elle décida alors d'attendre leur retour et resta près de la fenêtre.

Cela se révéla beaucoup plus excitant que d'attendre François. Elle savait qu'elles devraient revenir avant l'aube. Et elle avait hâte de découvrir où elles étaient parties.

Des heures s'écoulèrent. Même si elle était certaine de ne pas s'être assoupie, Laure ne les vit pas traverser la cour. Ce fut plutôt le grincement du parquet qui attira son attention.

De retour en catimini, elles étaient en train de se mettre au lit lorsque Laure les rattrapa.

«Où êtes-vous allées?» murmura-t-elle.

Surprises, les filles se regardèrent. De toute évidence, elles ne l'avaient pas entendue s'approcher et s'étonnaient d'avoir été découvertes.

«Pas de tes affaires», répondit froidement Marguerite en retirant les chiffons de sous sa couverture.

Laure se rapprocha. À l'odeur d'alcool qui flottait autour des filles, elle devina qu'elles avaient bu. Mais, en se dirigeant vers Marguerite, elle remarqua une autre odeur, encore plus appétissante : une senteur d'homme.

Sa chair commença à mouiller lorsqu'elle comprit ce qu'avaient fait les filles. Car on ne pouvait s'y tromper : elle connaissait bien cet arôme, le parfum du miel d'un homme quand sa hampe gicle et éclabousse le ventre d'une amante.

Elle s'embrasa, affamée. Le seul fait de savoir que ses compagnes avaient trouvé le moyen de sortir la nuit et de rencontrer des hommes suffisait à l'exciter. Elle désirait tellement se joindre à elles. Mais Marguerite ne lui accordait encore aucune attention.

«Emmenez-moi avec vous, la prochaine fois… hasarda-t-elle.

– Quoi ? répondit Marguerite, irritée. T'emmener où ? Sais-tu où on est allées ?» Elle se retourna et fourra les chiffons dans une malle ouverte.

Laure était furieuse. Elle devait convaincre Marguerite de l'emmener avec elle. Mais d'abord, elle devait lui laisser savoir qu'elle avait deviné où elles étaient allées.

Soulevant la robe de Marguerite, Laure glissa rapidement ses doigts entre les jambes de la fille et toucha son sexe. Marguerite émit un petit cri, mais ne tenta pas de s'écarter d'elle.

Et comme Laure s'y attendait, la chatte de Marguerite était humide, gonflée et glissante lorsqu'elle la frôla légèrement. Marguerite finit par réagir. Elle prit la main de Laure et la repoussa, puis se retourna vers elle.

«Eh bien, dit-elle avec un sourire entendu. Tu aimerais peut-être venir avec nous…»

Laure colla son corps contre le sien. «Emmenez-moi la prochaine fois», murmura-t-elle en passant sa main sur la poitrine de Marguerite. «Et je ferai tout ce que vous voudrez. Tout.

– On verra, annonça Marguerite. Maintenant, va dormir. Et sois discrète: je ne veux pas que quelqu'un d'autre sache qu'on est sorties.»

Les filles marchaient si vite que Laure avait de la difficulté à les suivre. Mais elle savait qu'elle n'avait pas à se plaindre. Pendant trois jours, elle avait attendu avec impatience qu'elles lui dévoilent leur plan de sortie. Depuis la nuit où elle les avait découvertes, elle était constamment excitée.

Elle avait également abandonné l'idée d'une visite de la part de François. À présent, elle voulait un homme, n'importe lequel, et la perspective de sentir la chair mâle battre une fois de plus contre la sienne faisait palpiter sa chatte de douces attentes.

Elles se dirigeaient vers les baraques militaires. Marguerite avait expliqué à Laure que, deux fois par semaine, les jeunes soldats, en permission pour la soirée, buvaient et chantaient jusqu'aux petites heures.

Environ trois mois plus tôt, Marguerite, Antoinette et Marie avaient commencé à leur rendre visite. Bien sûr, les soirées changèrent dès lors complètement d'atmosphère. Les filles partaient toujours dès qu'elles étaient sûres que les religieuses dormaient. C'était la tâche de Marie de s'en assurer. Et elles devaient prendre soin de s'en retourner avant que quiconque s'éveille. À ce jour, tout s'était déroulé selon leur plan.

Les baraques étaient assez éloignées du couvent. En marchant à travers bois, Laure huma l'odeur de moisissure de l'air frais. Ce soir, elle ne faisait qu'une avec la nature.

Depuis son arrivée dans la colonie, la vie était plus facile et les règles un peu plus relâchées, mais Laure n'avait pas autant de liberté qu'elle désirait. Comme au couvent en France, elle devait porter des couches et des couches de vêtements, parfois si épaisses qu'elle ne sentait plus son propre corps à travers elles. Naturellement, elle avait tenté aussi souvent que possible de se débarrasser de sa culotte. C'était son petit secret. En marchant, elle aimait que ses cuisses se frottent l'une contre l'autre, en liberté. Les religieuses n'avaient aucun moyen de le savoir et, à cette seule pensée, Laure se sentait encore plus malicieuse.

Cela compensait le temps qu'elle avait passé sur le bateau, où on l'avait réprimandée chaque fois qu'elle avait osé oublier une seule couche de vêtements. Bien sûr, les nombreuses échelles permettaient à chacun de voir ce qu'elle portait sous sa robe, et elle ne pouvait échapper aux yeux inquisiteurs de son chaperon.

Mais ici, dans la colonie, la règle était plus souple, à cause de l'intense chaleur du soleil de midi. Ce n'était pas une excuse pour ne pas porter un minimum de vêtements, mais au moins Laure ne se sentait plus aussi serrée.

Ce soir, plût au ciel qu'elle puisse se déshabiller et savourer sa propre nudité. Elle avait hâte de sentir le contact d'un autre corps contre le sien : un homme, n'importe lequel, aux muscles robustes et à la peau douce.

Elle avait le cœur battant en s'approchant des baraques. Elles ne pouvaient risquer d'être vues ici non plus. Marguerite passa la première, s'aventura derrière la rangée de petites cabanes en bois, à l'orée de la forêt, et se baissa en longeant les fenêtres. Les autres suivirent, une à la fois, et elles finirent par se rassembler près d'une construction plus longue, remplie d'éclats de voix et de rires. Marie monta la garde pendant que les autres filles entraient à la file.

Laure passa derrière Marguerite et Antoinette. La marche l'avait énervée, mais ses peurs s'évanouirent dès qu'elle entra dans la pièce et vit tous ces splendides jeunes hommes, naturellement enchantés de voir les filles.

Marguerite et Antoinette passèrent de l'un à l'autre, les saluant de baisers mouillés. Laure se tenait à l'écart et regardait autour d'elle. La pièce était nue, à l'exception de quelques tables et chaises ; le plancher était couvert de morceaux de boue séchée. Des bouteilles et des chapeaux avaient été abandonnés sans cérémonie sur les tables, des tuniques jetées sur des dossiers de chaises. La seule chose qui attira l'attention de Laure fut une unique cravache laissée sur la table. Un moment, des souvenirs amers atténuèrent son excitation, mais les voix la ramenèrent bientôt à la réalité.

« Qui est-ce que vous nous avez amené là ? demanda un gars en regardant en direction de Laure.

– Une nouvelle fille, Laure. Elle avait très hâte de venir avec nous. Pas vrai, Laure ? »

Laure sourit et suivit les autres filles d'un air désinvolte, donnant des accolades aux hommes et collant son corps contre le leur. Ils étaient six, portant tous la même culotte bleue et la chemise blanche de l'armée. Certains portaient encore leur tunique, mais quelques-uns avaient déjà déboutonné leur chemise. Les regards qu'ils posèrent sur Laure révélèrent leurs intentions lascives. Bien sûr, en tant que nouvelle fille, elle s'attendait à être le point de mire de la soirée. Elle voyait ses compagnes déjà occupées à embrasser et à peloter certains des soldats. Mais, fidèle à elle-même, Laure avait quelque chose d'assez différent à l'esprit. Elle ne voulait pas faire comme les autres. Elle voulait se montrer exceptionnelle.

L'homme qui avait parlé la regardait encore, nettement intéressé ; elle alla donc le voir. Il l'embrassa au cou, rudement, puis la repoussa.

« Tu sens bon, ma douce, dit-il. Montre-nous donc de la peau ! »

Les autres soldats se rapprochèrent en riant. Ravie d'une invitation aussi empressée, Laure laissa nonchalamment tomber sa cape sur le sol, mit le pied sur une chaise et souleva lentement sa robe. Les hommes l'acclamèrent à mesure qu'elle dévoilait sa peau pâle, pouce par pouce. Soudain, l'un d'eux se pencha pour lui caresser la jambe.

C'était ce que Laure avait espéré. Sans perdre de temps, elle saisit la cravache et lui frappa la main. Il recula, surpris, et les autres éclatèrent de rire.

« Ne me touche pas avant que je t'en donne la permission », dit Laure d'un air défiant.

Le pauvre gars regardait autour de lui, sans trop savoir quoi dire. Laure porta le bout de la cravache à sa poitrine et l'utilisa pour défaire les cordons de sa chemise. Pas un mot ne fut prononcé. Le seul son audible était celui des respirations qui s'amplifiaient.

L'homme laissa Laure défaire sa chemise sans protester. Elle le contourna, lui caressant l'arrière des jambes et le cul avec la cravache. La culotte serrée révélait chaque contour de ses muscles. Sur le devant, son phallus rigide repoussait le tissu et tressautait visiblement.

« Déshabille-toi, jeune homme, ordonna Laure. On va voir ce que tu as à offrir. »

Hésitant, il regarda ses compagnons.

« T'as entendu la dame, Gilles! cria Marguerite. Fais ce qu'on te dit! »

Il se déshabilla en silence sans la regarder. Marguerite vint se placer à côté de Laure et la bécota. « Tu m'impressionnes », dit-elle avant de reculer d'un pas.

Laure sourit et regarda autour d'elle. Dès lors, les hommes arboraient tous une érection. Et ils la regardaient avec respect, presque avec crainte.

« Agenouille-toi sur la chaise, ordonna Laure à Gilles lorsqu'il fut complètement nu. Tourne-toi vers le dossier et penche-toi. »

Il obéit, montrant ses fesses musclées, sa queue s'agitant en l'air. Debout derrière lui, Laure passa le bout de la cravache entre ses jambes. Il trembla et ses genoux frémirent lorsqu'elle se rapprocha de ses couilles pendantes.

C'est là qu'elle le frappa en premier, d'un petit coup sec. Il haleta et rua, puis se cabra vers l'arrière comme s'il voulait qu'elle le refasse.

Elle ne le refit pas. Marchant d'un pas nonchalant autour de lui, elle le caressa avec la cravache, jouant avec ses mamelons qui se fronçaient sous le rude toucher de l'extrémité en cuir, chatouillant et fouettant délicatement ses flancs, frappant légèrement sa queue qui durcissait encore davantage.

Alors qu'elle jouait avec lui, elle l'entendit gémir. D'un petit geste de la tête, elle invita Marguerite à s'avancer.

«Assieds-toi sur le plancher, dos à la chaise, ordonna-t-elle. Puis, penche la tête vers l'arrière, sous lui. Je veux que tu le lèches jusqu'à ce qu'il soit prêt à jouir, mais tu ne le laisseras pas répandre une goutte avant que je t'en donne l'ordre. »

Marguerite obéit promptement. Elle renversa la tête sur le siège, la bouche à quelques centimètres du membre palpitant. Elle commença par lui donner de petits coups de langue enjoués, le touchant à peine.

Laure traversa la pièce et examina les hommes tour à tour. «Qui es-tu?» demanda-t-elle à l'un d'eux en le caressant à travers sa culotte.

«Je m'appelle Laurent, mademoiselle.

— Tu as une très grosse queue, Laurent. Dis-moi: combien de temps une femme doit-elle te sucer pour te faire jouir?»

Il déglutit fortement avant de répondre: «Je ne sais pas. Peut-être pas très longtemps.

— Tu ne fais pas l'affaire, décréta Laure. Je veux un homme capable de durer très longtemps. »

Elle recula et regarda le groupe.

«Lequel d'entre vous, messieurs, peut se retenir le plus longtemps?» demanda-t-elle.

Les hommes se regardèrent et secouèrent la tête d'un air interrogateur. Comme aucune réponse ne venait,

Laure se tourna vers Antoinette et Marie. «Et vous, mesdames, pourriez-vous me le dire?»

Antoinette désigna en riant l'homme le plus éloigné d'elles. «Celui-là, Hubert, je dirais.

– Bien», dit Laure en reprenant son inspection. Elle remarqua que l'un des hommes observait ardemment le derrière de Gilles, à présent levé bien haut alors que Marguerite lui léchait la queue. Elle suivit son regard et se dirigea vers lui.

«Qu'est-ce que tu regardes avec autant d'intérêt? demanda-t-elle. Et comment t'appelles-tu?

– Je m'appelle Pierre, mademoiselle. Et c'est lui que je regarde.»

De l'endroit où il se trouvait, il avait une vue parfaite sur les fesses écartées de Gilles, et voyait très bien son anus plissé se contracter sporadiquement.

«Aimes-tu ce que tu vois?» demanda Laure à voix basse.

Il se lécha les lèvres et respira profondément avant de répondre: «Oui.»

Passant en revue les autres hommes, Laure surprit des échanges de regards. «J'aurais dû me douter qu'il y en aurait au moins un parmi vous, dit-elle. Est-ce que son cul te fait bander?

– Oui.»

Elle le caressa à travers sa culotte, puis défit les boutons pour libérer son membre. Il était d'une taille considérable, et très dur. Elle le caressa, allant et venant à quelques reprises, sans le regarder une seule fois.

«Vas-y, susurra-t-elle. Laisse-nous voir ce que tu vas lui faire.»

La queue fièrement dressée par l'ouverture de sa culotte, Pierre s'avança lentement, fasciné, vers Gilles.

«Prends ton temps, dit Laure. Fais-le frémir.» Elle se tourna vers Marie et Antoinette. «Il fait chaud ici, constata-t-elle. Vous, les filles, vous devriez vous déshabiller. Mutuellement, je veux dire.»

Les filles obéirent joyeusement, se débarrassant lentement de leurs robes et de leurs jupons, s'arrêtant parfois pour se caresser en échangeant des baisers chauds et passionnés. Les hommes regardaient attentivement, captivés par ce spectacle insolite. Laure soupçonnait que les visites habituelles des filles étaient beaucoup plus ennuyeuses, les hommes se contentant de les prendre l'une après l'autre.

Mais, ce soir, elle commandait. Même si c'étaient des soldats et elle, une simple servante, ses talents étaient nettement supérieurs. Comme c'étaient de bons soldats, ils savaient que l'obéissance serait récompensée.

«Maintenant, dit-elle en se tournant vers les filles, voyons un peu…» Elle passa la main le long de la fente de Marie, fut ravie de la trouver mouillée de désir, puis fit la même chose à Antoinette.

«Ce soir, mes chéries, vous devrez choisir. L'une d'entre vous se fera caresser le clitoris par une douce langue jusqu'à ce qu'elle supplie d'arrêter. L'autre recevra la grosse queue cachée dans la culotte de Laurent. Ce sera laquelle?»

Les filles se regardèrent avec un sourire entendu. Marie se dirigea vers Laurent et se mit à le déshabiller sans hésiter. «C'est lui que je veux», annonça-t-elle d'un ton décisif.

Laurent se tint immobile pendant qu'elle le dés-habillait, puis elle alla s'étendre sur une table. Entre-temps, Antoinette avait également fait son choix. Elle se rendit jusqu'à un grand homme au teint foncé et saisit les cordons de sa chemise. Elle l'emmena de l'autre côté de la pièce et le fit s'agenouiller devant elle alors qu'elle était assise sur une chaise, les jambes écartées.

Il ne restait plus que deux hommes. Laure savait qu'elle n'aurait pas à choisir : elle les aurait tous les deux, ensemble. Mais d'abord, il y avait des questions plus pressantes à régler.

Pierre était encore occupé avec Gilles, et les grogne-ments qui sortaient de sa bouche indiquaient à coup sûr qu'il était sur le point de jouir. Reprenant la cravache, Laure décida de l'aider avec quelques coups secs au der-rière. « Plus vite! hurla-t-elle. Plus fort! Ne te retiens pas!»

Pierre donna une ultime poussée et ses fesses se contractèrent visiblement sous sa culotte. Il rugit en dé-chargeant sa semence, poussa faiblement à quelques au-tres reprises et se retira, l'air totalement épuisé.

« Très bien! dit Laure, rayonnante. Comme récom-pense, tu feras jouir cette pauvre Marguerite, qui a été si bonne et si obéissante ce soir. »

Encore assise sur le plancher, adossée contre la chaise, Marguerite écarta les jambes et éleva ses genoux vers sa poitrine. Comme Laure s'y attendait, il n'y avait aucune culotte en vue.

Sa chatte exposée, grasse et rouge, luisait et tressau-tait alors qu'elle écartait les genoux encore plus. Pierre sembla hésiter un moment. Laure écarta la cravache dans sa direction.

« Je vais dire "s'il te plaît", mais cette fois seulement, avertit-elle. À présent, montre-nous ce dont ta langue est capable. »

Pierre s'agenouilla à quatre pattes et abaissa son visage vers la chair de Marguerite. Les cuisses de la fille s'abaissèrent sur ses épaules et le retinrent en place.

C'est bon! se dit Laure avant de se retourner pour affronter les deux messieurs avec lesquels elle avait encore à arriver à ses fins.

Ils se tenaient immobiles avec un air juvénile et nerveux, ricanant constamment et échangeant des regards. Laure prit trois chaises et les disposa en cercle, puis les fit s'asseoir. Elle resta debout et posa un pied sur la dernière chaise. Elle souleva sa robe sur ses cuisses, puis écarta les lèvres de sa chatte avec ses doigts, montrant aux hommes sa chair rose.

« Veuillez vous présenter, dit-elle d'un ton nonchalant.

— Je m'appelle Yvon, dit le soldat le plus grand. Lui, c'est Claude.

— Enchantée de faire votre connaissance. Aimeriez-vous me lécher ? »

Sans perdre de temps ni même répondre, Yvon s'agenouilla et sortit la langue. Un coup de cravache sur son épaule l'arrêta net.

« J'ai seulement demandé si vous aimeriez ça! tonna-t-elle. Je ne vous ai pas demandé de le faire! Assieds-toi! »

Il rampa vers sa chaise.

« Tu as été un méchant garçon! annonça Laure. Tu seras puni! » Elle se tourna vers Claude. « Et toi ? Aimerais-tu me voir jouir ? »

Claude regarda son compagnon avant de répondre faiblement: «Oui, mademoiselle.»

De ses doigts, Laure parcourut rapidement sa fente de haut en bas. Elle avait été si excitée par toute cette activité qu'elle savait qu'il lui suffirait de quelques caresses pour atteindre son premier orgasme.

Son plaisir se déchaîna presque immédiatement. Son pouce tremblota avec force sur son bouton gonflé, et elle émit un profond gémissement lorsqu'un éclair violent la traversa. Un autre gémissement fit écho au sien et la saisit. Lorsqu'elle ouvrit les yeux, elle remarqua immédiatement la grande tache humide qui ornait la culotte de Claude. Le seul spectacle de son orgasme avait été trop fort pour le pauvre garçon.

Laure éclata de rire. «Tu es fou! Tu ne peux même pas te retenir pour moi! Tu n'es pas digne!»

Elle éleva la cravache, prête à le frapper. Une main ferme saisit son poignet et arrêta son bras en l'air. Elle avait été si absorbée par les événements qu'elle n'avait pas vu entrer l'officier.

Il lui arracha la cravache des mains et lui fit signe de s'asseoir. Laure, soudain inquiète, regarda autour d'elle. Comme personne d'autre ne semblait plus accorder d'attention à l'homme, elle conclut qu'elle n'était peut-être pas en difficulté, après tout.

Elle le fixa avec des yeux diaboliques, mais inclina la tête modestement. Son arrivée changeait tout. À présent, l'officier était de loin l'homme le plus attirant de la pièce. Laissant errer son regard, elle jeta un coup d'œil rapide en direction de sa culotte, mais fut déçue de n'y voir aucun signe d'excitation. Il était de toute évidence plus fort qu'elle, à la fois de corps et d'esprit, ce qui ne faisait qu'attiser davantage son désir. Il fallait qu'elle le séduise et le soumette. À ses conditions à elle.

Elle souleva complètement ses jupons, assit son cul nu sur la chaise de bois et écarta les jambes, espérant que la vue de sa chatte encore palpitante lui fasse de l'effet. Il renversa la situation en déposant son pied sur la chaise, posant le bout de sa botte de cuir à moins d'un pouce de sa chair.

Ils se regardèrent un instant avec intensité, oubliant complètement le reste de la pièce. Laure ne se souciait plus des autres soldats ni de ses compagnes. Dans l'ensemble, ils s'étaient avérés plutôt faibles et faciles à manipuler. Le nouvel arrivant, par contre…

« Je m'appelle Laure, dit-elle poliment en défaisant les boutons de son corsage. Et vous ?

— Appelez-moi tout simplement lieutenant, répondit-il.

— Eh bien, lieutenant, je dois dire que votre arrivée est fort opportune…

— Ah oui ? dit-il en l'interrompant et en se penchant vers elle. Comment donc ?

— Voyez-vous, je suis assez déçue de découvrir qu'aucun des jeunes hommes ici n'est capable de satisfaire une femme comme moi…

— Et puis ?

— Et maintenant que vous êtes là, je crois que ma chance a tourné.

— S'il vous plaît, expliquez-vous. Que doit faire un homme au juste pour vous satisfaire ? »

Laure se pencha elle aussi, serra sa botte et frotta sa poitrine contre le cuir souple et malléable, jusqu'à ce que ses mamelons durcissent sous la friction. « Je veux jouir », murmura-t-elle d'une voix rauque. Elle soupira et, soulevant les hanches, s'avança jusqu'à ce que son bouton gonflé soit appuyé contre le bout de la botte.

Sans un mot, il la laissa s'agiter sur son pied. Elle mouillait abondamment et, bientôt, la botte parut encore plus luisante. Le regardant les yeux mi-clos, Laure devint furieuse de son manque de réaction, mais cessa bientôt de s'en faire. À mesure que le mouvement de ses hanches s'accélérait sur le pied du lieutenant, elle sentit des vagues de plaisir s'accumuler de nouveau. Bientôt, elle le savait, la jouissance allait la submerger. C'était tout ce qui comptait.

Gigotant sans cesse, elle enfourcha complètement la botte, du bout jusqu'à la cheville, oscillant d'avant en arrière, roulant des hanches d'une façon languide. Cependant, chaque fois qu'elle regardait le lieutenant, ses yeux ne montraient aucun signe d'excitation. Il semblait parfois amusé, sans plus.

Sa chair se contracta violemment et elle haleta, vrillée par le plaisir. Elle eut des soubresauts sur la botte de l'homme, rejetant sa tête de l'arrière vers l'avant, avant de finalement s'effondrer contre sa jambe. Ses hanches tressautaient à mesure que les sensations diminuaient graduellement, puis elle demeura immobile, épuisée, encore accrochée au cuir souple de sa botte.

« Es-tu satisfaite ? » lui demanda le lieutenant en riant.

Laure leva les yeux vers lui. Tout autour d'elle, elle entendait un mélange de gémissements et de grognements. Jetant un regard rapide dans la salle, elle vit que les couples s'étaient reformés sans ses directives. Ils ne lui accordaient plus aucune attention, mais cela n'avait plus d'importance : Laure avait un autre but en tête.

Elle se lécha les lèvres et fit la moue. « Satisfaite ? Je viens à peine de commencer. »

Le lieutenant retira sa jambe et essuya le bout de sa botte contre l'arrière de son autre jambe. Laure fixa de nouveau sa fourche, mais elle fut incapable d'y déceler un signe d'excitation. Il surprit son regard et se pencha.

« Qu'est-ce que tu cherches ? demanda-t-il d'un ton menaçant. As-tu des intentions perverses à mon égard ? »

Laure se lécha de nouveau les lèvres. « J'ai faim », dit-elle d'un ton rauque en se frottant nonchalamment la fente du bout des doigts. Elle renversa la tête et ferma les yeux. Sa chair tressauta contre ses doigts et elle gémit. « J'ai envie de chair mâle, poursuivit-elle en fixant le lieutenant, les yeux mi-clos. J'ai envie de *toi*. Maintenant. »

Le lieutenant recula et commença à marcher autour d'elle. « Et qu'est-ce qui te fait croire que *moi*, je vais te désirer ? »

Laure se leva et l'arrêta en posant ses deux mains sur sa poitrine. « Oh, dit-elle, je crois que tu devrais juste savoir ce que tu manquerais autrement… »

Il la prit par les épaules et la tint à distance. Ils se regardèrent un instant. Mais elle avait mieux à faire ; elle était certaine de le vaincre, au bout du compte. Un bref instant, elle avait senti sa poitrine à travers son uniforme et, maintenant, elle avait hâte de sentir sa peau nue. Elle avait faim d'un homme, d'un vrai, et non d'un soldat sans expérience.

La retenue du lieutenant lui dit qu'elle avait trouvé chaussure à son pied. Il la désirait : autrement, il serait déjà parti. Déjà, elle sentait ses mamelons durcir sous l'épais tissu. Puis, il y avait le sourire qu'elle avait remarqué sur son visage lorsqu'il l'avait laissée violer sa botte.

Il la fit s'asseoir et demeura debout devant elle pendant un moment. Puis, il tira nonchalamment une chaise et s'assit à califourchon, posant ses bras sur le dossier. D'un air désinvolte, il s'empara d'une bouteille de whiskey posée sur la table, en prit une lampée d'un air détaché, puis la tendit à Laure. Ses yeux silencieux la mirent au défi d'en faire autant.

Laure hésita un instant. Son expérience de l'alcool était assez limitée, et elle savait qu'il lui fallait garder l'esprit alerte pour remporter cette bataille. Car elle était déterminée à le séduire. Affolée, elle commença à douter de son désir à lui. Pourquoi osait-il la défier d'avaler du whiskey ? De toute évidence, il n'avait pas à la saouler pour faire d'elle ce qu'il voulait !

Ou bien était-ce sa façon de la mettre à l'épreuve : pour voir combien elle pouvait en prendre et prouver qu'il était capable de lui résister ? Elle prit une gorgée et laissa le liquide caresser brièvement l'intérieur de sa bouche avant de l'avaler. Cela goûtait la mousse de tourbe et lui réchauffa l'intérieur en descendant le long de sa gorge. La brûlure irradia dans tout son corps et fit durcir ses mamelons.

Elle respira profondément, sa poitrine se soulevant et ses mamelons pointant fièrement vers le lieutenant à travers sa chemise. Écartant de nouveau les jambes, elle caressa lentement l'intérieur de ses cuisses. Il ne pouvait pas rester beaucoup plus longtemps insensible à un spectacle aussi invitant.

Une fraction de seconde, il montra des signes de vulnérabilité. Il bougea sur sa chaise et elle vit sa gorge se contracter, comme s'il avait eu de la difficulté à avaler. Elle lui rendit la bouteille.

Posant le pied sur la chaise, elle enleva sa chaussure et se caressa de son talon dénudé. La peau semblait délicieusement rude sur ses replis gonflés et elle sourit d'un air malicieux. Le lieutenant retourna son sourire.

« Tu es une petite fille plutôt dévergondée, hein ? dit-il enfin.

– C'est ce qu'on dit », répondit Laure avec un sourire triomphant. Lorsque le lieutenant avala une autre lampée de whiskey, elle finit par voir tressauter quelque chose dans sa culotte. Il jeta un regard autour de la pièce, comme s'il était inquiet que quelqu'un ait pu le remarquer, puis se retourna de nouveau vers Laure.

Sentant qu'elle devait tirer le meilleur parti de sa difficile situation, elle hissa ses seins hors de son corsage, les rapprocha et les tendit vers sa bouche. « J'ai si chaud », gémit-elle avant de tirer sa langue pour se lécher les seins. « Sortons d'ici. »

La bouteille à la main, le lieutenant se leva en souriant. Laure reboutonna son corsage et sortit prudemment de la baraque. Elle se rendit à l'arrière de la construction, puis entra dans la forêt. Il la suivait, mais pas d'assez près, estimait-elle.

Le sol était humide et frais sous ses pieds nus. Des branchettes et des feuilles mortes la chatouillèrent et elle rit. L'air ne semblait pas aussi froid qu'avant, et elle se sentait beaucoup plus à l'aise qu'à l'intérieur de la baraque. Elle se retourna, s'adossa contre un arbre et regarda s'approcher son amant. Le clair de lune qui filtrait à travers les arbres suffisait pour qu'elle voie que son membre avait grossi et tendait maintenant sa culotte.

«Embrasse-moi», gémit-elle en tirant sur les cordons de la chemise de l'officier. S'appuyant contre le tronc, il se pencha sans la toucher. Sa bouche la saisit dans un baiser passionné, et elle glissa ses mains dans sa tunique pour l'attirer vers elle. Il recula.

«Pas si vite, ordonna-t-il. Tu ne m'as toujours pas dit pourquoi je devrais céder à tes charmes.»

Elle lui prit la main et la porta à sa bouche. Malicieusement, elle lécha son index puis le glissa sous sa chemise pour caresser du bout du doigt le contour de son mamelon érigé. Il prit une autre gorgée de whiskey, l'embrassa et remplit sa bouche du chaud liquide.

«Ce n'est pas assez, dit-il en reculant. J'ai besoin d'une meilleure preuve que tu es aussi exceptionnelle que tu le prétends.

— Pourquoi fais-tu autant de difficultés? demanda Laure. Tu sais que je te désire.

— Je sais. Mais ce n'est pas assez. Pourquoi devrais-je céder maintenant?

— Parce que je connais des choses dont tu n'as pas la moindre idée. Et aussi parce que je pourrais me fâcher si tu continues de te refuser à moi.

— Et alors? Qu'est-ce qui se passe quand tu te fâches?

— Laisse-moi te sucer et je te le dirai.

— Tu peux, mais je dois t'avertir que tu auras mal à la mâchoire bien avant que je commence à perdre le contrôle.

— On verra bien.»

Elle tomba à genoux et défit sa culotte. Sa queue en surgit, chaude et raide. Elle l'attira dans sa bouche et le suça avidement. Constatant que sa langue avait très peu d'effet sur lui, elle le lâcha, prit une gorgée de whiskey et l'engouffra de nouveau.

Les hanches de l'homme tressaillirent sous le brûlant assaut de l'alcool. Mais Laure le retint fermement dans une forte succion et il fut incapable de se retirer. Comme elle l'entendait respirer profondément, elle se dit qu'il essayait probablement de combattre les sensations ahurissantes qu'elle avait déclenchées en lui. En retour, elle le suça plus fort, saisissant sa bourse d'une main et la caressant.

Elle était étourdie par l'alcool, mais ivre aussi de désir pour lui. Elle lécha et suça sa queue sans cesse, laissant un moment traîner sa langue sur sa longueur avant de la reprendre en bouche.

Même si son érection était arrivée à son maximum, le lieutenant demeura stoïque. Elle ne sentit aucune pulsation dans sa queue, et il n'eut aucun mouvement de poussée comme le faisaient habituellement les autres hommes.

«Je t'ai avertie, dit-il après un moment. Il me faut beaucoup plus qu'une bouche pour me faire jouir... »

Tandis qu'il prononçait ces mots, Laure ne devint que plus déterminée à lui faire perdre le contrôle. Posant sa main au sol pour prendre appui, elle eut une idée. Elle lui abaissa complètement la culotte, puis saisit une grande branche par terre. Augmentant sa succion pour l'empêcher de se retirer, elle lui fouetta les fesses.

Il eut un soubresaut, grogna comme un fou et lui saisit la mâchoire. Il lui ouvrit la bouche de force et la repoussa.

Laure tomba sur le dos, et avant qu'elle se soit rendu compte de ce qui se passait, il l'avait attrapée par les bras et obligée à se redresser.

«Personne ne me frappe, dit-il d'un ton coléreux, son visage si près du sien qu'elle sentait son haleine d'alcool. Tu veux jouer brutalement, hein? Eh bien, jouons!»

Il l'attira plus loin au fond des bois, s'arrêtant à l'occasion pour examiner les grands arbres, jusqu'à ce qu'il trouve une branche basse et solide. Il défit son étroite ceinture, puis souleva les bras de Laure au-dessus de sa tête et lui attacha les poignets à la branche.

Ses pieds à elle touchaient à peine le sol. Il recula, l'air suffisant.

«Vous n'êtes plus aussi effrontée, hein, mademoiselle?»

Laure ne répondit pas. Elle trouvait son comportement effrayant, mais immensément excitant. Il s'approcha d'elle, tira ses seins de son corsage et les exposa à l'air froid de la nuit.

Mise dans tous ses états par le whiskey, Laure ne ressentait aucune douleur dans les poignets, mais tout son corps était deux fois plus sensible que d'habitude. Elle gémit et laissa retomber sa tête vers l'arrière.

Le lieutenant s'approcha, la tint contre lui et lui prit le menton dans sa main.

«Et maintenant, Laure? Me désires-tu encore?

– Oui!» sanglota-t-elle.

Il souleva sa robe et dénuda sa chair. «Alors, prends-moi!» dit-il.

Elle sentait sa queue palpiter contre son ventre nu. Elle se tint immobile et sut qu'elle devrait faire un effort. Encerclant la taille de l'officier avec ses jambes, elle tira sur la ceinture pour se hisser, puis oscilla des hanches jusqu'à ce qu'elle sente que le gland se frayait un chemin à l'entrée de son orifice. L'alcool et son excitation augmentaient sa force. Une fois alignée, elle s'abaissa jusqu'à ce qu'il la pénètre.

« Très bien, dit-il d'un ton sarcastique. Maintenant, voyons si… »

Il n'eut pas le temps de terminer sa phrase. Laure serra volontairement son vagin, et cette emprise le prit au dépourvu. Elle relâcha ses muscles et répéta le traitement. Ses hanches oscillaient à présent sur sa tige et il grogna de satisfaction.

« Tu es vraiment forte », avoua-t-il.

Posant ses mains sur ses fesses, il la souleva pour soulager l'effort de ses bras. Il colla sa bouche sur ses seins et les dévora avidement. Tout le désir retenu et caché apparut avec une étonnante voracité.

Saisissant son mamelon, il suça si fort que la douleur se répercuta jusque dans son entrejambe. Il l'attira vers lui, la pénétrant pleinement et collant la racine de son membre contre son bouton gonflé.

Elle hurla de délice lorsque sa chair s'écrasa de tout son poids contre la sienne. Il la souleva de nouveau et la retint contre le bout de sa queue. Puis, il s'avança à peine mais si rapidement qu'elle atteignit aussitôt le paroxysme du plaisir.

Glissant ses bras sous ses genoux, il la fit osciller sur lui, d'avant en arrière, à coups plus longs et plus profonds. Laure ramena ses genoux vers sa poitrine et posa ses chevilles sur ses épaules. Il poussa un court laps de temps dans cette position, avant de se retirer et d'élever ses hanches vers son visage, en lui tenant les fesses.

Laure fut ainsi étirée en l'air, à l'horizontale, les cuisses posées sur les paumes de l'homme et ses poignets attachés à la branche. Sa bouche fut aussi violente sur sa chair qu'elle l'avait été sur ses seins. Sa langue fourrageait avec une intensité diabolique, glissant profondément dans sa caverne et tournant d'une manière experte.

Sa lèvre supérieure tremblait contre son bouton, et elle atteignit de nouveau l'orgasme. Il suça et lécha plus avidement, perdant à présent le contrôle. Alors que le plaisir la balaya, tout son corps se tendit violemment, puis se ramollit. Ses seins se balançaient de gauche à droite, augmentant son plaisir.

Il lui suça le clitoris jusqu'à ce qu'elle eût l'impression d'être vidée de toute vitalité. Lorsqu'il vit qu'elle ne réagissait plus, il saisit ses jambes et les abaissa jusqu'à ses hanches.

Il l'empala lentement, un pouce à la fois, comme s'il voulait l'éveiller du sommeil du plaisir. D'abord, il poussa à loisir, pour rallumer le désir. Lorsqu'elle finit par émerger de sa léthargie, il augmenta graduellement sa vitesse et son intensité.

Bientôt, elle sentit osciller la branche, alors que la puissance de ses poussées faisait monter une vague dans tout son corps, le long de la branche et jusqu'au tronc. Les feuilles bruissaient à tout rompre au-dessus de sa tête et la branche craqua à quelques reprises.

Mais Laure oubliait tout sauf son propre corps. Le plaisir la submergea sans fin, et elle hurla à tue-tête. Le lieutenant poursuivit son rythme jusqu'à ce qu'elle eût la chair brûlée. Mais elle ne voulait pas qu'il arrête.

Les muscles de ses jambes se contractèrent avec force et ses orteils se raidirent. Sa vulve se serra autour de la queue de son amant, et elle l'entendit grogner plus fort. Elle avait mal partout, mais la douleur faisait place à un plaisir si intense qu'elle crut s'évanouir.

Elle sentit enfin qu'il atteignait l'orgasme en elle. Il lui agrippa les genoux et la retint si fort qu'elle sentit elle aussi ses secousses. Elle lui entoura la taille de nouveau, utilisant les talons de ses pieds pour le pousser encore davantage en elle. Sa semence jaillissante inonda sa fente et dévala la vallée de ses fesses.

D'un bras, il la retint contre lui, tandis qu'il défaisait la ceinture autour de ses poignets. Elle se pendit à son cou et il la tint fermement un instant, avant de tomber à genoux. La brume du soir perlait encore sur les feuilles, et sa fraîcheur assaillit la peau chaude de Laure.

Étendu près d'elle, il saisit la bouteille de whiskey qu'ils avaient jetée et en prit une autre gorgée. Elle lui arracha la bouteille et but à son tour. Elle avait la tête qui tournait, mais l'ivresse ne la dérangeait pas. Elle se sentait bien.

« Il est tard », dit-il en se relevant et en boutonnant sa culotte. Il se pencha, lui prit la main et la baisa délicatement. « Ce fut un plaisir de faire votre connaissance, mademoiselle. Dommage que je retourne en France par le prochain bateau. Ma femme m'attend avec impatience. J'espère que vous vous trouverez un bon mari… »

Il fit demi-tour et disparut entre les arbres, laissant Laure assise sur le sol avec la nausée. Un peu plus tard, Marguerite apparut.

« Te voilà, dit-elle en aidant Laure à se relever. Nous devons partir, il fera bientôt jour. »

Laure pouvait à peine se tenir debout. Ses jambes étaient faibles et elle était encore bouleversée par le plaisir intense qui venait de la balayer. Mais cette sensation fit bientôt place à une autre, bien pire : celle d'avoir trop bu.

Elle ne put suivre les filles pressées de retourner au couvent. Laure tituba derrière elles et finit par les perdre complètement. Marguerite l'avait avertie que, peu importe où elles allaient, c'était chacune pour soi. Si Laure traînait derrière, elles ne l'attendraient pas.

Mais elle ne s'en souciait plus. Elle voulait mourir. Elle avait l'estomac retourné et d'horribles crampes ravageaient ses entrailles. À un moment donné, elle s'arrêta complètement et tomba sur le dos. À présent, elle était étendue sous les étoiles qui tournaient tout autour d'elle. Elle frissonnait et avait mal, mais n'avait pas la force de se relever.

Elle perdit conscience et fut réveillée par un murmure à son oreille.

« Que fais-tu là ? » demanda un homme. Elle connaissait la voix, mais il faisait encore trop sombre pour voir à qui elle appartenait. L'homme la souleva et la porta dans ses bras.

« Mon Dieu ! Tu pues ! Je me demande ce que diraient les religieuses si elles te voyaient ! »

Laure nicha sa tête dans le creux de l'épaule de l'inconnu et jeta ses bras autour de son cou. Dans ses bras, elle se sentait bien ; en sécurité.

Alors qu'ils sortaient des bois, elle leva la tête et poussa un petit cri en reconnaissant son sauveur : « François !

— Ah ! Je vois que tu reprends conscience. »

Il la remit délicatement sur ses pieds. Laure regarda autour d'elle et aperçut le couvent. Il la poussa, mais elle s'accrocha à lui et lui couvrit le visage de baisers.

« Ne pars pas ! Prends-moi avec toi !

— Tu ne voudras pas de moi, chérie, dit-il doucement. Je ne te conviens pas. Trouve-toi un bon mari…

— Mais je ne veux pas me marier, s'écria-t-elle. Je veux être avec toi ! »

Les larmes roulèrent sur son visage alors qu'elle le regardait dans les yeux. Il la prit dans ses bras et l'embrassa passionnément. « Vraiment ? Je reviendrai alors.

— Non, gémit-elle. Prends-moi avec toi ce soir !

— Non, pas ce soir ! Je dois partir, je ne peux pas t'expliquer. Je reviendrai te chercher. »

Il la poussa vers le sentier menant à l'édifice et disparut dans les bois. Laure fixa l'endroit où il avait disparu, espérant qu'il reparaisse. Mais soudain retentit le chant du coq, et elle sut qu'elle ne pouvait plus attendre.

Chapitre XIII

« Non, mais tu t'attendais à quoi? demanda Marguerite d'un ton sarcastique. Tu ne peux pas en faire à ta tête chaque fois! »

Laure suivait, soupirant d'un air découragé. Sa seconde visite aux baraques militaires avait été beaucoup moins agréable que la première. On s'était passé le mot dans toute la garnison et, cette fois, les hommes s'étaient préparés.

Incapable de mettre la main sur une cravache – ni sur quelque autre instrument utilisable –, elle avait menacé en vain. Les soldats n'avaient pas voulu céder et avaient fait d'elle ce qu'ils voulaient. Bien sûr, il y avait eu une abondance de bouches affamées, de mains avides et de queues rigides pour la faire jouir. Mais elle n'avait pas maîtrisé la situation, comme la dernière fois.

Elles se hâtèrent dans l'obscurité totale. Il n'y avait pas de lune. Laure traînait derrière. Non pas parce qu'elle se sentait malade – cette fois, elle s'était abstenue de boire –, mais parce qu'elle espérait secrètement revoir François. Après tout, il ne semblait apparaître que sous le couvert de l'obscurité, et cette nuit était fort noire.

Quand elle arriva au couvent, les autres étaient déjà rentrées. Laure monta l'escalier sinueux, mais ce ne fut qu'en atteignant le sommet qu'elle sentit quelqu'un marcher derrière elle. Lorsqu'elle traversa le couloir menant au dortoir, un bras tomba sur son épaule et l'obligea à se retourner.

Surprise, elle poussa un petit cri. Dans la lumière du petit matin, elle reconnut sans peine Louise, cette fille simple et plus âgée qui, disait-on, était venue dans la colonie parce qu'elle n'avait pu se trouver de mari en France. Arrivée plusieurs mois plus tôt, elle n'avait encore reçu aucune proposition. Entre-temps, Marguerite, Antoinette et Marie avaient chacune refusé plus d'une demi-douzaine de prétendants. Elles étaient trop occupées à s'amuser, et Louise les haïssait encore davantage pour cela.

«Dites donc, croassa la femme. Enfin, j'en ai attrapé une! Je suis sûre que la Mère supérieure sera très curieuse d'apprendre que ses filles quittent leurs lits la nuit pour aller aux baraques militaires!»

Avant que Laure ait pu dire ou faire quoi que ce soit, Louise avait pris la fuite. Laure se retourna et vit s'approcher Marguerite.

«Est-ce qu'elle t'a vue? demanda cette dernière en reprenant son souffle. Tu étais trop loin derrière. Nous n'avons pas pu t'avertir. J'ignore comment elle s'y est prise, mais elle sait où nous sommes allées! Elle va sûrement le raconter.»

Laure haussa les épaules. «Qu'elle dise tout ce qu'elle veut. Elle n'a aucune preuve. C'est sa parole contre la nôtre.»

C'était une journée chaude. Trop chaude pour fabriquer des chandelles. Laure avait peine à croire les histoires qu'elle avait entendues à propos de ce pays ; la longueur et la dureté des hivers, et la minceur des récoltes.

Jusque-là, elle avait vu la nature dans toute sa splendeur. Les vergers donnaient des fruits juteux, et les récoltes étaient abondantes. Et la chaleur… Oh, la chaleur! Du lever au coucher du soleil, il y avait à peine un moment frais. Et le travail à la cuisine n'aidait pas les choses.

Dans l'ensemble, les filles du roy venaient de bonnes familles et on devait leur enseigner la cuisine, la couture et l'entretien domestique. Laure, qui faisait partie des rares servantes, se demandait quel genre de femmes ses compagnes allaient devenir.

Cet après-midi-là, les religieuses leur enseignaient à fabriquer des vêtements avec toutes sortes de chiffons. Comme Laure en savait plus long que l'enseignante, elle avait été reléguée à la cuisine pour faire des chandelles.

Si elle avait su, elle aurait évité de parler. Au-dessus d'un feu, du suif fondait lentement dans une grande poêle de cuivre. De temps à autre, Laure remuait le liquide et le versait dans les moules où l'on avait déjà inséré des mèches.

Elle s'arrêta un moment pour défaire le haut de son corsage et s'essuyer le front. Comme si la chaleur du jour n'était pas suffisante… La sueur dégoulinait dans son dos et entre ses seins. Habituellement, cela ne la dérangeait pas, mais, aujourd'hui, sa robe lui semblait serrée et très inconfortable.

Le suif allait prendre une éternité à figer dans les moules bien alignés sur la grande table. Elle avait presque fini de les remplir lorsque la Mère supérieure apparut. Mère Henriette ne ressemblait guère à mère Éloïse du couvent où Laure était restée après l'incendie du château. Cette religieuse était courte et corpulente, tout à fait laide, et dépourvue de la concupiscence retenue dont mère Éloïse avait fait preuve.

Tout d'abord, Laure ne se soucia guère de cette visite. Puis, elle se rappela que, seulement l'avant-veille, Louise l'avait menacée de raconter ce qu'elle savait. Et, d'après l'air de la Mère supérieure, cela n'avait pas été une vaine menace.

« On m'avait avertie sur ton compte, lança la femme. Mais je voulais te donner le bénéfice du doute. »

Laure s'arrêta et écouta attentivement. Qu'est-ce que Louise avait dit, au juste ? Et à quel point la Mère supérieure la croyait-elle ?

« Quand le couvent de La Rochelle m'a informée de la vie que tu avais menée avant de venir vivre ici, j'ai pensé que le sort t'avait peut-être fait croiser de mauvaises gens et que tu n'avais été qu'une victime de fortes influences. J'étais prête à t'aider, au cas où tu aurais eu besoin de conseils. Mais maintenant… »

Elle s'arrêta et commença à marcher de long en large devant Laure. « J'étais très en colère lorsque Louise est venue me dire où tu allais passer la nuit. Cela m'a bouleversée au plus haut point. J'aurais pu fermer les yeux, à condition que tu te repentes, mais ensuite, j'ai parlé de toi à sœur Mélanie, et… »

Sa voix se brisa, et Laure comprit que son chaperon sur le bateau avait été incapable de garder leur secret.

« Tu es une créature ignoble, Laure Lapierre. Tu n'as pas de place dans cette maison de Dieu. Mais j'ai le devoir de te trouver un mari, et je tiendrai la promesse que j'ai faite à mes supérieures. Toutefois, il serait dans le meilleur intérêt de tous que nous te trouvions quelqu'un au plus vite. À la différence de tes compagnes ici, tu n'auras pas le luxe de choisir. Tu épouseras le premier homme que nous te désignerons.

– Et si je refuse ? » demanda Laure d'un air défiant.

La Mère supérieure eut un sourire suffisant. « Je savais que tu dirais quelque chose de semblable. Si tu refuses de l'épouser, je m'arrangerai pour qu'on t'envoie à Ville-Marie, une autre colonie située en amont. Comme la vie est assez rude là-bas, je crois que tu préférerais accepter de te marier de ton propre gré. Il n'y aura pas de dortoir confortable pour t'abriter. Nous n'avons pas de couvent là-bas, seulement une ferme. Tu habiteras assez loin de la ville même, et toutes les visites de prétendants seront surveillées. Tu n'auras aucun jeune homme avec qui pécher. Et certainement aucune baraque militaire ! »

Elle recula et glissa ses bras sous son tablier. Son visage était resté serein sous la cornette. « Ou bien tu te maries demain, dit-elle. Ou bien tu pars pour Ville-Marie après-demain. À toi de choisir. »

Laure la regarda, folle de rage. Aucune des deux options ne lui plaisait particulièrement. Se marier d'ici demain ? À un homme qu'elle ne connaissait même pas ? Et cette colonie de Ville-Marie ? Quel genre de vie y menait-on ?

D'une certaine façon, elle préférait partir. Ainsi, elle pourrait gagner du temps, choisir son propre compagnon, peut-être même trouver moyen d'éviter le mariage. Si seulement François l'avait emmenée avec lui ! Pourquoi n'était-il pas venu ? Il était trop tard, à présent !

« Il vaut mieux que je parte, dit-elle dans un sanglot.

– Comme tu voudras, souffla la Mère supérieure. Je ferai le nécessaire pour que tu prennes la voiture après-demain. »

Restée seule dans la cuisine, Laure laissa s'épancher un flot de larmes. Une fois de plus, juste au moment où elle croyait que les choses tourneraient en sa faveur, la vie en avait décidé autrement. Retrouverait-elle un jour la paix ? Elle était lasse de ne pas savoir ce qui allait lui arriver, lasse de voir survenir tant de changements chaque fois qu'elle commençait à s'habituer à une nouvelle situation.

Naguère, lui semblait-il, la vie était douce. Puis, son père avait décidé de la faire travailler. Plus tard, juste au moment où elle s'était glissée dans le lit de sa maîtresse, le feu avait tout détruit. Après, elle aurait pu être heureuse avec le père Olivier, mais il l'avait trahie.

Dernièrement, elle avait vraiment cru que François viendrait la chercher, mais il ne l'avait pas fait. Et maintenant, elle était de nouveau seule, en route vers un autre endroit. Ses joues brûlaient de rage et les larmes fraîches n'arrivaient pas à les soulager. Elle essaya de ne pas penser à sa situation et de se concentrer sur sa tâche. D'ailleurs, celle-ci n'avait plus d'importance. Puisqu'elle partait, pourquoi ferait-elle ce que les religieuses lui demandaient ?

Cependant, les paroles de la Mère supérieure continuaient de rebondir dans son esprit et elle ne pouvait penser à rien d'autre. Elle devrait partir pour Ville-Marie. D'après ce qu'elle avait entendu dire, c'était à plusieurs lieues. François allait-il jamais la retrouver ? S'il retournait au couvent sans l'y apercevoir, il allait peut-être croire qu'elle s'était mariée et l'abandonner.

Pourquoi, mais pourquoi donc avait-elle cru les mensonges du père Olivier? Pourquoi s'était-elle embarquée à La Rochelle? Elle avait tout simplement troqué une prison pour une autre! Quand la vie allait-elle enfin la récompenser, au lieu de constamment la rendre misérable?

Elle retira du feu la poêle remplie de suif et la posa sur la table. Il ne restait plus de moules à chandelles. Et la graisse qu'elle avait déversée dans le premier lot n'avait peut-être pas encore pris. Il y en avait pour toute la journée; il faisait si chaud dans la cuisine!

Elle fit le tour de la table pour vérifier son travail. Les moules étaient bien alignés les uns à côté des autres. Avec un vieux chiffon, elle essuya distraitement quelques gouttes de suif sur la surface plane. En marchant, elle sentit la sueur dégouliner le long de ses cuisses. Elle voulait sortir de cet endroit, de cette cuisine, de ce couvent, de tout cet enfer. Elle ne voulait plus de cet engagement à se marier. Et, par-dessus tout, elle voulait que François l'emmène loin de tout cela.

En contournant le coin de la table, elle accrocha de sa robe la poignée de la poêle et la renversa sur le plancher. Le suif fondu éclaboussa toute la cuisine et la poêle de cuivre rebondit sur le marbre pâle avec un bruit assourdissant.

Laure regarda, incrédule, le suif former une mare énorme sur tout le plancher de la cuisine. La surface du liquide, plus fraîche, s'épaissit, et la mare gluante cessa bientôt de s'étendre. Quel dégât! se dit-elle en rageant. Naturellement, elle devait tout nettoyer avant que quelqu'un n'arrive.

Elle regarda autour d'elle, désespérée. Il n'y avait qu'une façon de s'y prendre. Coinçant le bas de sa robe dans les cordons du tablier attachés à sa taille, elle souleva la poêle de cuivre, saisit une grande cuiller de métal et se mit à quatre pattes pour en ramasser autant qu'elle le pouvait.

Le plancher était glissant sous ses genoux et ses tibias. Ses jambes allaient sans doute être bientôt recouvertes d'un suif à moitié fondu, mais cela valait mieux que des taches sur sa robe. Et le fait de dénuder ses jambes et de se rafraîchir la soulageait enfin.

À un moment donné, son genou glissa de côté et ses jambes s'écartèrent. Son derrière toucha le plancher et elle poussa un cri aigu de petite fille. C'était en fait assez vilain. Le suif était doux à l'intérieur de ses cuisses et elle se tortilla instinctivement.

Une partie du suif encore chaude caressait doucement sa vulve nue. Déposant la poêle et la cuiller, elle s'accroupit davantage, frottant sa chair contre le plancher de marbre glissant.

Son clitoris pointait déjà et elle gémit. S'appuyant sur les mains, elle enfonça fortement son pubis, goûtant le contraste entre le suif chaud et le marbre froid.

« Laure ? Que fais-tu là ? »

Laure saisit rapidement la poêle et la cuiller et se remit sur ses genoux. Par-dessus la table, elle vit sœur Mélanie qui l'épiait de l'entrée de la cuisine. De sa position, Laure la voyait à peine, et elle conclut que la religieuse voyait qu'elle était sur le plancher, mais qu'elle ne pouvait deviner ce qu'elle faisait.

Elles se regardèrent un moment. Depuis son arrivée, Laure n'avait pas souvent croisé son chaperon, mais

247

elle gardait un souvenir tendre de leur dernière nuit ensemble sur le bateau. Dommage que Mélanie ait tout avoué à la Mère supérieure, se dit Laure. D'une certaine façon, c'était sa faute si elle devait maintenant partir.

Une idée malicieuse lui vint à l'esprit. «J'ai répandu tout le suif, gémit-elle comme une enfant. La Mère supérieure sera tellement furieuse contre moi si elle voit cela…»

Mélanie fit le tour de la table pour constater de visu. «Oh, mon Dieu! dit-elle d'une voix douce. Quel dégât! Laisse-moi t'aider!»

Laure l'arrêta juste au moment où elle était sur le point de s'agenouiller. «Attention! N'en mets pas sur ton habit!»

Mélanie se figea et regarda silencieusement les jambes nues de Laure. Elle rougit et inclina silencieusement la tête. Laure avait le cœur battant. Si seulement elle pouvait amener Mélanie à se joindre à elle sur le plancher, elle donnerait à la religieuse quelque chose d'autre à confesser.

Sœur Mélanie prit le chapelet qui pendait à son cou et le porta rapidement à ses lèvres avant de se signer. Puis, respirant profondément, elle saisit le rebord de son habit pour l'insérer dans sa ceinture.

Laure attendit et regarda Mélanie remonter sa robe et exposer ses cuisses. Ce spectacle éveilla d'autres souvenirs du temps passé sur le bateau, surtout la dernière nuit, alors que Laure avait eu l'audace de caresser le chaste corps de sa compagne.

Ensemble, elles entreprirent de ramasser autant de suif que possible. Mélanie s'appliquait à la tâche, tandis que Laure faisait semblant. En fait, elle essayait de trouver une façon d'amener la religieuse à enlever sa culotte et à se retrouver nu-fesses, comme elle, sur le plancher.

À un moment donné, Mélanie se releva et frotta ses genoux endoloris. Au lieu de s'agenouiller de nouveau, elle se contenta de s'accroupir, les pieds à plat sur le sol, mais en équilibre précaire. C'était l'occasion que Laure attendait.

Elle fit semblant de se déplacer pour ramasser du suif. En se rapprochant de la religieuse, elle la bouscula des hanches. Tout comme elle l'avait espéré, la religieuse tomba avec un petit cri et finit par s'écrouler sur le derrière.

Laure s'excusa et regarda la religieuse se débattre pour se remettre sur pied. Mélanie ne réussit qu'à augmenter le nombre de taches graisseuses sur sa culotte. Lorsqu'elle fut debout, elle adressa à Laure un air faussement inquiet et fit une brève évaluation des dommages.

De grandes flaques de suif ornaient le derrière de sa culotte, ainsi que tout son dos, alourdissant le tissu et le faisant s'affaisser, transparent.

«Je dois me changer», dit sœur Mélanie d'une voix faible.

Laure lui lança un regard peiné et fit semblant de pleurer. «Tu ne peux pas me laisser, dit-elle dans un sanglot. Je ne peux pas tout nettoyer seule.»

Sœur Mélanie soupira et se baissa de nouveau. Cette fois, elle s'assit carrément, les jambes écartées. Avec le mouvement, la culotte se mit à tomber et elle dut la retenir d'une main pour être certaine que la vieille dentelle usée ne céderait pas.

Laure se laissa glisser d'un bout à l'autre de la pièce. Même si elles avaient ramassé ensemble la plus grande partie du suif, il en restait sur le plancher de marbre une mince pellicule qui le rendait glissant.

« Comment finirai-je de nettoyer cela ? demanda-t-elle.

— Honnêtement, je ne sais pas, avoua sœur Mélanie.

— Nous pourrions peut-être l'essuyer, suggéra Laure. Mais nous n'avons pas de chiffons. À moins que… » Elle fit une pause et regarda avec insistance la culotte en piteux état de la religieuse. Sœur Mélanie suivit son regard et rougit lorsqu'elle saisit l'idée de Laure.

« Eh bien, avoua-t-elle, elle est gâchée, c'est certain. Autant l'utiliser pour essuyer le plancher. »

Laure aida Mélanie à se dégager de sa culotte en se tortillant. Innocemment, elle glissa la main le long de la cuisse de la religieuse en retirant le vêtement. Sa peau était chaude et douce, et la religieuse frissonna sous le toucher de Laure.

Sœur Mélanie tenta de déchirer le vêtement en deux, enroulant les jambes de la culotte autour de ses poignets et tirant aussi fort qu'elle le pouvait.

« Laisse-moi t'aider », dit Laure en saisissant la culotte des mains de la religieuse. Elle s'empara d'une jambe et ordonna à sœur Mélanie de tirer sur l'autre. Malgré toute leur force, elles n'y arrivèrent pas. Assises nu-fesses sur le plancher glissant, elles ne firent que se rapprocher l'une de l'autre. Ce qui avait commencé comme une séance de nettoyage devint bientôt un jeu d'enfant.

Elles jouèrent à souque-à-la-corde, leur peau nue glissant sur le plancher de marbre, et rirent comme des enfants excitées. Sœur Mélanie en perdit sa cornette, ce qui déclencha un torrent d'hilarité.

Laure fit durer le jeu aussi longtemps que possible, car elle voulait que son amie se détende avant de mettre en action le reste de son plan. Au bout d'un moment, elle se rapprocha de la religieuse et fit s'emmêler innocemment leurs jambes. Comme Mélanie ne sembla rien trouver de mal à cela, Laure passa ses bras autour de la taille fine de la religieuse et la serra quelques instants.

Mélanie la regarda d'un air mélancolique, mais, déjà, la bouche de Laure s'approchait de la sienne et elle ne put refuser le baiser de la fille. Laure l'embrassa d'abord doucement, tout en appuyant sa cuisse, mine de rien, sur l'entrejambe de la religieuse.

Lorsque Laure fut assez certaine que la religieuse ne se retirerait pas, elle laissa sa main s'égarer et frôler la poitrine de la femme. Tout d'abord, Mélanie demeura impassible et complètement immobile. Mais sa respiration devint plus faible et s'amplifia à chacun des baisers de Laure.

Quand la main de Laure descendit ensuite pour caresser la chair de Mélanie, celle-ci ne bougea toujours pas. Laure fut ravie de trouver son clitoris déjà durci. Elle encouragea silencieusement la religieuse à s'accroupir sur le plancher. Sans interrompre leurs baisers, elle montra à son chaperon comment frotter sa chair sur la surface froide.

Mélanie obéit en silence, mais lorsque Laure lui prit la main pour la ramener vers sa propre chair, elle se retira soudainement.

«Non!» dit-elle subitement, revenant à la raison. «C'est péché!» En se tortillant, elle essaya de se dégager de l'étreinte et de se redresser, mais elle glissa de nouveau et se retrouva exactement dans sa position initiale.

«S'il te plaît, reste, murmura Laure d'une voix rauque en tirant la religieuse à elle. Je pars dans deux jours. Je ne te reverrai plus jamais.»

Sœur Mélanie fut renversée. «Tu pars? Où t'en vas-tu?

— La Mère supérieure m'envoie à Ville-Marie après-demain. Je ne reviendrai pas, j'imagine.

— Mais pourquoi?

— Je ne sais pas, dit Laure en mentant. Elle ne m'a pas donné le choix.»

En soupirant, Mélanie céda et se détendit dans les bras de la fille. Laure reprit ses baisers. Sa main graisseuse s'égara sur une jambe pâle et frôla délicatement la fente de la religieuse. Elle la sentit trembler et redoubla ses caresses, posant le pouce sur le bouton gonflé et le frottant légèrement.

Mélanie gémit fortement mais resta passive. Une fois de plus, Laure dirigea la main de la religieuse vers sa propre chair. Cette fois, Mélanie ne protesta pas. Timidement, elle retourna les baisers de Laure, d'abord d'une manière hésitante, puis de plus en plus avide à mesure que le pouce de Laure insistait sur son clitoris.

Laure répondit aux caresses de la main de la religieuse. Bientôt, Laure gémit à l'unisson de son chaperon et ses hanches oscillèrent d'elles-mêmes contre la main minuscule. Leurs bouches encore soudées, elles se tortillèrent l'une contre l'autre à mesure que le plaisir les balayait. À plusieurs reprises, Laure amena Mélanie au paroxysme du plaisir. Tant pis si la religieuse allait plus tard se confesser d'avoir encore péché. Laure allait faire en sorte que Mélanie ne l'oublie jamais, et qu'aucune pénitence ne puisse jamais effacer les souvenirs coupables de cette journée.

À mesure que la religieuse ramollissait dans ses bras, Laure continuait de frotter sa chair sur le plancher jusqu'à ce qu'elle-même atteigne la jouissance. À présent, elle pouvait se détacher du corps de Mélanie, secoué par les dernières vagues de plaisir. Elle était contente que la religieuse s'imagine avoir horriblement péché.

Laure s'abandonna à son propre orgasme, glissant et se tortillant en soulevant ses seins de son corsage pour les caresser. Elle perdit la tête un long moment, engourdie par le plaisir et oubliant tout le reste. Lorsqu'elle rouvrit les yeux, elle vit Mélanie pieusement agenouillée et serrant son chapelet dans ses mains tremblantes.

La religieuse interrompit ses prières et tourna son visage en larmes vers Laure.

« Tu es une pécheresse, dit-elle dans un sanglot. Mais je vais te sauver ! Le diable est en toi, et je vais te débarrasser de lui, dussé-je y perdre mon âme ! »

Laure sourit et se releva lentement. Le diable ? On pouvait le voir ainsi. Mais, bien sûr, Laure n'avait pas à partager cette opinion.

CHAPITRE XIV

Elle ne voulait faire ses adieux à personne. Avant l'aube, elle s'était levée et habillée, puis avait quitté le dortoir avant le réveil de tout le monde. Elles savaient toutes qu'elle partait, mais aucune n'en avait soufflé mot. Marguerite et ses complices avaient été très discrètes. Elles avaient sans doute compris que Louise avait raconté les escapades nocturnes à la Mère supérieure, et elles ne voulaient pas être dénoncées elles aussi.

Seule dans la pénombre de l'étable, Laure faisait les cent pas. L'odeur du foin lui rappelait son foyer, son enfance. Elle marcha dans l'obscurité, s'assit sur une grosse meule de foin et s'étendit, les yeux fermés. Un moment, elle aurait cru que rien ne s'était passé au cours des derniers mois. Elle était de nouveau en France, dans l'écurie du château de Reyval, attendant impatiemment que René vienne la rejoindre.

Il allait entrer en silence, la regarder se prélasser les yeux clos, dans le foin chaud, et lentement aller soulever sa robe. L'image était si vive dans l'esprit de Laure qu'elle la crut presque réelle. En fait…

Elle ouvrit les yeux et se recroquevilla de surprise. Au début, elle ne reconnut pas l'homme qui se tenait debout entre ses jambes écartées et qui glissait subrepticement ses mains sous sa robe. Mais lorsque sa bouche s'élargit en un sourire éclatant, le cœur de Laure se réchauffa et elle lui tendit les bras. «François!»

Il s'agenouilla tout en continuant à soulever sa robe, puis vint s'allonger sur elle.

«Te voilà! s'écria-t-elle, incrédule. Tu es venu me voir!»

Il la fit taire en posant sa bouche sur la sienne et ils échangèrent des baisers passionnés. Il avait les lèvres rondes et douces, et tout aussi chaudes que les siennes. En le goûtant, elle faiblit et soupira de soulagement.

Il lui caressa brièvement le cou avant de glisser ses mains sous son corsage. Il se redressa et la tira vers lui. Laure se tortilla lascivement en collant son corps contre le sien. La chaleur de ses baisers irradia dans tout son corps. Ses mamelons pointèrent de désir et sa chair frémit d'excitation. Maintenant qu'il était enfin revenu, elle ne le laisserait plus repartir.

Elle le serra contre elle et colla ses lèvres contre les siennes. Sa queue durcit contre son ventre et elle sut qu'il ne repartirait jamais. Lorsque ses mains lui parcoururent le dos, son corps lui sembla neuf, presque inconnu. Laure s'aperçut à ce moment qu'elle ne l'avait encore jamais touché! Elle avait souvent fantasmé sur lui, mais il n'était pas comme elle se l'était imaginé.

Parfois, elle n'était même plus sûre qu'il existait hors des confins de son imagination. Et, à présent, il était là avec elle! Elle lui dévora goulûment la bouche. Enfin, elle pourrait le prendre et s'abandonner comme elle ne l'avait fait depuis longtemps.

Il avait tout aussi hâte qu'elle et sa respiration trahissait son excitation. Avec une dextérité étonnante, ses mains défirent rapidement les boutons de sa robe et les cordons de son corsage, sans même tâtonner. Le bonnet de Laure disparut et sa chevelure tomba en cascade sur ses épaules. En quelques secondes, il lui retira sa robe et l'aida à se débarrasser de sa chemise.

Par contre, Laure dut désespérément tirer la chemise de François pour l'enlever. Elle faillit la déchirer. Il rit en joignant ses mains aux siennes pour retirer sa propre chemise par-dessus sa tête, puis il s'appuya contre une poutre verticale pour enlever ses bottes.

Laure avait hâte de le voir, de sentir sa peau nue contre la sienne. Elle eut plus de chance avec la culotte, dont les boutons cédèrent aisément, et qui glissa sans peine sur ses chevilles. Finalement, ils se retrouvèrent collés l'un contre l'autre.

Mais cela ne suffisait pas. Elle en voulait davantage. Le poussant contre la poutre, elle eut envie de se jeter sur lui. Son corps avait envie de découvrir le sien, de sentir son sang battre à la surface de sa peau, de se livrer à ses caresses.

Puis, il y avait ses mains. Oh, ses mains! Jusqu'à présent, c'était tout ce qu'elle avait connu de lui, en fait. Mais ce souvenir était encore brûlant dans sa mémoire. Si cet homme pouvait, d'un seul doigt, la mener à une telle extase, qu'était-il capable de déclencher d'autre en elle au moyen de tout son corps?

Il la repoussa et elle atterrit, mi-assise, mi-étendue, sur la meule de foin. Leurs vêtements étaient éparpillés autour d'eux. L'air était frais, mais Laure avait si chaud à cause de son homme qu'elle le remarqua à peine. Sous ses fesses et ses jambes, le foin était piquant et même rugueux, mais elle ne s'en souciait guère. L'important, c'était que François, son François, fût là avec elle. Et tout à elle.

Dans la lumière du petit matin, Laure distinguait à peine le contour de son corps. Elle dut plutôt le découvrir à tâtons. Elle le caressa de la tête aux pieds, laissant traîner ses mains sur ses joues, son cou, sa poitrine. Elle aimait sentir ses mamelons se contracter sous le bout de ses doigts et elle joua avec eux pendant un certain temps avant de poursuivre son exploration.

Le ventre dur de l'homme était une rivière de muscles rebondis, et les doigts de Laure dansèrent en se dirigeant vers ses hanches, avant de remonter le long de ses flancs. Elle le massa alors qu'il la fit basculer en arrière et monta sur elle en se tortillant lascivement.

Lorsqu'il s'abaissa, son membre lui frôla brièvement les jambes. Sa bouche explora son cou et ses épaules tandis qu'il lui caressait le dos. Le foin rude exacerbait les sensations sur sa peau nue, surtout parce que l'excitation la mettait en sueur. Mais Laure n'aurait pas voulu changer quoi que ce fût pour tout l'or du monde. Ce matin, elle ne faisait qu'une avec la nature, sauvage et indomptée.

Ses pieds se posèrent sur l'arrière de ses jambes à lui, et elle les fit monter et descendre. Elle sentait les muscles de ses cuisses jouer contre la plante de ses pieds : puissants et impatients. La meule de foin qui les supportait céda lentement et, bientôt, Laure se retrouva assise, son amant écartelé devant elle.

La bouche collée au cou de Laure, il descendit graduellement vers sa poitrine. Après un moment, François se retira et se redressa. Sa silhouette se découpait nettement dans la lumière matinale. Laure se retourna et grimpa la meule de foin en rampant.

Il la suivit rapidement, et s'accroupit devant elle. Laure s'assit à califourchon sur sa jambe et appuya sa chair contre sa cuisse nue, puis lui posa la tête sur ses seins. Il les suça avidement, caressant son dos et ses fesses alors qu'elle se tortillait contre lui. Son membre palpitait à l'occasion contre le devant de ses cuisses, ce qui augmentait le désir de Laure.

Peu à peu, elle sentit ses mains se frayer un chemin vers ses jambes, et elle déplaça son poids de façon à chevaucher sa cuisse. Il la titilla d'une façon experte et elle haleta lorsque son pouce localisa son clitoris et le frotta avec passion. Il glissa deux doigts dans sa caverne et retint Laure dans une poigne de fer, caressant à présent son bouton de la base de sa paume.

Elle atteignit immédiatement l'orgasme et poussa un grand cri. Le plaisir coula en elle et la transporta à l'extérieur de son propre corps. Lorsqu'elle revint à elle, il la titillait encore. Sa main avait brièvement lâché prise, mais recommença à la faire jouir. Elle haleta continuellement pendant qu'il caressait ses seins et sa vulve d'une main habile.

Dès lors, elle ne voulut plus le caresser, mais plutôt le laisser faire. Elle l'avait attendu si longtemps qu'elle voulait prendre tout le plaisir qu'elle pouvait. Maintenant.

Son membre s'avança contre sa cuisse et de nouveau elle eut faim de lui. Pendant qu'il la caressait, elle laissa traîner sa main le long de sa hanche pour s'emparer de lui. Son membre était dur, mais si doux au toucher ; comme une barre de fer enveloppée dans de la soie. Au début, elle ne le toucha que du bout des doigts, puis elle augmenta graduellement l'intensité de ses caresses jusqu'à ce qu'elle l'entende gémir.

Il relâcha sa chair, posa les mains sur ses hanches et la tira vers lui, puis s'allongea. Elle gigota sur lui, incapable de garder l'équilibre, car leurs corps s'enfonçaient dans le foin. Comme un serpent paresseux, elle remonta le long de sa poitrine en se servant de sa bouche. Elle suça ses mamelons tout aussi avidement qu'il avait sucé les siens. Il arqua le dos et la repoussa, ses bras l'invitant délicatement à se retourner.

Ses genoux à elle chevauchèrent son visage et sa chair descendit vers sa bouche à mesure qu'elle s'enlisait dans le foin. Elle saisit rapidement son membre entre ses lèvres et couvrit sa hampe de cent baisers, avant de l'engouffrer.

Les hanches tremblantes, il poussa sa queue dans sa bouche, mais elle le retint avec les mains. Sa langue vacilla furieusement sur son bouton et, de nouveau, elle s'approcha du paroxysme du plaisir. Elle ne voulut pas que ce fût maintenant, et obligea sa respiration à ralentir. Elle se concentra plutôt sur sa jouissance à lui, sur la découverte de cette nouvelle merveille et la façon de jouer avec sa sensibilité.

Tenant la queue dans sa bouche, elle la suça délicatement. Il palpita dans son étreinte et elle encercla la base de sa tige avec son pouce et son index, le retenant fermement pour le calmer.

Il gémit entre ses jambes, et son souffle léger frôla sa chair chaude. Son membre rétrécit à peine et Laure le réveilla malicieusement. Ses doigts frottèrent légèrement sa hampe sur sa longueur jusqu'à ce qu'elle redevienne dure. La prune gonfla et suinta.

Soudain, elle voulut le sentir en elle. Il plia les genoux et enfonça profondément ses talons dans le foin. Laure vit l'occasion que lui donnait sa position et décida d'en tirer le meilleur parti. Posant les mains sur ses genoux, elle se redressa et tira lentement son derrière sur la poitrine et sur le ventre de l'homme. Elle continua à bouger, frottant sa poitrine contre ses cuisses nues, jusqu'à ce que sa chair rencontre sa queue gonflée. Pendant un moment, elle le titilla en laissant le mouvement de ses hanches lui frotter la queue, appuyant fortement sur la tige durcie.

Celle-ci tressauta à quelques reprises, comme si elle cherchait à s'insérer en elle. Mais Laure évita la pénétration aussi longtemps qu'elle le put. Elle aimait sentir sa queue caresser ses replis glissants et gémit de façon lascive. Ses hanches oscillèrent sans fin sur les siennes, sa queue poussant contre son bouton. Après un moment, il lui saisit les fesses et la souleva. Il la pénétra avec une poussée lente, comme s'il la fouillait.

Laure haleta. C'était si bon de le sentir au fond de sa caverne, de laisser ses hanches la pousser lentement vers le haut et déclencher un picotement exquis à mesure qu'il entrait et sortait en glissant. Elle enfonça ses mamelons dans la peau rude de ses cuisses. Laure fut renversée par la gamme de sensations qui reliaient maintenant son propre entrejambe à ses seins, comme s'il y avait un lien, une corde tendue en elle et vibrant sous la force de son excitation.

Elle entreprit de contrer sa poussée, descendant à sa rencontre lorsqu'il poussait vers le haut, s'élevant lorsqu'il se retirait. Leur tempo synchronisé s'accéléra sans manquer un temps. Laure le sentit se ranimer en elle, battant sans fin à mesure qu'il approchait du paroxysme du plaisir.

Lui écartant les jambes, elle se pencha jusqu'à ce que sa poitrine touche le foin. Il ramena ses jambes sous lui et, sans lâcher prise, s'arrangea pour se mettre à genoux.

Ensemble, ils rampèrent jusqu'au sommet de la meule de foin, ses poussées la faisant avancer. Laure s'arrêta lorsqu'elle atteignit la poutre soutenant le toit et l'utilisa pour prendre appui en se redressant. Derrière elle, François poussait plus fort, la serrant entre sa poitrine et la poutre. Sa main glissa autour de ses hanches et caressa à peine son monticule.

Puis, tout comme il l'avait fait ce matin-là sur le bateau, il posa un seul doigt sur son bouton gonflé, et le tortura avec adresse. Ses hanches ralentirent un moment, comme s'il voulait qu'elle atteigne l'orgasme en premier. La retenant empalée sur sa tige, il lui caressa sans cesse le corps. Sa main libre s'empara de ses seins et frôla délicatement la peau chaude. Laure, haletant, faillit s'étouffer lorsque ses caresses l'amenèrent à un nouvel orgasme. Elle hurla de plaisir, sentant sa peau se contracter autour de sa tige et secouant ses hanches vers l'arrière afin d'échapper à sa main.

Mais il ne voulait pas lâcher prise. Il continuait à chatouiller son clitoris, frottant plus fort, plus durement, lui envoyant une déflagration sauvage d'orgasmes successifs et la gardant au sommet de l'excitation.

Une vague de plaisir sans fin se déchaîna à travers elle. Ses poumons brûlaient et sa gorge fut écorchée par tous ses cris de joie ; elle se sentait épuisée. Il relâcha sa vulve et ses seins, posa ses mains sur ses hanches et recommença à pousser.

Laure atteignit de nouveau l'orgasme. Puis, une autre fois encore. Le seul fait de sentir ses coups puissants suffisait à augmenter son plaisir. Seulement, à présent, il le partageait. Il bougeait à un rythme étourdissant, la retenant solidement et la repoussant d'avant en arrière à mesure qu'il lui battait les fesses.

Ses seins ondulaient à chaque coup. Respirant avec force, François lâchait de grands cris à chaque élan de son corps, puis les espaça à mesure que son rythme décroissait, alors que ses poussées prenaient plus d'intensité.

Il donna une charge ultime, la pénétra à fond et la retint contre lui. Elle sentit sa semence se déverser en elle, et l'entendit grogner puis tomber, inanimé, par-dessus elle.

Elle lâcha la poutre et ils tombèrent ensemble dans le foin, sur les flancs. De ses bras, il lui encercla la taille et la retint ainsi pendant quelques minutes. Laure ferma les yeux. Le foin céda lentement sous leur poids et ils chutèrent doucement vers le bas, mais aucun des deux ne bougea.

Étendue sur le ventre dans le foin, Laure inspira profondément. L'odeur lui rappelait son enfance, cette époque insouciante, en France.

« Quand j'étais petite, dit-elle d'une voix enrouée et fatiguée, je passais des heures dans l'étable. Je creusais des tunnels dans les meules de foin pour m'y cacher. Je tombais parfois endormie et mon père devait venir me chercher. »

François bougea derrière elle et lui embrassa le cou. « Que faisais-tu d'autre, quand tu étais petite ? demanda-t-il.

– Je me rappelle que nous passions beaucoup de temps dans les bois. Mon père connaissait un lac, au fond de la forêt, et il m'emmenait pêcher. Nous devions remonter la rivière en chaloupe et il m'apprenait à gouverner... »

François se rassit. «Alors, tu peux t'orienter dans la forêt ? »

Sa question la surprit, et elle attendit avant de répondre. «C'est déjà loin, dit-elle en le ramenant vers elle. Maintenant, ce ne serait pas la même chose. »

Elle se tourna sur le côté et lui tira le bras par-dessus elle. Il l'embrassa délicatement et laissa paresseusement sa main tracer les contours de son corps. Laure ferma les yeux de nouveau et partit à la dérive. Des images brumeuses d'arbres et de ruisseaux dansèrent derrière ses yeux clos. Elle s'assoupit un moment.

François bougea et se leva rapidement, mais Laure ne réagit pas tout de suite. Lorsqu'elle se tourna, il était presque complètement habillé. Il semblait agité, comme s'il était pressé. Le soleil s'était levé et jetait une faible lueur par la fenêtre. De temps à autre, François lançait un regard inquiet au dehors.

Laure se leva à son tour et rassembla ses vêtements. Elle devait se dépêcher ; elle ne voulait pas le faire attendre. Et elle devait partir avant que quelqu'un vienne la chercher.

François saisit son sac et vint l'embrasser. «À la prochaine », dit-il en souriant.

Laure le regarda, incrédule. «Quoi ? Tu m'emmènes avec toi, non ? »

François la regarda d'un air perplexe, puis rit doucement. «Non ! Bien sûr que non ! dit-il en se rendant jusqu'aux portes de l'étable. Qu'est-ce qui t'a fait croire ça?»

Laure courut derrière lui, à demi nue et complètement horrifiée. «Mais il le faut! hurla-t-elle. Tu dois m'emmener loin d'ici! Je veux partir avec toi.

— Je ne peux pas t'emmener avec moi, dit-il en la repoussant avec délicatesse. Je dois quitter cette ville pour un temps. Mais je reviendrai...

— Mais je ne serai plus ici! Je pars aujourd'hui!»

François s'arrêta pour la regarder. «Où t'en vas-tu?

— On m'envoie à Ville-Marie me trouver un mari. Mais je ne veux pas! Je veux partir avec toi!»

Il la regarda en silence. «Je te rencontrerai là-bas, promit-il au bout d'un moment. Je dois vraiment partir, maintenant, il est tard. Mais je te retrouverai dans quelques semaines, dès que j'y arriverai.

— Viens avec moi dans la voiture», dit Laure, soudainement enthousiaste. Elle se blottit contre lui et lui passa les bras autour du cou. «Nous pouvons faire semblant de nous rencontrer et tu peux m'épouser et m'emmener avec toi...

— Non! répondit-il en se dégageant de son emprise. Il ne faut pas qu'on me voie. Tu ne dois dire à personne que tu me connais, ni où je suis. Mais je viendrai te voir.»

Avant qu'elle eût pu dire quoi que ce fût d'autre, il se retourna et partit. Elle était seule.

CHAPITRE XV

Sœur Mélanie monta la dernière dans la voiture, à la surprise de Laure qui ne s'attendait pas à l'avoir pour chaperon. Une fois installée sur son siège, la religieuse n'accorda pas un seul regard à sa protégée. Elle garda les yeux fermés, ses lèvres bougeant dans une prière silencieuse pendant que ses mains serraient son chapelet.

Ce n'est que lorsqu'on s'arrêta pour laisser se reposer les chevaux que Laure parla à la nonne. Une fois les autres passagers descendus, les deux femmes restèrent seules. Sœur Mélanie s'apprêtait à descendre lorsque Laure l'attrapa par le bras.

« Pourquoi viens-tu avec moi ? demanda-t-elle.

– J'ai péché à cause de toi, répondit froidement la religieuse. Comme pénitence, j'entreprendrai de t'aider à trouver un mari convenable. C'est ainsi que je me rachèterai aux yeux de Dieu. »

Elle se dégagea de la poigne de Laure et descendit. Ce furent ses seules paroles de la journée. Le soir, elles s'arrêtèrent dans une auberge. Lorsque Laure entra dans la chambre et vit qu'il n'y avait qu'un lit, elle se mordit les lèvres et s'efforça d'effacer son sourire. Sœur Mélanie pouvait bien tenter de résister, Laure savait que la chair de la nonne était faible.

Elle se déshabilla et bondit dans le lit. La religieuse s'agenouilla au pied du lit et fit ses prières. Laure avait hâte qu'elle vienne la rejoindre. Elle allait la séduire dans son sommeil, comme elle l'avait fait sur le bateau.

Mais sœur Mélanie resta tout à fait immobile. Après un moment, Laure s'assoupit. Lorsqu'elle se réveilla, la nonne était encore agenouillée au pied du lit.

Quand l'aubergiste frappa à la porte pour leur dire que la voiture allait bientôt partir, la religieuse n'avait toujours pas bougé. Laure se redressa dans le lit, et c'est alors seulement qu'elle remarqua qu'il faisait jour. Mélanie avait passé toute la nuit en prière, sans jamais rejoindre Laure dans le lit.

Ville-Marie ne ressemblait en rien à Québec. C'était une colonie minuscule, entourée de fortifications, située sur une très grande île. Il n'y avait pas autant de maisons, et leur construction était plus sommaire. Mais, ici comme à Québec, les femmes étaient très peu nombreuses.

Lorsqu'elles montèrent dans une petite voiture pour atteindre leur destination finale, Laure se dit qu'il lui serait facile de trouver son chemin dans cette ville. Sa bonne humeur diminua toutefois quand elle s'aperçut que la voiture avait pris un chemin de traverse et s'éloignait de plus en plus du centre. Elle se rappela alors ce que la Mère supérieure lui avait dit : elle serait logée dans une ferme à l'extérieur de la ville. Assez loin pour décourager toute idée d'escapade nocturne.

La voiture emprunta un chemin qui traversait des champs. Laure conclut immédiatement que, s'il y avait des champs, il devait y avoir des hommes pour les cultiver. Elle déchanta rapidement en voyant un groupe de religieuses travailler elles-mêmes aux champs.

La ferme de Pointe-Saint-Charles de la Congrégation était une grande habitation en pierre. Laure y partagerait une chambre au grenier avec trois autres filles. L'une d'elles, Aline, occupait le lit voisin de celui de Laure.

« Je comprends que tu aies vraiment hâte de te trouver un mari, dit-elle à Laure tandis qu'elles se préparaient à se mettre au lit en cette première nuit. J'ai bien peur que ce ne soit plus long que tu ne l'espères. C'est la saison des récoltes et les hommes sont trop occupés pour venir nous rendre visite.

— Alors, ils ne sont pas si pressés de prendre femme ? demanda Laure.

— Oh, non ! Ils le sont. Seulement, la plupart d'entre eux travaillent assez loin d'ici, et ils n'ont tout simplement pas le temps de venir chez nous.

— Et les hommes d'ici ? »

Les autres filles se regardèrent un moment. « Ils ne cherchent pas de femmes, expliqua Aline. Ou bien ce sont des nobles et des hommes du clergé, ou bien ils sont vieux ou déjà mariés. Les seuls à passer en ville sont des trappeurs, et ils ne cherchent pas d'épouse.

— Il n'y a pas de soldats ?

— Oui, mais ils ne viennent pas ici. Ils sont occupés, tu comprends. Les Anglais ne sont pas si loin au sud, et il y a eu des problèmes avec des tribus indigènes... »

Laure cessa d'écouter. Aline venait de confirmer ce que la Mère supérieure lui avait annoncé : elle ne trouverait ici aucune distraction.

Même si les jours raccourcissaient, le temps était encore chaud. Les feuilles des arbres étaient passées du vert au jaune et au rouge, et les animaux sauvages troquaient leur sombre toison d'été contre une fourrure plus pâle et plus épaisse.

Laure vivait à la ferme de Pointe-Saint-Charles depuis presque quatre semaines. Il ne lui était rien arrivé depuis. Absolument rien. Oh, elle avait beaucoup de travail, du matin jusqu'au soir. Mais la vie était aussi plate que les planches du parquet de la salle de séjour.

À mesure que les jours passaient et que les récoltes tiraient à leur fin, les autres filles s'excitaient. Les jeunes hommes auraient bientôt du temps libre à ne savoir qu'en faire. Les prétendants allaient bientôt faire la queue.

Au départ, Laure fut intriguée. Une visite d'un homme, n'importe lequel, serait un événement agréable. Mais, dès le premier soir, elle comprit qu'il n'y avait pas de quoi s'énerver.

Après le souper, les filles se rassemblaient dans la salle de séjour et les religieuses apportaient une incroyable quantité de chandelles et de lampes à huile. Puis, une demi-douzaine d'hommes jeunes (ou pas si jeunes) arrivaient. Le groupe s'assoyait et bavardait sous les yeux attentifs des religieuses, jouant et chantant. Tout le monde s'amusait, puis les hommes repartaient. Le lendemain matin, les filles étaient subtilement interrogées par leurs chaperons qui voulaient savoir lesquels des jeunes hommes elles avaient préférés.

Aline accepta une proposition de mariage après la troisième visite d'un gars nommé Philippe. Il était plutôt court, costaud et robuste, mais il savait la faire rire et possédait la plus grande ferme à des lieues à la ronde.

Après deux semaines de ces rencontres, Laure avait elle-même reçu pas moins de cinq propositions. Elle les avait toutes refusées, même celle d'un dénommé François. Elle attendait son François à elle.

Deux jours avant le départ d'Aline, trois autres filles arrivèrent. Pour Laure, ce fut une bénédiction. Ses compagnes étaient maintenant fiancées et allaient partir dans quelques jours. Et elle ne voulait pas dormir seule dans la grande chambre.

Leur arrivée souleva l'intérêt des jeunes hommes. En effet, ils avaient tous fait des propositions à Laure – et essuyé des refus. Aucun d'eux n'avait osé insister. Par moments, elle ne voulait même pas descendre et les rencontrer. La vie était devenue plus ennuyeuse qu'elle ne l'avait imaginé. Jusqu'à ce matin où, pour la première fois, elle crut que l'attente touchait à sa fin.

Le seau d'eau s'était coincé dans le puits et elle ne pouvait l'en tirer. Elle jura et hurla, tira la poignée de toutes ses forces et tenta de secouer la chaîne, mais en vain.

Toutes les autres étaient occupées aux champs. Il restait sœur Mignonne, mais son corps frêle et âgé ne pourrait jamais accomplir ce dont Laure était elle-même incapable.

Elle serra la chaîne et ses jointures virèrent au blanc lorsqu'elle tenta de la tirer une dernière fois. Renversant la tête, elle poussa un grand cri, ainsi que plusieurs mots qui allaient assurément l'envoyer tout droit en enfer, et tira de toutes ses forces.

Elle appuya son pied sur la paroi extérieure du puits. Cela manquait nettement de féminité, mais c'était le moindre de ses soucis. Un instant plus tard, elle s'aperçut que c'était une mauvaise idée lorsque ses doigts perdirent soudain leur prise sur la chaîne glissante et qu'elle tomba à la renverse.

Elle jura de nouveau en prenant son envol, prête à tomber sur le derrière. Mais au lieu de la surface dure et rocheuse, elle atterrit sur quelque chose de beaucoup plus confortable : un homme.

D'abord, elle ne vit que ses jambes qui dépassaient entre les siennes. Surprise, elle tourna lentement la tête et vit qu'elle était assise sur les cuisses d'un inconnu, maintenant étendu à plat sur le sol, les yeux grands ouverts et fixant le ciel.

Il se redressa lentement, frotta l'arrière de sa tête de la paume de sa main, et grimaça de douleur. C'est alors seulement qu'il remarqua la jeune femme assise par-dessus lui.

Laure bondit sur ses pieds, l'aida à se relever et s'excusa abondamment. « Le seau… Le seau était coincé, bégaya-t-elle en époussetant ses vêtements.

– Je sais, dit l'inconnu. Je vous ai vue de loin. Et je vous ai certainement entendue ! J'allais vous demander si vous aviez besoin d'aide. »

Laure était sur le point de lui répondre lorsqu'elle leva les yeux et vit son sourire. Soudain, sa vue la confondit. Il était juste un peu plus grand qu'elle, et c'était de loin l'homme le plus attirant qu'elle avait vu depuis son arrivée à la ferme. Ses cheveux cuivrés étaient soigneusement noués à l'arrière. Sa barbe était frisée, un peu plus pâle, mais d'allure tout aussi douce. Ses dents fort brillantes étaient blanches comme du lait. Elle laissa errer son regard et, sous prétexte de l'épousseter, palpa furtivement son corps à travers ses vêtements.

La chaleur de sa peau transperçait le coton de sa chemise. Laure sentit ses muscles forts et jeunes, ses épaules grandes et carrées, sa taille incroyablement fine. Sa chemise ouverte révélait la peau bronzée de son cou et du haut de son thorax. Laure se rapprocha, fascinée. Ses lèvres étaient inexorablement attirées vers cette peau; elle avait envie de l'embrasser, puis de laisser sa langue frôler délicatement les lobes de ses oreilles.

Ses yeux rencontrèrent les siens et Laure vit qu'il l'avait regardée avec tout autant d'intérêt. Elle chercha désespérément quelque chose à dire. Ce qu'elle voulait vraiment, c'était glisser ses bras autour de son cou et presser son corps contre le sien. Ses mamelons se retroussèrent sous sa robe et il les balaya du regard en rougissant légèrement.

Il ouvrit la bouche et était sur le point de parler lorsque sœur Mignonne sortit de la maison en trottant aussi vite que ses vieilles jambes le lui permettait. Lorsqu'il l'aperçut, son visage s'alluma et il courut la saluer.

«Jérôme! dit la nonne, rayonnante. Nous ne t'avons pas vu depuis longtemps! Quel plaisir de te revoir!»

Laure demeura près du puits, soudain jalouse. De quel droit sœur Mignonne venait-elle les interrompre ainsi? À présent, Jérôme l'avait complètement oubliée, et cela ne lui plaisait pas du tout.

Jérôme prit la religieuse par la taille, la retint avec force et la souleva du sol comme une enfant. Ses mains grandes et puissantes saisissaient ce vieux corps avec délicatesse. De sa position, Laure poursuivit discrètement son examen. Son ample culotte ne révélait rien de son contenu. Tant pis. Elle voulait sentir les mains de cette homme sur elle, non pas être touchée avec facétie comme la nonne, mais caressée lentement et intensément.

Elle n'entendait pas ce que les deux se racontaient, mais cela semblait plutôt drôle, d'après leurs rires et leurs grands sourires. Après un moment, il dit au revoir à sœur Mignonne, se retourna pour partir, puis remarqua Laure qui attendait encore à côté du puits. Il alla la rejoindre et se pencha sur le rebord pour regarder à l'intérieur.

«Il y a une énorme racine qui perce la paroi, affirmat-il. C'est là que le seau est pris.» Sa voix résonnait à l'intérieur du puits, ce que Laure trouva fort charmant. «Vous devriez la faire enlever, autrement, vous ne pourrez jamais puiser d'eau.»

À quelques reprises, il tira avec force sur la chaîne et le seau fut libéré. Il porta le seau d'eau jusqu'à la maison. Laure le suivit en silence.

«Merci», dit-elle d'une voix faible lorsqu'il déposa le seau à ses pieds. Elle chercha désespérément quelque chose de drôle à dire, sans succès. Il toucha son chapeau et s'en alla. En marchant, il ne se retourna pas une seule fois pour regarder Laure, dont les yeux demeuraient fixés sur ses fesses.

«Est-il déjà parti?» dit sœur Mignonne en sortant de la maison, hors d'haleine, brandissant un grand sac de toile. «Je voulais lui donner de la nourriture…»

Elle suivit le regard de Laure à temps pour voir Jérôme disparaître au bout de la route. Elle serra le sac sur sa poitrine plate. «Un jeune homme si gentil», dit-elle d'une voix douce.

«Qui est-ce? demanda Laure.

— Il est de la paroisse de Sainte-Agnès, répondit la religieuse. Son père possède une ferme là-bas. Nous ne le voyons pas assez souvent. L'hiver dernier, il est parti aux camps de bûcherons, comme bien des hommes par ici. Il y a si peu de travail pour eux après les récoltes. Jérôme travaille très fort, tu sais. Maintenant qu'il est de retour, il voulait savoir s'il pouvait nous rendre visite pour rencontrer nos filles. Qui sait, peut-être que cette année il en trouvera une qui lui plaira... »

Laure avait espéré faire cesser les conversations en apparaissant dans la salle de séjour. Elle avait pris son temps avant de descendre. Si Jérôme était là, il allait sans doute la chercher, et elle voulait le faire attendre un peu. Ainsi, il penserait qu'elle ne descendrait pas et son arrivée serait une jolie surprise.

Mais ce fut elle qui eut la surprise, lorsqu'elle entra dans la pièce, en voyant qu'il était le seul à parler. Tous les autres l'écoutaient, ébahis, raconter ses aventures dans un camp de bûcherons.

Laure traîna une chaise à travers la pièce, en essayant de faire le plus de bruit possible. Mais Jérôme ne la remarqua pas. Pour seule réaction, elle reçut un regard de reproche des jeunes gens qui ne voulaient rien manquer de son fascinant récit.

Pour empirer les choses, la seule source de lumière était une lampe à huile placée à côté de Jérôme. Il ne pouvait même pas voir Laure, à moins qu'elle ne traverse l'auditoire pour se rapprocher de lui.

« L'eau était glaciale, poursuivit-il. Au printemps, la rivière charrie aussi de grandes glaces qui peuvent tuer un homme d'un seul coup... »

Les filles assises à ses pieds s'agglutinèrent comme si elles sentaient vraiment le froid. Un homme était tombé dans la rivière alors que le bois était emporté par le courant. Jérôme devait sauter d'une bille à une autre pour l'atteindre, naviguant à contre-courant au risque de sa propre vie.

Sœur Mélanie serrait son chapelet, tremblant de frayeur comme si elle voyait la scène décrite par Jérôme. Même sœur Mignonne, qui s'endormait habituellement dans sa chaise à bascule, écoutait attentivement, la bouche ouverte et les yeux quasi exorbités.

Naturellement, l'histoire eut une fin heureuse. Jérôme avait sauvé la vie de son compagnon et avouait avec modestie n'avoir pas vraiment réalisé les risques qu'il prenait. Ce ne fut qu'à la fin de la soirée, lorsque tout le monde fut sur le point de partir, qu'il remarqua la présence de Laure.

«Bonsoir, dit-il avec une révérence courtoise. J'ai coupé la racine du puits tout à l'heure. Elle ne devrait plus vous gêner.

— Merci», dit Laure. Tous les mots qu'elle avait si soigneusement répétés, les réparties spirituelles, les commentaires habiles, avaient disparu de son esprit et, une fois de plus, elle ne trouva rien à dire.

Il lui adressa un regard perplexe et se tourna pour souhaiter bonne nuit à tous les autres. Laure, croyant qu'il avait pris son silence pour un manque d'intérêt, maugréa en silence contre elle-même. Les autres filles se dirigèrent vers la porte et parurent véritablement désolées de son départ. Il promit de revenir et s'en alla, escorté par les autres jeunes hommes, qui savaient peut-être déjà qu'ils n'avaient aucune chance contre un concurrent aussi beau et intéressant.

« Tu es impossible, Laure, dit sœur Mélanie. De tous les jeunes hommes que je t'ai présentés, pas un seul n'était de ton goût. Ils sont sur le point de partir pour les camps de bûcherons. Si tu n'acceptes pas de te marier maintenant, tu devras attendre au printemps, peut-être même plus tard... »

Laure ne répondit pas et continua à baratter le beurre. Sœur Mélanie avait raison, bien entendu. Jusqu'ici, elle avait reçu presque une douzaine de propositions. Les autres filles étaient parties ou sur le point de le faire. Laure allait demeurer seule. Mais comment pouvait-elle dire à la religieuse qu'elle espérait que François vienne la voir ? Comment pouvait-elle avouer que c'était pour cela qu'elle était restée seule depuis deux mois et qu'elle avait rapidement abandonné la partie à propos de Jérôme ?

Pire encore, comment pouvait-elle avouer que ses espoirs s'étaient évanouis et qu'elle se sentait idiote de l'avoir cru ? Elle avait été bête d'attendre. Elle aurait dû faire un effort pour séduire Jérôme. C'était le seul dont elle pouvait se contenter. Mais Jérôme lui avait accordé très peu d'attention, prenant probablement son silence pour un manque d'intérêt. Et maintenant, il allait épouser Agathe.

Agathe était la dernière fille à rester, à part Laure. Elle n'était pas particulièrement jolie, mais elle était disponible. Les religieuses murmuraient entre elles que si Jérôme l'avait demandée en mariage, c'était surtout parce qu'il voulait avoir sa propre ferme. Benjamin de plusieurs frères, il allait se retrouver sans aucun bien à la mort de son père. En se mariant, il recevrait une terre du gouvernement.

D'après ce qu'avait vu Laure, cependant, Jérôme avait été plutôt difficile. Elle le soupçonnait de n'avoir pas demandé de fille en mariage plus tôt parce qu'il attendait la perle rare. Mais maintenant, il ne restait plus qu'Agathe et Laure.

Laure maugréa contre elle-même. Si seulement elle n'avait pas été si hautaine, si elle s'était montrée plus intéressée, sans crainte du rejet, c'est elle, et non Agathe, qu'il aurait demandée en mariage. Car il était clair, pour Laure, que la proposition de Jérôme était, à ce stade, motivée par le désespoir.

«Sois franche avec moi, Laure, poursuivit sœur Mélanie. N'y avait-il pas au moins un jeune homme que tu aurais aimé? J'aurais tout fait pour que tu te maries, tu sais. »

Laure ne répondit pas. Naturellement, la réponse était claire dans son esprit: Jérôme était le seul dont elle se serait contentée. Mais il était fiancé. À moins que…

Elle regarda la religieuse pendant qu'une idée diabolique se formait dans son esprit. Elle savait que c'était cruel, mais cela valait bien la peine.

«En fait, dit-elle d'une voix cassée, mon cœur a été séduit et horriblement brisé. » Elle éclata en fausses larmes et enfouit son visage dans son tablier. Sœur Mélanie se rapprocha d'elle et lui prit les épaules.

«Qu'est-ce qu'il y a? Dis-moi tout.

– Dieu me vienne en aide! dit Laure dans un grand sanglot. J'aime Jérôme de tout mon cœur, mais il en a choisi une autre… »

Sœur Mélanie s'assit sur le long banc et l'étreignit bien fort. «Ma pauvre enfant, dit-elle tendrement. Je n'en avais pas la moindre idée. Si j'avais su, j'aurais peut-être pu faire quelque chose, mais j'ai bien peur qu'il ne soit trop tard.

— Je sais, dit Laure. Je n'aurais jamais dû venir ici. Maintenant, je ne me marierai jamais. Je ferais mieux de retourner à Québec et de quitter le couvent pour de bon. Je crois que cela paierait le prix de tous mes péchés. Mon âme est condamnée.»

En prononçant ces paroles, elle sentit trembler la religieuse. Elle n'avait pas oublié que Mélanie s'était donné comme pénitence de lui trouver un mari. Le lui rappeler ne pouvait faire de tort.

«Et toi, ma chère sœur Mélanie. Tu as fait le vœu de me trouver un mari. Mais qu'est-ce que tu feras si le seul homme que j'aime en aime une autre?»

Sœur Mélanie déglutit et Laure sut qu'elle avait atteint son but. «En fait, dit la religieuse, mes compagnes et moi avons des raisons de croire que Jérôme a demandé Agathe en mariage parce qu'il croyait que tu ne voulais pas de lui.»

Laure se libéra de l'étreinte de la religieuse et lui accorda un regard plein d'espoir. «Vraiment? dit-elle d'une voix tremblante. Alors, tout n'est pas perdu pour moi. Peut-être que si tu lui parlais, si tu sondais ses intentions véritables…»

Sœur Mélanie se raidit et pâlit. «Je ne sais pas, dit-elle avec précaution. Cela voudrait peut-être dire rompre ses fiançailles avec Agathe…

— Mais elle ne l'aime pas! mentit Laure. Elle m'a avoué qu'elle avait accepté de l'épouser parce qu'elle ne voulait pas passer l'hiver ici!»

Sœur Mélanie hésita un moment. « Il faut que tu le fasses ! insista Laure. Tu m'as juré de me trouver un mari ! Tu dois respecter ta promesse.

– Je vais voir ce que je peux faire, répondit la religieuse en se levant. Je crois que Jérôme viendra cet après-midi. Sœur Mignonne lui a demandé de réparer quelque chose dans la grange. Je lui en dirai un mot. »

Les gémissements d'Agathe résonnèrent toute la nuit, et personne ne put rien dire ni faire pour la réconforter. Naturellement, on avait donné une autre chambre à Laure, afin d'éviter tout affrontement.

La réaction de la pauvre fille avait pris tout le monde par surprise, sauf Laure. En vérité, Agathe avait accepté la proposition de Jérôme parce qu'il était le seul à ce jour à lui avoir demandé sa main. Avant lui, elle désespérait de jamais pouvoir se marier. Et maintenant qu'il avait rompu leurs fiançailles, ses derniers espoirs s'étaient évanouis.

Cependant, Jérôme, en vrai gentilhomme, annonça lui-même à sa fiancée qu'il avait changé d'idée et qu'il voulait maintenant épouser Laure. Il n'admit jamais que sa décision avait été influencée par sœur Mélanie, et ne révéla à personne ce qu'elle lui avait raconté. Mais cela revenait au même : il avait fait une proposition à Laure et elle l'avait acceptée.

Et maintenant, elle attendait patiemment, près de la porte, qu'il vienne la chercher. Elle devait retrouver sa famille pour assister à la messe. Elle ne ressentit aucun remords lorsque Mélanie souligna que c'était Agathe qui était censée rencontrer ses parents, ce jour-là. Dans l'esprit de Laure, si Agathe avait mérité cet homme, elle aurait trouvé le moyen de l'empêcher de rompre les fiançailles.

Et aujourd'hui, Laure allait s'assurer qu'il ne lui ferait jamais cela.

Comme d'habitude, la messe fut d'un ennui mortel. Encore plus ennuyeux fut le repas qui suivit. La famille Thibodeau au complet habitait la même grande maison. Jérôme avait quatre frères déjà mariés qui avaient, au total, une douzaine d'enfants. Dès qu'elle entra dans la maison, on demanda à Laure d'aider à servir le repas, de nourrir les bébés, de s'assurer que les hommes avaient toujours suffisamment à manger, puis de laver la vaisselle.

Avant même la fin du repas, elle était déjà épuisée. Le frère aîné, Fernand, s'empressa de souligner qu'elle devrait s'endurcir, une fois mariée.

« Regarde ma femme, dit-il fièrement. Elle est debout avant l'aube, elle s'occupe de nos cinq enfants, elle m'aide aux champs et c'est la dernière à se mettre au lit. Mais elle n'est jamais fatiguée. »

Laure jeta un coup d'œil en direction de Lorraine. La pauvre femme avait sous les yeux de grandes taches bleues qui lui donnaient dix ans de plus. Elle portait sans cesse son plus jeune fils partout où elle allait, même si elle était de toute évidence à la veille de donner naissance à un autre enfant.

Les autres épouses n'avaient pas meilleure mine. Elles n'osaient jamais se plaindre d'être fatiguées, mais Laure voyait bien qu'elles l'étaient.

« Assez parlé! dit maman Thibodeau en donnant une tape affectueuse sur la nuque de son fils. Tu vas faire peur à cette pauvre fille. » Elle se tourna vers Laure et la poussa vers la porte. «Va chercher Jérôme, conseilla-t-elle. Il sera bientôt temps de revenir. »

Laure fut plus qu'heureuse de sortir. Dès qu'elle mit le pied dehors, elle respira profondément. Elle doutait sérieusement, à présent, d'échanger un jour sa vie à la ferme de Pointe-Saint-Charles contre celle-ci.

Là où elle vivait, il y avait toujours du travail à faire. Mais, au moins, les religieuses se partageaient les tâches à égalité et on n'avait à s'occuper de personne. Elle n'avait pas d'enfants à nourrir, à nettoyer ni à habiller. Et aucun mari pour lui donner des ordres. Par contre, elle n'en avait aucun pour partager son lit.

Elle vit Jérôme sortir de la grange et se diriger vers elle. Il avait un corps vigoureux et, à sa démarche, elle supposait qu'il se défendait bien au lit. Mais c'était un pari. Elle devrait s'habituer à n'avoir qu'un seul homme, du moins pour l'instant.

Il sourit, se pencha vers elle et lui fit un bisou sur la joue. Jérôme était affectueux, mais cela serait-il suffisant ?

«Je crois que nous devrions nous en retourner, fit-il. J'ai promis à sœur Mélanie de te ramener à temps pour le repas du soir. »

En montant dans la calèche, Laure réalisa qu'il était surprenant, de la part des religieuses, de laisser Jérôme l'emmener sans chaperon. Ou bien elles lui faisaient entièrement confiance, ou bien elles voulaient leur donner le temps de mieux se connaître. Elles pensaient peut-être qu'elles pouvaient faire confiance à Jérôme, mais à Laure…

Dès qu'ils se furent éloignés de la ferme, elle se blottit contre lui. Jérôme ne sembla pas résister, mais il ne fit aucun effort pour retourner son geste affectueux. Elle pencha la tête sur son épaule et glissa son bras sous le sien. Une fois de plus, son fiancé ne montra aucune réaction.

Plus que jamais, elle était déterminée à ne pas se marier sans d'abord s'assurer que Jérôme serait un bon amant. Elle n'allait pas se contenter d'un homme qui ne la satisferait pas. Mais par quel stratagème pouvait-elle l'inciter à révéler sa nature amoureuse?

Lorsque la route contourna un petit lac, Laure poussa une exclamation. « Est-ce qu'on ne pourrait pas faire une halte? » geignit-elle. Jérôme ne répondit pas, et se contenta de tirer les rênes pour arrêter les chevaux.

Laure sortit d'un bond et lui fit signe de descendre aussi. Sans l'attendre, elle commença à faire le tour du lac. Elle le regardait du coin de l'œil, espérant l'occasion de se rapprocher de nouveau. Au lieu de la suivre, Jérôme s'assit au bord de l'eau et la regarda en silence, cueillant des fleurs.

De temps à autre, elle s'arrêtait et l'épiait à travers les roseaux, comme si elle jouait un jeu idiot. En réalité, elle voulait qu'il vienne la chercher, mais, à présent, il se contentait de la regarder et de lui sourire.

Elle fit une ou deux fois le tour du lac, puis revint vers lui. Au dernier moment, elle fit semblant de glisser dans la boue et atterrit juste à côté de lui. Il lui tendit les bras pour l'attraper et elle glissa immédiatement ses bras autour de sa taille.

«Je suis vraiment désolée, murmura-t-elle en nichant sa tête sur sa poitrine. Je suis parfois maladroite. Et tu es toujours là pour me rattraper…»

En le regardant, elle caressa doucement sa joue du bout des doigts. Il rougit et lui retourna son sourire. Ils passèrent un moment en silence. Elle se colla contre lui.

«Embrasse-moi», dit-elle d'une voix rauque.

Son sourire s'effaça et il hésita avant de délicatement effleurer sa bouche avec la sienne. Une seconde plus tard, il voulut se retirer. Laure le saisit par le cou pour l'en empêcher. Il n'essaya pas de se dégager, ni de l'embrasser non plus.

Laure prit la situation en main. Elle lui mordilla doucement les lèvres un moment, puis plongea sa langue dans sa bouche. Jérôme était docile, et il retourna bientôt ses baisers. Mais sa réaction était trop polie à son goût.

Resserrant son étreinte, elle gigota et frotta son corps contre le sien. Il resserra sa propre étreinte et elle l'entendit respirer plus fort. Quelques secondes plus tard, elle sentit son membre grossir contre ses côtes et tressauter à quelques reprises, ce qui la ravit. Mais Jérôme la repoussa soudainement.

«Nous devrions partir», dit-il en essayant de se libérer de son étreinte. Laure s'accrocha davantage.

«Pourquoi? demanda-t-elle du même ton enfantin. Il est encore très tôt.»

Il cessa de se débattre et soutint son regard. Elle traîna sa main sur sa poitrine et effleura son entrejambe. Il rougit davantage et trembla violemment.

«Nous ne devrions pas rester ici», poursuivit-il. Mais le ton de sa voix trahissait son manque de conviction.

Sentant qu'elle gagnait, Laure défit lentement les boutons du devant de sa robe, puis tira sur les cordons de son corsage. Il la regarda en silence, fasciné, lorsqu'elle révéla la peau pâle de ses seins.

Lorsqu'elle le sentit se durcir encore davantage, elle se leva lentement. Elle marcha autour de lui, ses jambes lui frôlant le dos et les épaules, tout en continuant à se déshabiller. Jérôme ne la quittait jamais des yeux, mais était incapable de bouger.

Sa robe tomba sur le sol. Puis ses jupons. Elle fut bientôt debout devant lui, vêtue d'une simple chemise, qui flottait autour d'elle dans la douce brise. Elle l'éleva, un pouce à la fois, puis, de son genou dénudé, lui frôla la bouche.

Jérôme s'empara timidement de son mollet et le caressa délicatement de ses doigts tremblants. Sa barbe piquait et ses lèvres étaient brûlantes. Elle se retira aussitôt, posant son pied entre ses jambes écartées. Elle continua de soulever sa chemise, exposant graduellement ses cuisses.

Il sanglota et ferma les yeux alors qu'elle finissait de se déshabiller. Laure ne pouvait croire à quel point il était timide. Elle se trouvait à quelques pouces de lui, presque nue, et il ne pouvait même pas supporter de la regarder ! Et pourtant, la bosse de sa culotte révélait qu'il n'était pas insensible à ses charmes.

La chemise fut négligemment jetée par-dessus des buissons sauvages, à quelques pas seulement. Laure enleva son bonnet, tira sur les épingles qui retenaient ses cheveux, et les laissa tomber sur les genoux de Jérôme.

Rejetant la tête en arrière, elle se caressa rapidement le cou, la poitrine, le ventre et les cuisses, gémissant de satisfaction. Réchauffée par le soleil, elle se sentait de nouveau vivante, en union avec la nature ; elle se sentait vraie.

Son sang battait sous sa peau. Le toucher de ses propres mains déclenchait des frissons délicieux. C'était ainsi qu'elle envisageait toute sa vie. Tout ce qu'elle voulait, c'était un homme qui pouvait la faire se sentir aussi bien.

Baissant la tête, elle vit que le regard absent de Jérôme était fixé sur quelque chose de l'autre côté du lac. Son visage était devenu cramoisi et une grande veine palpitait à sa tempe. Lui prenant le visage, Laure l'obligea à la regarder. Il détourna les yeux et fixa plutôt le ciel.

C'était l'homme le plus décevant qu'elle eût jamais rencontré. Elle était là, dans sa glorieuse nudité, offerte à sa contemplation, mais il ne la regardait même pas. Pas de problème, se dit-elle. Elle l'aurait. Dût-elle user de la force.

Elle s'assit, posa son cul nu dans la poussière et s'appuya sur sa poitrine. Elle dut lui arracher les mains des genoux pour les poser sur son propre corps. Ses doigts froids tremblaient sur son ventre, et elle ne put s'empêcher de sourire.

Jérôme ne sait pas quoi faire, pensa-t-elle. De toute évidence, il n'a jamais été avec une femme ! Caressant son visage, elle reprit ses baisers. Le désir bouillonnait en elle. Elle n'avait pas touché un homme depuis des mois. Sa passion s'éveillait furieusement et elle savait qu'il n'y avait qu'une façon de l'assouvir.

« Prends-moi, murmura-t-elle entre deux baisers. J'ai envie de toi. »

Les mains de Jérôme se serrèrent autour de ses épaules et la repoussèrent.

« Je ne peux pas, dit-il d'une voix tremblante. Nous ne sommes pas mariés.

— Qu'est-ce que ça change ? poursuivit-elle. Nous le serons bientôt.

— Oui, mais maintenant, ce serait un péché.

— Personne ne le saurait.

— Quand bien même. Nous devons attendre.

— Et que feras-tu lorsque nous serons mariés ? »

Il hésita avant de répondre. En se tortillant, Laure se dégagea de sa poigne et colla son corps nu contre le sien. Elle sentit ses mamelons durcir et faire saillie sous sa chemise. Elle laissa errer ses mains, palpant sa poitrine et ses flancs avant de lentement se diriger vers les boutons de sa culotte.

« Touche-moi, geignit-elle doucement. J'ai besoin de sentir tes mains sur moi. »

Elle lui prit les mains et les posa directement sur ses seins. Elle l'obligea à la caresser, dirigeant le bout de ses doigts sur ses mamelons pour les tirer délicatement.

Jérôme avait chaud et transpirait abondamment. Contre sa hanche, Laure sentait son membre dur comme de la pierre et prêt pour elle. Elle défit rapidement les boutons de sa culotte. Son phallus surgit. Elle le sentit tressauter, mais n'eut pas le temps de le toucher. En une fraction de seconde, Jérôme l'avait plaquée au sol.

Il fut tout de suite en elle. Laure n'eut même pas le temps de réagir. Il la pénétra de force et commença immédiatement à pousser. Elle hurla de délice parce que la taille du membre l'étirait, et elle voulait que cela dure.

Il glissa à quelques reprises, puis donna trois ou quatre puissantes poussées. Elle l'entendit haleter en jouissant. Avant qu'elle ait pu dire ou faire quoi que ce soit, tout était fini.

Jérôme roula rapidement sur le côté, boutonna sa culotte et bondit sur ses pieds.

«Je vais t'attendre dans la calèche», dit-il d'une voix tremblante.

Laure roula sur le sol et éclata de rire. Comme c'était ridicule! Comme c'était absolument, désespérément et tristement ridicule! Elle resta étendue sur le ventre, sur la terre chaude et odorante. Les brins d'herbe la chatouillaient et la réchauffaient, et elle se sentait au comble de l'allégresse.

Elle était contente d'avoir décidé de vérifier ce point. À présent, elle savait que si elle l'épousait, elle aurait à tout lui enseigner. Ses grosses mains devraient apprendre à caresser son corps voluptueux, sa barbe à titiller chaque pouce de sa peau palpitante.

Ce serait laborieux, mais amusant. Elle pouvait le former, lui montrer l'obéissance, le mener par le bout du nez. Elle pouvait le provoquer, le mettre à l'épreuve comme elle-même l'avait été lorsqu'elle vivait au château. Il serait à sa merci.

Mais ce serait long. Le jeu en valait-il la chandelle? Et elle se demanda pourquoi il ne savait aucunement comment faire jouir une femme. Comme il habitait sur une ferme, il connaissait la simple copulation. Mais quoi d'autre? Aucun de ses frères ne lui avait-il donc rien dit?

Ou peut-être n'était-il pas si innocent, soupçonna Laure. Une vague idée se forma dans son esprit et elle se redressa, en proie à une sorte de peur. Tentant de relier les idées qui lui venaient à l'esprit, elle craignit d'avoir découvert la clé du comportement de Jérôme.

Si Jérôme avait appris en regardant s'accoupler des animaux, et qu'il se disait que c'était ça la vie conjugale, il ne saurait lui donner aucun plaisir. Avec lui, ce serait toujours une histoire de quelques secondes, de simple copulation.

D'ailleurs, que pouvait-il avoir appris de ses frères? Absolument rien, sans doute. Laure ne pouvait chasser de son esprit la triste image des épouses Thibodeau. Des femmes déprimées et malheureuses, tout juste utilisées pour l'entretien de la maison et l'enfantement. Si elles ne souriaient pas, c'était seulement à cause de la maladresse de leurs maris.

Laure se leva, balaya la poussière sur sa peau et s'habilla rapidement. Elle devait parler à Jérôme, découvrir ce qu'il connaissait des femmes.

En remontant dans la voiture, elle garda sa distance. Elle allait jouer la froideur, se faire désirer, et le rejeter aussi longtemps qu'elle le pouvait. Puis, elle l'aurait selon ses conditions. La formation venait de commencer.

« As-tu déjà été avec une femme ? » lui demanda-t-elle de but en blanc.

Jérôme rougit de nouveau.

« Réponds-moi !

— Oui, dit-il péniblement. Je l'ai été.

— Quand ? Où ?

— Durant l'hiver. Dans les camps de bûcherons. Des fois, on recevait la visite de dames qui venaient juste pour ça.

– Qu'est-ce qu'elles te montraient ? »

Jérôme la regarda d'un air perplexe. « Me montraient ? » demanda-t-il avec précaution.

« Oui ! Elles ne te disaient pas ce qu'elles voulaient que tu fasses ? Elles ne te disaient pas comment faire jouir une femme ?

– Les femmes ne sont pas censées avoir de plaisir, dit-il d'un ton grave. C'est un péché. Ces femmes-là étaient des putains. »

Laure posa sa main sur sa jambe et la retira immédiatement lorsqu'elle le sentit frissonner. « C'est comme ça que tu me vois ? demanda-t-elle doucement.

– Non ! protesta-t-il. Tu es ma fiancée ! Tu vas porter mes enfants !

– Et quand nous serons mariés, ce sera toujours comme maintenant ? »

Jérôme respira profondément. « Oui, dit-il d'une voix forte. C'est comme ça. Tout le reste est péché. »

Laure ne répondit pas. Elle en avait assez entendu ; assez pour savoir qu'il lui faudrait beaucoup de temps pour faire de lui un amant convenable. À présent, elle n'était pas si sûre qu'il en valût la peine. Car il y aurait un prix à payer pour elle aussi : des enfants à élever, des repas à préparer, une maison à nettoyer.

Ils n'échangèrent plus un seul mot jusqu'à la ferme. Jérôme était plus détendu à leur arrivée. En fait, il semblait plutôt coquin. Mais il n'avait pas de quoi se pavaner. À présent, Laure le méprisait.

Son au revoir fut tout aussi sec que ses caresses. Laure ne reçut qu'un léger bécot sur la joue. Puis, il remonta dans la calèche, fouetta énergiquement le cheval et disparut dans un nuage de poussière.

Laure était perplexe. Quel genre de vie auraient-ils ensemble lorsqu'ils deviendraient des époux ? Mais rester ici, cela voulait dire se passer d'homme, sans doute au moins jusqu'à l'année suivante. Elle pouvait encore changer d'idée. Ou l'épouser et se trouver un amant si son mari ne la satisfaisait pas. Cette pensée la fit sourire.

Elle saisit un seau et marcha jusqu'au puits. Elle se rappela le matin, il n'y avait pas si longtemps, où elle avait rencontré son futur époux. En effet, il lui avait fait bonne impression. Bien sûr, pour Jérôme, c'était facile, aussi longtemps qu'il gardait sa culotte !

En hissant le seau hors du puits, elle entendit soudain quelqu'un murmurer son nom. Tout d'abord, elle se demanda si son imagination ne lui jouait pas des tours, mais elle posa le seau sur le sol et écouta attentivement.

« Par ici ! Dans la grange ! » C'était une voix qu'elle connaissait, mais qu'elle ne parvenait pas tout à fait à identifier.

La porte de la grange était entrouverte. Derrière, elle distinguait tout juste une silhouette, un homme qui lui faisait des signes. Elle regarda autour d'elle et, comme elle ne voyait personne d'autre, se rendit à la grange.

Pendant qu'elle s'approchait, l'homme sortit sa tête au dehors et Laure finit par le reconnaître.

« François ! » Elle se jeta sur lui et hurla de délice. Il lui passa un bras autour de la taille et lui posa la main sur la bouche.

« Chut ! Personne ne doit savoir que je suis ici !

– Tu es venu ! Tu es venu me voir !

« — Je ne peux pas rester très longtemps », dit-il avant de l'embrasser.

Elle se perdit dans son étreinte, sentant déjà la chaleur de son corps à travers ses vêtements. Elle le désirait tant! Le fait d'être avec lui, ne serait-ce qu'un moment, compenserait tout ce qu'elle avait supporté depuis son arrivée ici. Elle se frotta contre lui, grognant tout en le caressant à travers sa culotte.

Il rit doucement et la repoussa. « Ne sois pas si impatiente! Je t'ai dit que je ne pouvais pas rester!

— Seulement quelques minutes! gémit-elle en jetant ses bras à son cou. J'ai tellement besoin de toi!

— C'est toujours bon à entendre, dit-il en se dégageant de son étreinte. Mais je dois vraiment partir.

— Prends-moi avec toi! dit Laure en insistant. Je ne peux plus vivre ici! »

Il la prit par le cou et porta sa bouche à ses lèvres. « Je dois partir loin, très loin, dit-il alors que ses yeux se fondaient dans les siens. Veux-tu vraiment venir avec moi?

— J'irais n'importe où! Loin d'ici! Pourvu que ce soit avec toi!

— Je sais, je sais. Mais ce sera un voyage long et ardu, et nous serons loin des villes et des villages. Es-tu certaine de vouloir venir?

— Oui! Je suis prête à tout, pourvu que je sois avec toi!

— Alors, viens me trouver ici quand tout le monde se sera couché. On partira dans le bois: apporte des vêtements chauds et de bonnes chaussures, et rien d'autre. »

Il posa son doigt sur sa bouche, ouvrit la porte de la grange et jeta un coup d'œil à l'extérieur. « Tu n'en parles à personne, murmura-t-il en saisissant son sac. Tu ne laisses même pas de note. Si quelqu'un nous trouve, tu vas me perdre à jamais!»

Il sortit furtivement, en silence, regarda autour de lui une dernière fois, et disparut sans un bruit.

CHAPITRE XVI

Laure était trop ravie pour demander à François où il l'emmenait. Elle ne voulait même pas savoir ce qu'il y avait dans son grand sac, ni pourquoi il voyageait avec trois fusils.

Ils marchaient à présent depuis plusieurs heures, et elle était fatiguée. Mais elle ne voulait pas se plaindre. Il avait dit qu'ils passeraient la nuit dans les bois. Elle irait n'importe où, pourvu que ce fût avec lui.

Ils allaient d'un bon pas. Laure ne voyait rien, car il n'y avait pas de lune, mais elle le suivait avec confiance. Elle retint son souffle lorsqu'ils s'arrêtèrent soudainement et qu'il posa un doigt sur ses lèvres. Un moment, il écouta attentivement, puis reprit la marche.

Laure s'habituait à l'obscurité, mais ignorait toujours où ils se trouvaient. Bientôt, elle reconnut le bruit de l'eau vive. Elle sut qu'ils longeaient un ruisseau, sans savoir exactement où ils allaient, ni dans quelle direction.

Elle ne pouvait s'empêcher de frissonner dans la nuit humide et froide. Elle claquait des dents et fit un immense effort pour s'apaiser. Elle avait froid jusqu'aux os, et ses pieds étaient si glacés que chaque pas lui faisait horriblement mal. Mais ils continuèrent à marcher d'un pas régulier, sans presque jamais s'arrêter pour se reposer, jusqu'à ce que le ciel pâlisse.

Laure ne voyait toujours pas beaucoup dans le noir. Au-dessus d'eux, les arbres formaient un couvert qui gardait encore l'aube à distance. Après un moment, François s'arrêta et se pencha pour ramasser quelque chose. Elle le regarda en silence, trop fatiguée pour même afficher de l'étonnement lorsqu'il souleva une grosse branche de pin qui dissimulait l'entrée d'une sorte de caverne. Il la poussa à l'intérieur et suivit aussitôt.

La caverne était d'une noirceur totale. À quatre pattes, Laure se dirigea à tâtons entre les pierres et les feuilles mortes, et avança lentement jusqu'à ce que sa main touche quelque chose de velu, de chaud et de doux. Elle poussa un cri de surprise. Derrière elle, François se mit à rire et alluma une chandelle.

La lueur vacillante éclaira toute la caverne et Laure regarda autour d'elle, renversée. Des piles et des piles de peaux étaient étendues devant elle : d'ours, de ratons laveurs, de castors, et d'autres qu'elle ne reconnaissait pas.

François la poussa et elle continua de ramper, s'étendant sur une grande peau d'ours et se couvrant d'une autre. Il posa la chandelle dans un bougeoir et vint immédiatement la rejoindre sous la couverture improvisée.

« Nous passerons la journée ici, dit-il en commençant à la déshabiller. Nous devons nous reposer, et il n'est pas prudent de passer la journée à marcher. »

Laure ne répondit pas. Elle était plus que désireuse de faire tout ce qu'il disait. Elle se tortilla pendant qu'il la déshabillait, se roulant sur la douce fourrure. Elle était de nouveau dans ses bras, et ne voulait plus risquer de le perdre.

Elle tenta de le déshabiller, mais il l'arrêta. Il repoussa la peau d'ours, exposant son corps nu et velouté à la lumière de la chandelle. Il mouilla son index et lui titilla le mamelon gauche jusqu'à ce qu'il durcisse et pointe.

Laure frissonna de délice. Elle n'avait plus froid, elle était immensément excitée. Il tira la langue et la fit trembloter sur son autre mamelon. Laure se cambra violemment, poussant sa poitrine vers sa bouche. François s'étendit de nouveau et rit.

«Tu es tellement ribaude», dit-il tout haut. Sa voix paraissait étouffée, à présent. Les sons pénétraient les parois de pierre de la caverne sans s'y répercuter. Laure ferma les yeux et passa ses mains sur sa propre poitrine. Comme il avait raison. Comme c'était bon d'être nue de nouveau, et de savoir que pour une fois ils ne risquaient pas d'être surpris. Elle n'avait plus à retourner au couvent, personne ne l'attendait. Elle voulait jouir de cet instant le plus possible.

Que diraient les religieuses de la ferme Pointe-Saint-Charles en s'apercevant de son départ? Elle ne s'en souciait guère. C'était sans importance, à présent. Sœur Mélanie serait sûrement inquiète, mais elle comprendrait vite que la disparition de Laure était en fait une bénédiction.

Laure ouvrit les yeux et regarda François. Il semblait content de la regarder se caresser. Elle se rappela à quel point cela avait eu peu d'effet sur Jérôme. Jérôme!

Elle referma les yeux et colla son corps contre celui de son amant. Elle ne voulait pas penser à son fiancé. Jérôme s'apercevrait bientôt qu'elle ne reviendrait pas et épouserait Agathe. Et maintenant, Laure avait tout ce qu'elle voulait : François.

Suivant ses mains à elle sur les contours de son corps, il lui prit les seins. Il avait tout le temps de caresser et de redécouvrir ce corps qui se consumait de désir pour lui depuis la première fois qu'il l'avait touchée. Il allait lentement faire monter sa passion jusqu'à ce qu'elle déborde de pur plaisir.

S'allongeant sur le dos, Laure écarta les jambes et fit remonter ses genoux. François glissa immédiatement sa main entre ses cuisses, mais la posa sur sa peau, tout simplement, pour un temps. Sous son toucher, elle sentit décupler le flux de sa rosée, et son clitoris se dressa pour se frotter contre la paume de sa main.

Les hanches de Laure se mirent à osciller, mais la main de François resta immobile. Laure l'utilisa pour s'exciter. Elle se caressa également les seins et se donna un orgasme pendant qu'il l'observait avec plaisir.

Mais alors que la jouissance l'emportait, les grognements et la respiration de l'homme lui indiquèrent qu'il s'excitait, lui aussi. Sans attendre que son propre plaisir diminue, elle se tourna vers lui et s'empressa de le déshabiller.

Il grogna, mais la laissa faire. Elle faillit lui déchirer la chemise en dénudant sa ferme poitrine, qu'elle couvrit immédiatement de longs coups de langue. Comme c'était bon de se retrouver près de lui ! C'était un territoire familier. Alors qu'elle était étendue sur lui, il remonta la peau d'ours pour la couvrir. Il saisit la pelisse à pleines mains pour lui caresser la peau, qui palpitait à présent. Cette enivrante douceur fit remonter son excitation.

Elle bougea les hanches jusqu'à ce qu'elle sentît la poussée de son membre dur. Il la pénétra profondément, et elle le laissa s'enfoncer doucement, bercée par le lent mouvement de son bassin. Ils se collèrent l'un contre l'autre et laissèrent le plaisir les emporter tour à tour.

Laure voulait que ce soit lent et doux. Plus tard, ils auraient tout le temps de s'adonner à la passion brûlante et débridée. Rapidement vaincue par la longue marche et la force du plaisir qui l'envahissait, elle tomba endormie dans son étreinte.

Plus tard, ils sortirent en silence de la caverne. François ordonna à Laure de ne rien dire et de ne rien faire. Ils épièrent et écoutèrent attentivement. Ils n'entendaient que le grondement d'une grande rivière, ponctué par le cri occasionnel d'un oiseau.

Laure craignait de devoir passer de nouveau la nuit à marcher. Mais si telle était la volonté de François, elle lui obéirait sans condition. Il ne lui avait pas encore dit où ils allaient, ni pourquoi. Et elle ne devait pas l'embarrasser de ses questions. Pourtant, elle se mourait de savoir ce qu'il était toujours en train de guetter.

À leur arrivée à la caverne, elle le croyait encore à la recherche d'un petit animal dont il pourrait vendre la fourrure à bon prix. Mais à présent, elle n'en était plus si certaine.

Après avoir marché un peu, ils s'arrêtèrent à la jonction de deux rivières. François se dirigea tout droit vers les buissons et, après avoir repoussé quelques branches, en tira un canot d'écorce. Il y laissa tomber ses sacs, saisit deux pagaies et en tendit une à Laure.

« J'espère que tu sais te servir de ça », dit-il d'un ton moqueur.

Laure prit la pagaie et la serra dans ses mains. Bien sûr qu'elle le savait. Elle se rappelait lui avoir raconté ses excursions de pêche avec son père lorsqu'elle était petite. À présent, elle comprenait pourquoi il s'était autant intéressé à son récit.

Il l'aida à embarquer, poussa le canot sur l'eau et sauta à l'intérieur. En silence, ils glissèrent sur la rivière. Par moments, le courant prenait de la force et ils n'avaient qu'à gouverner. Mais, de temps à autre, l'eau était aussi calme que le ciel, et ils devaient pagayer pour avancer.

Ils continuèrent ainsi pendant des jours et des nuits. Laure perdit la notion du temps.

À l'approche de l'aube, François devenait plus inquiet. Il ordonna à Laure de pagayer plus fort, plus vite. Mais, après des heures sur la rivière, elle était épuisée. Une fois de plus, la nuit avait été longue et Laure avait froid. Elle avait mal aux épaules et pouvait à peine continuer.

Soudain, François poussa un cri de triomphe et ils ralentirent. La rivière longeait un îlot qui pouvait passer inaperçu si on ne le connaissait pas déjà.

Il l'aida à sortir et elle s'effondra aussitôt sur le sol. François cacha le canot sous un grand tas de branches, puis en tira quelques-unes par-dessus Laure et lui. Lorsqu'il glissa ses bras autour d'elle, elle était déjà endormie.

Elle fut brutalement réveillée par la main de François sur son épaule, qui la secouait vigoureusement.

« Réveille-toi ! murmura François. Il faut partir ! Maintenant ! » Il parlait à voix basse et avec insistance.

Dès qu'elle fut complètement réveillée, Laure embarqua dans le canot et pagaya furieusement, comme le lui avait ordonné François. En constatant que le soleil était encore assez haut, Laure comprit qu'il se passait quelque chose d'anormal.

François regardait derrière lui presque à chaque minute. Laure devint inquiète et se retourna elle aussi pour voir ce qu'il cherchait. À présent, elle savait qu'il n'était pas en train de chasser de petits animaux à fourrure. Ses paroles lui revinrent peu à peu, et elle conclut qu'il était pourchassé.

Cela expliquait pourquoi elle ne l'avait jamais vu qu'à la nuit tombante, pourquoi il était toujours pressé de partir, pourquoi il ne se montrait jamais en ville et l'avait pressée de ne dire à personne qu'elle l'avait vu. Le mystère augmenta son excitation. Bien sûr, les fusils qu'il gardait à présent près de lui ne la rassuraient guère. Mais elle avait confiance : ils échapperaient à leurs poursuivants.

Le soleil plombait sur sa tête et sur son dos alors qu'elle continuait de pagayer. Au départ, elle avait été reconnaissante pour les chauds rayons. Depuis quelques nuits, l'humidité et le froid avaient été fort désagréables et la lumière et la chaleur du soleil avaient sur elle un effet bénéfique. Mais, bientôt, elle eut trop chaud et se sentit vraiment mal. Ses épaules la faisaient souffrir et elle avait l'impression qu'ils ne s'étaient plus arrêtés depuis des heures.

Soudain, François l'avertit : « On va bientôt descendre des rapides. On n'a pas le choix. On ne peut pas s'arrêter et il serait trop risqué de continuer à pied. Tu dois te préparer et suivre mes ordres à la lettre. »

Laure fit un faible signe de la tête. Elle ignorait la longueur des rapides, et si le canot tiendrait le coup s'il se heurtait à plusieurs reprises aux rochers. Déjà, on entendait la ruée des rapides qui semblait plus forte à mesure qu'ils approchaient.

La rivière avait été plutôt étroite et calme, mais soudain le courant prit de la vitesse et les emporta dans un tournant. Une autre rivière se jetait dans celle-ci et, ensemble, elles formaient une jonction grande comme un champ, où l'eau devenait écumeuse et bouillonnante.

François se leva dans le canot, en équilibre précaire, et observa cette vision d'enfer.

« Il faudra gouverner vers la droite, hurla-t-il par-dessus le rugissement en pointant dans cette direction. De toute façon, essaie de nous tenir à droite. »

Laure hocha la tête et se radossa. Un instant plus tard, le canot fut violemment secoué, éclaboussé de toutes parts. La première vague la heurta directement au visage et l'aveugla. Une fois la surprise passée, le froid la saisit. En quelques secondes, elle fut trempée.

Malgré le grondement assourdissant, elle entendit tout de même les cris de François qui la pressait de ne jamais cesser de pagayer. Ses mains étaient complètement gelées autour du manche, mais en elle l'excitation fit place à une explosion d'énergie chaude, et elle trouva la force de continuer.

Tous ses gestes obéissaient à l'instinct. Les pieds fermement posés au fond du canot, elle écarta les jambes jusqu'à ce que ses genoux touchent les côtés pour garder son équilibre. Elle garda les yeux bien fermés. Ainsi, elle ne serait pas aveuglée par l'eau chaque fois.

Déjà, le soleil avait commencé à descendre derrière les arbres et elle ne voyait pas grand-chose, de toute façon. Elle allait laisser la voix de François la guider.

Lui éclaboussant le visage, l'eau lui entra à la fois dans la bouche et dans le nez. Elle en crachait la plus grande partie, mais devait parfois en avaler de grandes gorgées. Elle étouffait lorsque cela la prenait par surprise, envahissait ses narines et sa gorge.

Elle sentit les manches de sa robe se déchirer sous la tension, mais elle ne s'en soucia pas. Une seule chose lui revenait sans cesse à l'esprit : à droite, toujours à droite.

À un moment donné, l'eau était plus profonde et, malgré la force du courant, ils n'eurent pas à éviter d'autres rochers cachés sous l'eau. Ils se reposèrent un peu, laissant le courant les transporter. Laure secoua la tête et écarta ses cheveux de son visage.

« Je crois bien que le pire est passé, cria-t-elle.

— J'ai bien peur que non, hurla François à son tour. Cramponne-toi ! »

Elle glissa la pagaie sous ses genoux et s'accrocha aux flancs du canot. Pour traverser cette partie des rapides, ils ne pouvaient que suivre le courant. François gouvernait à l'occasion. Mais, même invisibles, les rochers détournaient le courant avec violence, et le canot était secoué en tous sens.

Soudain, d'autres rochers apparurent. François jura, ordonna à Laure de pagayer, et ensemble, ils grognèrent en se propulsant encore plus loin. À présent, ils ne pouvaient que lutter contre les rapides. Ils étaient entrés dans un corridor profond et puissant qui ressemblait davantage à une série de petites chutes.

Secoué, le canot rencontra l'eau de biais. Laure dut se radosser pour ne pas être projetée vers l'avant, mais lorsque l'extrémité du canot retomba dans l'eau l'impact fut presque impossible à contrer.

La suite fut encore pire. Laure perdit l'équilibre et faillit passer par-dessus bord. Au dernier moment, elle attrapa le flanc du canot, mais laissa tomber la pagaie. Elle finit par s'écraser au fond, violemment secouée et incapable de se redresser.

Alors que le canot volait au-dessus de la bosse suivante, elle vit François presque jeté par-dessus bord. Serrant d'une main une poignée sur le flanc du canot, elle arriva à le saisir par la ceinture et à le ramener. À présent, ils étaient tous deux étendus au fond, sans pagaies et complètement incapables de gouverner le canot, tandis que le courant prenait de la force et les attirait inexorablement vers l'avant.

À un moment donné, ils furent pris dans un tourbillon. Ils tournoyèrent sans but alors que le canot était projeté d'un bord à l'autre de la rivière. Puis, plus rien. Pendant quelques secondes, ils eurent l'impression de voler, propulsés vers l'avant à mesure que la rivière baissait soudainement sous eux.

Le canot émit un craquement sourd en heurtant l'eau et Laure se sentit aspirée par un trou noir et humide. Elle eut à peine le temps de respirer en essayant en vain de trouver à quoi s'accrocher.

Elle glissa sur l'eau froide, puis sentit le fond du canot lui frôler le sommet de la tête. Elle se débattit et donna des coups de pied, tentant de nager à contre-courant. Sous l'eau, elle ne voyait rien, même les yeux grands ouverts. Elle avait les poumons brûlants, certaine de bientôt se noyer.

Au dernier moment, son pied toucha quelque chose de dur et plat. Elle se propulsa autant qu'elle put et, un instant plus tard, elle fit surface.

Elle continua à maintenir sa tête au-dessus de l'eau et repoussa sa chevelure de son visage. Devant elle, un mur d'eau tombait avec force et elle réalisa avec horreur la chute qu'ils venaient de faire. Le courant la tira davantage, puis diminua graduellement jusqu'à ce qu'elle puisse nager jusqu'à la rive.

S'effondrant sur le sol rocheux, elle tenta de reprendre son souffle, crachant encore de l'eau à l'occasion. Elle était vivante!

Elle s'attendait presque à ce que François apparût derrière elle. Mais étendue, tremblante, dans l'air froid de la nuit, elle perdit la notion du temps. C'est seulement lorsque le ciel pâlit qu'elle prit conscience qu'elle était encore seule.

Elle se redressa et regarda autour d'elle. Il n'y avait aucun signe de lui. De l'autre côté de la rivière, la moitié avant du canot était couchée sur le flanc, bercée par les faibles vagues. Un morceau de tissu flottait dans l'eau et elle reconnut son propre bonnet. Mais François?

Claquant des dents, elle se releva et l'appela. Sa voix se perdit dans la forêt vide et un grand groupe d'oiseaux s'envola. Elle marcha dans l'eau, aussi loin qu'elle le put, et tenta de fouiller la rivière à la recherche d'un signe de lui. Regardant vers le fond, elle voyait ses deux pieds et le lit de la rivière. Rien d'autre.

Tremblant encore de peur et de froid, elle regagna la rive à pied et se recroquevilla dans les buissons. Elle ne pouvait croire qu'il s'était noyé. Il fallait qu'il soit en vie. Il reviendra me chercher, se dit-elle avant de lentement s'assoupir.

Chapitre XVII

Des voix la réveillèrent. Laure bondit sur ses pieds, fébrile. François! Mais à qui pouvait-il bien parler? Elle regarda autour d'elle, soudainement réchauffée et bien éveillée. Elle ne voyait personne, mais les voix se rapprochaient. Puis, elle entendit un bruissement de feuilles juste derrière elle. Elle se retourna brusquement : « François! François! »

Des branches s'écartèrent et un grand homme blond sortit du bois. La surprise figea Laure. Il portait un uniforme militaire, mais ne ressemblait aucunement aux soldats qu'elle avait déjà rencontrés.

D'autres hommes suivirent, tous habillés comme lui. Comme ils se parlaient, Laure s'aperçut qu'ils étaient anglais. Celui qui se trouvait devant elle semblait être le chef de la bande.

« Où est l'homme? demanda-t-il d'un ton coléreux. Où est l'homme? »

Laure trembla, mais ne répondit pas.

« Où est l'homme? répéta-t-il. Où est François Dupuis? »

Laure était abasourdie. Qu'est-ce que ces Anglais voulaient à François? se demanda-t-elle. Était-ce pour cette raison qu'il s'était enfui de Québec et de Ville-

Marie? Mais pourquoi? Que lui voulaient-ils? Étaient-ils ses amis ou ses ennemis?

«Vous étiez avec lui lorsqu'il a quitté Ville-Marie, dit l'officier. Où est-il maintenant?

— Nous sommes tombés dans les rapides, répondit Laure avec précaution. Le canot s'est fracassé sur les rochers; je crois qu'il s'est noyé. J'ai bien failli moi aussi.»

L'officier regarda Laure un moment, sans vraiment la voir. Elle sentit ses yeux la transpercer, comme si elle n'était qu'un obstacle pour son regard pensif. Soudain, il se retourna et aboya quelques ordres. Les soldats se dispersèrent, barbotant dans l'eau ou fouillant les rives, à la recherche d'indices pouvant les mener à François.

Laure fut terrifiée. Elle ne voulait surtout pas que l'on retrouve son corps sans vie. Lentement, les soldats revinrent, l'un d'eux tenant quelque chose qui ressemblait à un chiffon trempé, mais que Laure reconnut: c'était la chemise déchirée de François.

Elle se cacha le visage dans les mains et éclata en larmes. Était-ce tout ce qu'il restait de lui?

L'officier fit quelques pas, puis s'arrêta et revint vers Laure. Il enleva sa tunique et la lui jeta sur les épaules.

«Suivez-nous», dit-il avec son fort accent anglais.

Après quelques jours de route, Laure devint impatiente et irritable. Elle n'aimait guère les Britanniques, et elle ne savait toujours pas où on l'emmenait ni pourquoi. Mais, au moins, elle n'avait pas à marcher avec les soldats. Le lieutenant Lindsay l'avait fait monter avec lui sur son cheval. Parfois, il la laissait même chevaucher seule et marchait à son côté. En général, il était fort gentil et civilisé. Cependant, leur destination semblait si lointaine que Laure perdit rapidement l'espoir de retrouver le chemin du retour. Mort ou vif, François était loin derrière, à présent. Malgré sa tristesse, elle était contente d'avoir tout un détachement de jeunes hommes pour s'occuper de ses moindres besoins. Alors qu'ils parcouraient en silence les bois et les champs, Laure sentait leurs regards sur elle et en était plutôt flattée. Le soir, lorsqu'ils s'arrêtaient, les soldats s'empressaient de lui céder leur tente, quitte à dormir dehors. D'autres fabriquaient toutes sortes de coussins pour qu'elle s'asseye, et lui fournissaient toujours de quoi manger.

Ils cherchaient tous à attirer son attention : ils lui apportaient des fleurs, lui tendaient leur mouchoir pour lui couvrir la tête si le soleil était trop fort. Mais, dans leurs yeux, elle lisait leur véritable motif, leur concupiscence. Et même si, jusqu'alors, ils l'avaient traitée avec le plus grand respect, elle savait qu'un simple geste de sa part pouvait changer la donne.

Curieusement, l'homme qui lui plaisait le plus était le lieutenant lui-même. Il lui rappelait René, l'amant qu'elle avait maintenant presque oublié. Ils avaient la même carrure et les mêmes cheveux pâlis par le soleil. À la différence que le lieutenant semblait totalement indifférent à ses charmes. Laure s'était tenue tranquille, écartant toutes les questions qu'elle brûlait de lui poser, par peur de le mettre en colère. Mais elle ne savait toujours pas où il l'emmenait, ni ce qu'il voulait à François.

Les nuits refroidirent et, après quatre jours, il commença à pleuvoir. Désormais, l'été sembla tout à fait éteint. Laure, constamment malheureuse, souffrait du froid et de l'humidité. Elle aurait donné n'importe quoi pour retourner à la ferme de Pointe-Saint-Charles. Elle se serait même contentée du couvent de Québec.

Cependant, à mesure qu'ils avançaient dans les territoires détenus par les Britanniques, Laure était contente de revenir à la civilisation. Les villes qu'ils traversaient étaient aussi densément peuplées que Québec, et il faisait bon de revoir des gens.

Les Anglais s'habillaient différemment, et leur comportement était un peu plus discipliné. Mais Laure avait l'impression de revenir enfin chez elle. Lorsqu'ils arrivèrent à la ville d'Albany, le lieutenant échangea son cheval contre une calèche. La dernière partie de son voyage fut la plus courte. Ils sortirent de la ville et atteignirent un camp militaire. La voiture s'arrêta devant une grande maison de pierre, et Laure mit pied à terre.

Une femme blonde et souriante apparut dans l'encadrement de la porte et étreignit le lieutenant. Sans même qu'on l'eût présentée, Laure devina que c'était sa femme. Elle lui rappelait Mme Lampron, mais avec quelques années de moins. Elle avait le même corps frêle et menu, les mêmes cheveux de lin, les mêmes traits fins et délicats.

En les regardant, Laure se dit qu'ils formaient le tableau parfait. Des souvenirs de son séjour au château de Reyval lui revinrent à l'esprit et son cœur tressaillit. Mais n'était-elle pas chez elle à présent? Elle allait demeurer avec ce couple et ils allaient prendre soin d'elle. Elle allait vivre comme elle était censée le faire au château : choyée et insouciante.

Lady Lindsay la regarda en souriant, pendant que son mari lui parlait. Laure ne comprenait pas ce qu'ils disaient, et il était évident que la lady ne parlait pas français. Mais ils sourirent à Laure, puis la firent entrer en silence. C'était leur façon de lui souhaiter la bienvenue.

La grande maison de pierre était meublée de façon assez austère, mais confortable. Dans la grande cheminée, un feu rugissant répandait sa chaleur. En entrant dans la cuisine, la lady dit quelques mots à sa servante, une vieille femme qui semblait sur le point de s'effondrer. Celle-ci alla chercher une grande casserole d'eau et la mit au-dessus de la flamme.

«Vous allez rester avec nous, dit le lieutenant à Laure. Je reviendrai dans deux jours.»

Il embrassa sa femme et partit. Lady Lindsay fit asseoir Laure à la table de la cuisine et la servante lui apporta de la nourriture. Laure dévorait tout avec voracité, sans jamais s'arrêter pour regarder autour d'elle. Lady Lindsay observait cette jeune ogresse en riant.

Dès que la dernière bouchée eut disparu dans la bouche de Laure, la femme l'emmena dans une petite pièce située à l'arrière de la cuisine, où la servante était occupée à préparer un bain. Maintenant, Laure n'avait pas besoin qu'on lui dise quoi faire. La servante n'avait pas encore quitté la pièce que déjà Laure était nue et entrait dans la grande baignoire de bois remplie à ras bord d'eau chaude et odorante.

Elle s'assit et frissonna avec délice. L'eau la chatouillait le long de son torse et lui léchait le dessous des seins. Elle gloussa en voyant ses mamelons se dresser sous l'effet de la chaleur. En la pénétrant, celle-ci effaça tout le froid et les douleurs du long trajet.

Levant les yeux, elle vit Lady Lindsay qui l'épiait du coin de la pièce. La femme remplissait d'eau chaude et d'un peu de savon un plus petit bassin de bois. Tout en rassemblant les vêtements que Laure avait jetés par terre, elle ne pouvait s'empêcher de regarder la belle baigneuse. Son expression trahissait à la fois de la curiosité et de la concupiscence, et peut-être un rien de satisfaction d'avoir trouvé un prétexte pour rester dans la pièce et s'en mettre plein la vue.

Naturellement, Laure aimait être contemplée par cette femme adorable. S'emparant du lourd savon posé sur le tabouret à côté de la baignoire, elle en frotta lascivement ses bras avant de se laisser couler. Elle poussa un grand soupir. C'était si bon, elle désirait ce bain depuis tellement longtemps.

On ne lui avait pas accordé depuis des années le luxe d'un bain chaud. Même au château, elle devait se baigner dans la rivière au cours des mois d'été, et, en hiver, l'eau était trop précieuse pour qu'on en gaspille à remplir toute une baignoire. Puis, au couvent, il n'y avait presque pas d'eau chaude. À présent, elle était gâtée.

Sentant encore le regard de Lady Lindsay, Laure souleva la jambe droite, posa le pied sur le rebord de la baignoire et fit glisser ses doigts savonneux le long de son mollet et de sa cuisse.

Lady Lindsay l'observait toujours. Elle faisait seulement mine de laver les vêtements de Laure, car elles savaient toutes les deux que sa robe s'était tellement déchirée, lors de sa descente de la rivière, qu'il valait mieux en faire des torchons. Mais cela donnait à la femme une excuse pour rester dans la pièce et contempler la brune sensuelle que son mari venait de ramener.

Jusqu'ici, Laure avait saisi une autre différence entre la lady et sa maîtresse du château : à ce moment, Madame se serait volontiers jointe à elle dans la grande baignoire. Lady Lindsay était sans aucun doute captivée par la vue du corps nu de Laure, mais elle avait besoin d'encouragements pour oser agir.

Laure se redressa, joua avec le savon jusqu'à ce que ses mains soient couvertes d'une épaisse mousse, puis commença à se laver le cou et la poitrine. Elle se nettoyait à fond, ses ongles raclant délicatement la peau fine de son cou. Mais lorsque ses doigts entamèrent leur descente vers ses seins, Laure ralentit à dessein ses mouvements et commença subtilement à se caresser.

De doux gémissements de délice montèrent de sa gorge, et elle ferma les yeux en traçant le contour de ses globes laiteux, laissant le bout de ses doigts frôler lentement et légèrement ses mamelons durcis.

Lançant de brefs regards vers Lady Lindsay, elle vit la femme rougir davantage, puis laisser les vêtements dans le baquet et sortir. Laure était déçue. Comment pouvait-on refuser un si magnifique étalage de sensualité ? Le sens des convenances de la lady était-il à ce point aigu que même la curiosité concupiscente ne pouvait s'emparer d'elle ?

Laure se laissa couler dans l'eau. Enfin, de nouveau, la vie était douce.

Ce ne fut que le lendemain matin que Laure saisit pourquoi le lieutenant et sa femme l'avaient hébergée. En quittant la table du petit-déjeuner, la servante lui tendit un seau et lui fit signe d'aller chercher de l'eau.

Perplexe, Laure regarda la lady tranquillement assise près du feu, occupée à faire de la broderie.

Déjà cela lui déplut, mais lorsqu'elle revint et que le seau fut échangé contre un balai, elle comprit tout. Ils voulaient qu'elle reste avec eux pour qu'elle devienne leur servante! Laure respira profondément, essayant d'étouffer les larmes de rage qui lui montaient aux yeux. Comment osaient-ils! Comment pouvaient-ils tenir pour acquis qu'elle acceptait de rester avec eux comme servante, uniquement parce que le lieutenant l'avait trouvée en forêt!

Elle accomplit ses tâches sans se plaindre ni protester, mais son esprit galopait. Elle savait très bien qu'elle ne pouvait pas partir. Elle ne retrouverait jamais le chemin du retour, et elle ne parlait même pas leur langue. La seule solution était d'attendre que le lieutenant revienne et de lui demander de la ramener en Nouvelle-France. Si François était mort, elle devrait recourir à ses propres moyens. Sa seule arme était sa détermination, mais, une fois sortie de la maison, que pourrait-elle faire si personne ne comprenait ce qu'elle disait?

Puis, elle pensa à ce qui l'attendait au retour. En un mot: rien. Alors qu'elle barattait du beurre en silence, elle regarda Lady Lindsay assise près du feu. Elle se rappela de quelle façon les Lampron l'avaient traitée. Ils avaient été assez heureux de l'inviter à prendre part à leurs jeux, mais quant à lui faciliter la vie…

Une idée prit lentement forme dans son esprit. Sa situation n'était pas très différente d'avant. Il y avait une façon de sortir d'une vie de labeur, la même qui lui avait permis d'entrer dans le lit de Madame. Seulement, cette fois, elle s'arrangerait pour y arriver rapidement, selon ses propres conditions.

Elle allait séduire la jeune Lady Lindsay. À la façon dont la lady l'avait observée lorsqu'elle prenait son bain, elle la sentait déjà attirée par elle. À présent, Laure devait amener la femme à penser que son mari l'avait ramenée des bois pour être plus qu'une servante.

Les ronflements provenant du lit voisin indiquèrent à Laure que la vieille Sarah dormait profondément. Durant la journée, la gouvernante était grognonne et plutôt portée à maltraiter Laure, mais dès que sa tête touchait l'oreiller elle devenait aussi raide qu'une bûche, et rien ne semblait déranger son sommeil.

Laure se leva en silence et se rendit à la chambre de la lady. Sous ses pieds nus, chaque pas produisait un léger craquement, mais elle continua. En haut des marches, la porte de la chambre de la lady était déjà ouverte.

Sur la table de chevet, la bougie était devenue un petit moignon qui dépassait d'une grande flaque de cire. La femme s'était endormie sans prendre la précaution de souffler la flamme.

En s'approchant, Laure vit la silhouette étendue sur le lit, la couverture tirée jusqu'à la taille. Mais ce qui attira vraiment son attention, ce fut le sein rond laissé à découvert par l'ouverture de la robe de nuit.

La chevelure de la lady s'étalait sur l'oreiller. Elle était plus épaisse et plus ondulée que celle de Madame, mais cela suffit à réveiller de délicieux souvenirs de l'époque du château.

Différent, aussi, était le mamelon au repos, gros et foncé. Madame avait de petits mamelons roses, toujours en érection. Laure s'assit légèrement sur le rebord du lit et, de l'index, traça lentement le contour du sein invitant.

Elle vit avec allégresse le mamelon se contracter graduellement sous son toucher, se plisser en une longue pointe rigide. La femme émit un soupir, mais demeura endormie. La main de Laure s'égara, glissant sous la robe de nuit ouverte pour offrir le même traitement à l'autre sein.

Sous la couverture, les hanches de Lady Lindsay bougèrent voluptueusement. Laure amplifia la caresse, prenant délicatement tout le sein dans le creux de sa main. Le visage de Lady Lindsay se crispa à quelques reprises, puis elle ouvrit les yeux.

Laure ne bougea pas. Un moment, les femmes se regardèrent en silence. Laure retira lentement sa main, ouvrit la robe de nuit pour mettre à nu la poitrine de sa maîtresse, puis plongea le pouce dans la flaque de cire.

Malicieusement, elle recouvrit les mamelons de la lady de cire liquide, la laissa refroidir, puis l'enleva délicatement. La forme du mamelon demeura dans le morceau solidifié que Laure porta à ses lèvres.

La lady resta immobile même lorsque Laure retira la couverture et souleva la robe de nuit pour révéler ses jambes. À la lumière de la chandelle, sa peau paraissait lisse et rosée. Laure se pencha et caressa amoureusement les cuisses dénudées, laissant errer ses doigts vers l'intérieur, sans jamais s'approcher du trésor buissonneux de la femme. Cela devrait attendre.

Lady Lindsay se tortilla légèrement et ses soupirs trahirent son excitation. Laure était tout aussi excitée. Elle n'avait pas touché de femme depuis l'épisode avec sœur Mélanie dans la cuisine. La perspective de se perdre de nouveau dans une douce étreinte faisait suinter sa chair de désir, mais elle s'obligea à se retenir. Elle avait prévu d'aller lentement, même si la rosée de la femme avait une odeur invitante.

Car elle sentait sa fragrance, douce et alléchante. Sous sa main, les cuisses tremblaient d'excitation et Laure sut qu'elle avait eu raison d'entrer dans la chambre. La lady gémit alors que Laure augmentait l'intensité de ses caresses, rapprochant ses mains de la fente humide encore cachée sous le rebord de la chemise.

Une seule fois, elle la toucha – une brève caresse du bout de son médius. La lady haleta et ouvrit ses cuisses, mais Laure n'accepta pas l'invitation. Elle se leva plutôt, souffla la chandelle et retourna dans sa chambre.

Le lendemain, Lady Lindsay ne put supporter le regard de Laure. Pourtant, elle se tenait toujours proche, suivant la servante sans raison. Chaque fois que Laure la regardait, la femme rougissait et détournait les yeux. Mais elle ne s'éloignait pas. Laure savait qu'elle avait envoûté sa proie. Même si la lady ne venait pas vers elle, elle ne refuserait pas ses avances non plus.

Ce soir-là, lorsque Laure entra de nouveau dans la chambre, la lady était assise dans son lit, nue. Elle tendit les bras lorsque Laure s'approcha, saisissant la main de la servante et la posant avec empressement sur ses seins.

Laure se mordit les lèvres pour se retenir de rire. Cela avait été si facile! Il n'avait fallu que deux jours pour que cette femme la désire! Que pouvait-elle faire d'autre, à présent, pour tirer le meilleur parti de cette situation? Les possibilités étaient infinies. Mais elle ne voulait pas y penser maintenant.

Laure retira rapidement sa robe de nuit et se glissa sous la couverture chaude. Lady Lindsay s'approcha avec hésitation, posa la main sur les hanches de Laure et attendit qu'elle bouge à son tour. Laure ne perdit pas de temps. Serrant la femme en une forte étreinte, elle caressa rapidement la peau rosée à laquelle il avait été si difficile de résister la veille. Cette fois, elle n'avait plus qu'à la prendre.

Sa bouche suivit immédiatement ses mains. Elle avait faim de cette femme. La lady semblait se contenter d'être caressée, étendue immobile, laissant sa servante prendre soin d'elle. Laure était excitée. Elle avait l'impression de n'avoir pas été avec une femme depuis des années. La douceur de la peau contre la sienne était incomparable. Elle en voulait davantage, caressait sans fin le corps adorable sur toute sa longueur, gigotait dessus, ce contact déclenchant de délicieuses et profondes sensations.

Elle finit par poser la bouche sur les mamelons qu'elle avait torturés la veille et les suça délicatement. Sous sa bouche, ils se plissèrent davantage, et Lady Lindsay poussa un gémissement sonore lorsque Laure les tira plus profondément dans sa bouche.

Laure se déplaça et descendit sa main pour caresser la chair gonflée de la lady. Elle fut étonnée de constater à quel point elle mouillait, comme si Lady Lindsay était restée excitée depuis la veille.

Sous ses doigts, les replis humides étaient fluides et gorgés, le clitoris énorme et dur comme un caillou. Dès que Laure le toucha, elle déclencha le premier orgasme de la femme. La bouche encore serrée sur le mamelon, elle suça fort, alors que la lady arquait son dos et criait de joie. Cependant, Laure ne lâcha pas prise. Elle continua plutôt de caresser la chair humide, sentant la rosée qui couvrait et réchauffait maintenant ses doigts.

Sa main allait et venait le long de la fente, et Lady Lindsay sursauta en une série de spasmes à mesure que les vagues successives de plaisir la secouaient. Laure se retira pour permettre à sa maîtresse de se remettre, et chevaucha la cuisse de la femme. Avec des mouvements lascifs des hanches, elle enfonça sa chair dans la peau rosée, sentant couler sa propre rosée qui lubrifiait son clitoris sur la cuisse tendue.

Elle atteignit l'orgasme peu après, sa bouche encore collée à la peau de sa maîtresse. La femme redoubla d'audace, ses mains caressant Laure d'abord d'une façon hésitante, puis de plus en plus avide.

Laure se retourna sur le dos, saisit la main de sa maîtresse et la posa sur sa chair humide pour lui montrer à quel point elle aimait être caressée. Cette femme était une élève sincère et obéissante. Ses doigts tremblotaient sur ses replis, la chatouillant délicieusement. Puis, sa propre main se joignit à celle de sa maîtresse et, ensemble, elles bichonnèrent sa fente jusqu'à ce qu'elle atteigne l'orgasme une seconde fois.

Sans prendre le temps de récupérer, Laure se glissa sur le lit et enserra rapidement de sa bouche la vulve de la femme. Elle y goûta brièvement, laissant le goût de l'odorante rosée remplir sa bouche avant de retourner en chercher davantage. La femme l'imita et colla délicatement le bout de sa langue contre le bouton rigide de la fille, avant de s'insinuer plus profondément dans sa caverne.

Laure n'était pas aussi délicate. Elle saisit l'énorme clitoris entre ses lèvres et le suça comme si c'était un petit pénis, le tenant par une forte succion tout en tirant sa tête du bout de sa langue.

Lady Lindsay hurla de plaisir, puis redoubla ses soins sur la chair de Laure. Elles atteignirent ensemble le paroxysme de la jouissance, puis se détachèrent pour reprendre leur souffle.

Laure retourna s'étendre à côté de sa maîtresse. Elle cherchait quelque chose à dire, mais savait que c'était inutile. Elle laissa plutôt ses mains et sa bouche parler à sa place.

Lascivement, Lady Lindsay posa une jambe sur la hanche de la servante. Elles se bercèrent ensemble, chacune utilisant la jambe de l'autre pour rallumer son excitation, tandis que les vagues de plaisir se retiraient graduellement. Laure était en joie. Maintenant qu'elle s'était rendue dans les bras de Lady Lindsay, elle avait des chances d'y rester, du moins les nuits où le lieutenant était parti.

Le lendemain matin, elle s'éveilla tard et ne voulut pas se dégager de la douce étreinte qui l'avait enveloppée toute la nuit. Contre son sein, le visage délicat de Lady Lindsay était calme et enfantin.

Laure bougea et sa maîtresse resserra son étreinte autour de sa taille. Elle cligna plusieurs fois des yeux, surprise de voir le soleil déjà si haut dans le ciel. Balayant la chambre du regard, ses yeux s'arrêtèrent soudainement sur ceux du lieutenant.

L'air ébahi de ce dernier fit lentement place à la colère. Son visage rugueux, couvert de barbe, et ses bottes et son uniforme couverts de boue et de saleté laissaient supposer que le chemin du retour n'avait pas été très agréable. Il ne s'attendait pas, en plus, à son retour, à trouver sa femme au lit avec Laure, leurs deux corps nus voluptueusement entrelacés après une nuit de passion sublime.

Laure se dégagea de son sommeil et s'obligea à réfléchir rapidement. Dieu seul savait ce qu'il allait lui faire, à présent. Elle était allée trop loin pour qu'il la mette à la porte. Ses bottes firent violemment trembler le plancher lorsqu'il se précipita sur le lit. Sa cravache siffla en l'air et atterrit au beau milieu de la couverture.

Lady Lindsay s'éveilla brusquement. Sa surprise se changea en horreur, et elle tira la couverture pour couvrir sa poitrine dénudée. Le lieutenant aboya quelques mots que Laure ne pouvait comprendre. Aussitôt, Lady Lindsay repoussa Laure et se cacha le visage, en larmes.

Le lieutenant continua de crier et sa femme de s'affoler. La cravache trembla dans sa main et Laure vit qu'il faisait un effort immense pour ne pas frapper de nouveau. Alors que la querelle se poursuivait, Laure se leva silencieusement, se dirigea vers lui et s'agenouilla servilement sur le plancher, face au lit, offrant son derrière nu à son regard.

Il fit quelques pas autour d'elle, appréciant sa posture accroupie, tout en se demandant clairement quoi faire. Lorsqu'il arriva à sa portée, Laure saisit sa botte et la baisa.

Elle était excitée par sa colère. Et maintenant, elle s'offrait à lui. Comment pouvait-il refuser ? Elle se croisa les bras sur le lit, baissa la tête et se cambra pour le premier coup.

Celui-ci s'abattit, mais pas aussi fort qu'elle s'y attendait. Le derrière contracté et la peau échauffée,

Laure gémit néanmoins de plaisir. Cela ranimait tellement de souvenirs...

Soulevant la tête, elle regarda Lady Lindsay, encore étendue sur le lit. Les yeux de la femme trahissaient à la fois sa terreur et sa fascination. Après le troisième coup, le lieutenant tomba à genoux à côté de Laure et se mit à lui donner la fessée à main nue.

Les coups furent d'abord de courtes claques. Peu à peu, toutefois, sa main ralentit et s'attarda chaque fois un peu plus longtemps sur les fesses de Laure. Après un moment, elle sentit ses longs doigts saisir sa chair, et elle gémit plus fort.

Le lieutenant se retint. Laure se retourna et vit ses yeux fixés sur sa chair étalée. Rampant derrière elle, il lui écarta les jambes et lui souleva le derrière vers son visage, qui s'abaissa soudainement.

Laure poussa un cri aigu lorsqu'il lécha avidement ses replis glissants et les attira dans sa bouche. Elle l'entendit grogner comme un ours alors qu'il se délectait d'elle, le souffle fort et rapide, les doigts sondant ses profondeurs et les caressant avec frénésie.

Laure fit signe à Lady Lindsay de s'approcher, de s'asseoir sur le rebord du lit et d'écarter les jambes. Tirant les cuisses de la femme par-dessus ses épaules, Laure posa sa bouche sur la chair qu'elle avait si longuement caressée la veille.

Serrée entre le lieutenant et sa femme, elle s'offrait à leur plaisir, silencieuse mais obéissante. Derrière elle, le lieutenant se mit à genoux et continua à caresser la fente humide de Laure tout en défaisant les boutons de sa culotte. Il la pénétra profondément et brusquement, sa puissante poussée propulsant Laure en lui enfonçant le visage dans la chair nue de sa femme.

Laure fit de son mieux pour amener Lady Lindsay à l'orgasme. Les replis humides furent bientôt recouverts de la rosée de la femme et de sa propre salive. Cela avait un goût de musc, parfois amer, mais Laure léchait avec application et suçait comme si c'était la meilleure boisson du monde.

Utilisant de façon experte le bout de sa langue, elle donna un petit coup au clitoris gonflé. Puis, elle le prit entre ses lèvres et le suça délicatement, propulsant une vague d'extase à travers le corps de la femme.

Derrière elle, le lieutenant poussait plus fort, mais moins rapidement. Chaque coup le rapprochait du paroxysme du plaisir et, bientôt, Laure sentit son membre tressauter en elle. Il lui frappa le derrière à quelques reprises en atteignant l'orgasme, puis lui tomba sur le dos.

Ses mains glissèrent sous elle et il saisit ses seins avec force. Laure cria et haleta alors qu'il jouait avec son bouton, le frottant d'un doigt rude jusqu'à ce que le plaisir soit si intense qu'elle dut se débattre pour se retirer.

Elle rampa et grimpa dans le lit avec sa maîtresse. Le lieutenant suivit de près. Les deux femmes l'aidèrent à se déshabiller et tous les trois se blottirent, ne cessant de se caresser mutuellement jusqu'au sommeil.

CHAPITRE XVIII

Laure perdit tout espoir en apprenant que Sarah était partie. La femme avait rassemblé ses quelques biens et quitté la maison. Elle avait sans doute attendu que quelqu'un la remplace pour prendre sa retraite. Maintenant que Laure était arrivée, elle pouvait finalement s'en aller.

Depuis une semaine, Laure avait passé ses nuits au lit avec le lieutenant et sa femme. Le jour, la vieille servante avait toujours eu quelque tâche à lui confier. Peu à peu, Laure avait espéré que les Lindsay la trouveraient trop précieuse pour la faire travailler.

Cependant, quand le lieutenant lui annonça qu'elle devrait désormais faire la cuisine, le nettoyage et tout le travail domestique, Laure protesta violemment.

« Comment pouvez-vous me faire ça ? hurla-t-elle. Je ne suis pas une servante ! Je refuse ! Je... »

Il la fit taire d'une gifle et lui saisit les poignets.

« Nous te faisons vivre, dit-il avec son fort accent. Si tu n'es pas heureuse, tu peux toujours partir. »

Il lui jeta un regard dédaigneux et sortit de la cuisine. Furieuse, Laure décida de s'asseoir dans un coin sans lever le petit doigt. Elle allait leur montrer. Tout demeura ainsi jusqu'à ce que le lieutenant vienne voir où elle en était à la fin de la journée.

Lorsqu'il s'aperçut qu'elle n'avait absolument rien fait, il piqua une crise de rage, renversa les casseroles et les poêles des étagères et lui lança de la nourriture. Il la saisit par le bras et tenta de la gifler de nouveau. Laure se protégea avec son bras libre et il finit par lui frapper le dos.

Puis il la jeta violemment dans le coin et partit, claquant la porte et la verrouillant derrière lui.

Seule près du feu presque éteint, Laure enfouit son visage dans son tablier et pleura. Qu'avait-elle fait pour mériter cela? Pourquoi, chaque fois qu'elle arrivait à rendre sa vie plus belle et plus confortable, quelqu'un ou quelque chose venait détruire ses plans?

Et pourquoi la vie lui lançait-elle ces provocations? Aussitôt qu'elle tirait le meilleur parti de sa situation, on aurait dit que le vent tournait. Le court laps de temps qu'elle avait passé avec François avait été paradisiaque, puis il s'était noyé. Et maintenant, si seulement le lieutenant voulait l'aider à retourner en Nouvelle-France, elle savait qu'elle trouverait le moyen de survivre. Au moins, elle choisirait son propre sort.

Elle se leva et se dirigea vers la fenêtre. Les jours ensoleillés étaient finis. Le temps était devenu froid et le sol avait gelé. Au loin, elle voyait des gens marcher en pressant le pas, chaudement emmitouflés dans des vêtements si lourds qu'elle ne pouvait distinguer les hommes des femmes.

La vapeur de son haleine embua la vitre. Sur les bords, une mince couche de givre s'était déjà accumulée. Ce serait bientôt l'hiver: cette longue et épouvantable saison dont elle avait tant entendu parler. Il était trop tard pour songer à partir. Elle ne savait où aller, et personne ne pouvait l'aider.

Elle devrait attendre le bon moment, passer l'hiver ici avec les Lindsay. Peut-être apprendrait-elle quelques mots d'anglais. Dès l'arrivée du printemps, elle rassemblerait tout son courage et trouverait la force de se rendre au nord. Irait-elle à Ville-Marie ou à Québec? C'était sans importance. Elle allait retourner chez les religieuses et implorer leur pardon.

Elle n'aurait jamais dû quitter le couvent. Même le mariage avec un fermier comme Jérôme lui aurait donné une meilleure vie que celle d'une servante. Au moins, elle aurait eu le choix.

Le lieutenant était en permission. Le jour, il donnait à Laure des tâches ménagères et supervisait son travail.

Lady Lindsay l'observait de loin, avec un air dédaigneux. Depuis son retour, le lieutenant avait été plutôt brutal avec sa femme, et celle-ci semblait croire que c'était la faute de Laure. Le soir, en se couchant, ils verrouillaient la porte de leur chambre.

Seule dans son petit lit, Laure pleurait souvent en frissonnant, se demandant combien de temps elle pourrait encore supporter cela.

Les choses semblèrent s'améliorer lorsque, un soir, au moment où elle se préparait à se mettre au lit, le lieutenant la fit venir dans leur chambre. Au cours des jours précédents, la tension entre sa femme et lui s'était amenuisée. Ce soir-là, Laure était certaine qu'il lui demanderait de se joindre à leurs ébats. Mais, en entrant dans la chambre, elle s'aperçut soudain que ce n'était pas le cas.

Dans un coin, près du lit, des chaînes et des fers étaient fixés au plancher. Dès qu'elle entra, Laure sut qu'ils lui étaient destinés. Le lieutenant lui fit enlever sa chemise et s'asseoir sur le sol.

Il la ligota comme une prisonnière, lui attachant les poignets et les chevilles au plancher, de telle façon qu'elle s'agenouille, bras et jambes écartés. Cette position l'excitait néanmoins. La seule pensée que le lieutenant lui ait demandé de se joindre à eux lui redonnait de l'espoir.

La chaleur du feu, à l'autre bout de la pièce, suffisait à peine à garder Laure au chaud. Derrière elle, le mur était glacial. Les fers à ses poignets et à ses chevilles lui mordaient cruellement la peau.

Cependant, Laure était si excitée qu'elle ne s'en préoccupait pas. Sur le lit, le lieutenant et sa femme étaient tous deux nus et la regardaient. Elle constata avec étonnement que le lieutenant avait un beau corps. Sa large poitrine était couverte de fins poils dorés, tout comme ses bras et ses jambes.

Elle n'avait pas eu le temps d'étudier son membre, l'autre nuit, mais en cette occasion il lui apparut dans toute sa gloire, long, rigide et à sa portée. Il s'agenouilla sur le lit et sa femme le prit docilement dans sa bouche. Dans son coin, Laure lécha instinctivement ses lèvres sèches, espérant pouvoir elle aussi le goûter ce soir-là.

Mais, à mesure que le mari et la femme s'excitaient l'un l'autre, ils accordaient de moins en moins d'attention à Laure. Elle était condamnée au rôle de spectateur solitaire, les regardant se caresser et s'embrasser, cruellement allumée par leur étalage lubrique.

Ce spectacle frustrait Laure et l'excitait à la fois. Même lorsqu'elle fermait les yeux, leurs soupirs et leurs gémissements atteignaient ses oreilles, et elle ne pouvait rien faire pour les arrêter. Ses mamelons pointaient dans leur direction, les suppliant en silence. Sa rosée suintait et dégoulinait maintenant sur ses jambes nues.

Elle aurait donné n'importe quoi pour qu'ils la libèrent et l'invitent dans leur lit, même si cela voulait dire passer le reste de sa vie à leur service. Mais quand elle les vit atteindre l'orgasme l'un après l'autre, ses espoirs s'évanouirent. Elle regarda, fascinée, les grimaces qui leur tordaient le visage à mesure que le plaisir les balayait. Ses oreilles résonnèrent de leurs cris de joie longtemps après qu'ils se furent éteints. Cela ne dura que quelques heures, mais à Laure cela parut une éternité.

C'était donc ça, l'enfer. Une tentation sans fin, une promesse jamais remplie. Elle serait obligée de regarder, sans jamais pouvoir toucher. Pas seulement une nuit, ni quelques instants, mais à jamais.

Le lieutenant se leva paresseusement, prit un châle abandonné sur une chaise, et le jeta sur les épaules de Laure. Puis, il retourna au lit, éteignit la chandelle et s'endormit.

Comme Laure l'avait craint, le même scénario se répéta chaque soir que le lieutenant était à la maison. Elle demeurait obéissante, ne refusant jamais de venir dans la chambre, espérant toujours que l'une ou l'autre nuit ils lui demanderaient de se joindre à eux.

Mais en vain. Le lieutenant parti, Lady Lindsay verrouillait sa porte et prenait ses distances avec Laure. Cela continua ainsi pendant des semaines, et Laure perdit graduellement tout espoir de changement.

Certains soirs, elle observait le lieutenant et sa femme, mais la vue de leurs corps nus ne l'excitait plus. Elle les regardait sans les voir.

Ils avaient anéanti son désir. Avec ou sans eux, elle ne prenait plus aucun plaisir. Dès le milieu de l'hiver, Laure avait perdu toute volonté de les quitter. Tout ce qu'elle désirait, c'était de la nourriture, des vêtements, un abri. Les Lindsay lui fournissaient tout cela, et le fait qu'ils se jouaient d'elle la laissait désormais indifférente.

Le lieutenant la fit sortir quelques fois, lui montrant comment aller au marché, demander ce qu'elle voulait et payer ses achats. Même en ces rares occasions, Laure ne ressentait aucune ardeur. Sortir lui paraissait épouvantable, même vêtue d'un épais manteau. Il semblait choisir les journées les plus froides et venteuses pour l'emmener avec lui. S'il l'envoyait toute seule, il notait l'heure de son départ et celle de son retour, comme pour l'empêcher de fréquenter d'autres gens.

Mais Laure ne semblait attirer l'attention de personne. Elle n'était qu'une servante et, de surcroît, française. Pressée, la tête basse, elle ne voulait plus rencontrer personne.

Lorsqu'elles apprirent que le lieutenant allait être muté plus au nord, Laure et la lady se mirent à pleurer. Ni l'une ni l'autre ne voulait partir, du moins pour l'instant. La route à cheval serait longue, et elles ne savaient pas quel genre d'hébergement les attendait.

Mais elles n'avaient pas le choix. L'armée britannique avait décidé de poster tout un détachement plus près des colonies françaises, et le lieutenant devait en faire partie. Il semblait aussi que cette maison paraissait trop grande pour eux trois seulement et, bientôt, un major et sa jeune famille allaient prendre leur place.

Ils emballèrent les objets de première nécessité, tout ce qu'il fallait pour le trajet de trois jours. Au moment de partir, on décida que Lady Lindsay monterait dans le traîneau, avec les épouses des autres officiers, tandis que Laure marcherait avec les soldats. On lui donna des bottes solides et un manteau supplémentaire. Cela ne la dérangeait pas. Les soldats étaient sympathiques et elle connaissait maintenant quelques mots d'anglais. Et puis, cela valait mieux que d'avoir à partager le traîneau avec Lady Lindsay.

Mais, seulement quelques heures après le départ, il commença à neiger et Laure fut glacée jusqu'aux os. La première nuit, ils montèrent les tentes derrière une auberge. Laure dormit à l'intérieur, sur le plancher, au pied du lit des Lindsay. Avant de se coucher, le lieutenant verrouilla la porte et mit la clé sous son oreiller. Laure ignorait si c'était pour l'empêcher de sortir ou pour faire en sorte qu'aucun soldat ne vienne lui rendre visite à l'improviste.

De toute façon, cela lui importait peu. Le plancher était dur, mais la chambre, chaude. Toutefois, elle savait qu'une seule nuit ne serait pas suffisante pour se reposer de la longue journée et avoir assez de forces pour affronter la suivante.

Le lendemain, elle descendit derrière ses maîtres. La plupart des soldats étaient déjà rassemblés dans la salle à manger, attendant jusqu'à la dernière minute pour quitter la chaleur et le confort.

En laissant errer son regard dans la pièce, Laure remarqua un homme qui l'examinait attentivement. Il ne lui était pas inconnu, même si ses cheveux défaits, sa barbe noire et ses vêtements miteux lui donnaient un air pitoyable. Laure détourna les yeux, mais le reste de la journée son image demeura gravée dans son esprit. Elle se dit qu'elle l'avait déjà vu, mais où?

Elle essaya de fouiller sa mémoire, depuis les premiers jours au château de Reyval. Elle y avait vu tellement d'hommes venir travailler l'été, et repartir pour toujours. C'était peut-être l'un d'eux. Mais ses souvenirs étaient anciens, et l'inconnu de l'auberge semblait plutôt jeune.

Incapable de se rappeler qui il pouvait bien être, Laure le chassa de son esprit. Dès le milieu de l'après-midi, il tomba une neige abondante et les chevaux s'épuisèrent rapidement à lutter contre les rafales.

Lorsqu'ils arrivèrent à une autre auberge, Laure regarda en silence les soldats décharger les chevaux. Puis, la nouvelle tomba : le voyage allait être plus long que prévu, d'au moins une journée, peut-être deux.

Laure saisit son sac et se traîna à l'intérieur. Avant d'entrer, elle jeta un coup d'œil autour d'elle, cherchant les Lindsay. Parmi les soldats, elle crut voir l'homme, l'inconnu du matin. Mais, lorsqu'elle scruta de nouveau la foule pour le retrouver, il n'y avait plus aucune trace de lui. Elle s'essuya le front, se retourna et entra. Elle avait dû l'imaginer. Pourquoi aurait-il suivi le détachement ?

Le troisième jour, ils ne s'étaient guère rapprochés de leur destination. Les hommes étaient épuisés et le vent soufflait si fort, par moments, qu'ils pouvaient à peine bouger.

Le blizzard les surprit de façon assez soudaine. Ils se trouvaient alors loin de toute colonie, et ne pouvaient s'arrêter. Tout d'abord, Laure avait marché avec les soldats. Mais, à mesure que le temps se gâtait, les hommes rompirent graduellement les rangs, posant aveuglément un pied devant l'autre, négligeant les ordres de rester groupés, et ils n'eurent pour se guider que les grelots du traîneau qui les précédait.

Ils balayaient la neige folle qui leur montait jusqu'aux genoux. Le manteau de Laure était figé par la couche de glace qui le recouvrait. Elle marchait péniblement, ses pieds tour à tour gelés et bouillants.

Comme elle n'avançait pas aussi vite que les soldats, elle prit bientôt du retard sur tout le monde. Devant elle, les autres étaient à peine visibles dans le brouillard, mais elle les suivait obstinément, car elle ne voulait pas qu'on la laisse seule derrière.

Cependant, le vent soufflait fort et elle devait garder la tête baissée. Malgré tous ses efforts, elle remarquait, à sa grande horreur, que les soldats disparaissaient progressivement devant elle. Même le son des grelots faiblissait.

Elle se retourna à quelques reprises, convaincue d'être suivie. Elle crut entendre respirer quelqu'un, mais chaque fois qu'elle s'arrêtait pour le chercher, il n'y avait personne. Elle ne pouvait se permettre d'attendre un homme qui n'existait probablement même pas. Les autres étaient déjà trop loin devant. Rassemblant tout son courage, elle courba la tête et continua de marcher.

Cela s'améliora lorsque le chemin les fit traverser la forêt. Les arbres coupaient largement le vent, mais la neige tombait tout autant. Laure savait qu'elle avait beaucoup de retard, mais, au moins, le détachement était encore en vue.

Elle s'arrêta pour reprendre son souffle et essuyer les larmes qui roulaient sur son visage et menaçaient de se changer en glace. Un peu plus tôt, son écharpe était partie au vent et elle n'avait pas pris la peine de la rattraper.

Ses lèvres étaient craquelées et douloureuses, ses joues rugueuses étaient engourdies.

Tout ce qu'elle voulait maintenant, c'était tomber dans la neige et s'endormir. La mort ne l'effrayait guère. Elle vit avec une indifférence complète les soldats disparaître devant elle.

Le vent souffla de plus belle et lui fouetta le visage. Laure ne bougea pas. Elle se rappela la fois où elle s'était débattue pour sortir du château en flammes. Sa volonté de survivre l'avait aidée à trouver des forces. Puis, lorsqu'elle était tombée dans la rivière, elle avait su remonter à la surface malgré son grand désespoir.

Mais, dans ce blizzard, elle était trop engourdie pour lutter. Elle desserra son poing, pencha la tête vers l'arrière, et poussa ce qu'elle crut être son dernier soupir. Elle ne pouvait plus faire un autre pas. Elle ne voulait ni se battre ni vivre.

Le vent la poussa à la renverse et elle se dit que seul son manteau rigide l'empêchait de tomber. Elle n'avait pas la force de réagir. Toutefois, lorsque quelque chose d'humide et de rugueux lui assaillit la bouche, Laure se débattit faiblement en essayant de crier.

« Chuuuut ! »

La voix semblait familière à son oreille, même si elle ignorait si c'était celle d'un homme ou d'une femme. C'était peut-être le vent. Ou une invention de son esprit gelé. Mais les bras qui la soulevèrent et l'emmenèrent dans les bois étaient réels. Ouvrant les yeux, Laure vit le barbu inconnu de l'auberge.

Son visage était à demi recouvert d'un châle épais, mais elle était certaine que c'était lui. Il l'emmenait. Elle ne savait pas où, mais ne s'en souciait guère.

Il haletait en bondissant sur des monticules de neige. Elle se doutait qu'elle était probablement très lourde dans ses bras, mais il était fort. Il ne prononça pas un seul mot en se frayant un chemin dans la forêt, loin de la route et du détachement. Par moments, il s'arrêtait pour regarder derrière lui. Laure, par-dessus son épaule, constata que les traces de ses pas s'effaçaient à mesure.

Les soldats ne pourraient pas la suivre ni la retrouver, lorsqu'ils s'apercevraient de sa disparition. Elle ignorait si elle devait s'en réjouir ou non. À présent, l'étranger marchait péniblement, et Laure s'assoupit dans ses bras. Il faisait noir quand il finit par la déposer à terre.

Ils se trouvaient au pied d'une petite montagne. L'inconnu grimpa les rochers enneigés comme des marches, et fit signe à Laure de le rejoindre. Elle attrapa son bras allongé et il l'aida à monter jusqu'à mi-flanc.

Là, à son grand étonnement, l'étranger se pencha, fouilla la neige épaisse de ses mains nues, et souleva un grand tas de branches de pin. Cette fois, Laure ne fut pas étonnée lorsque l'entrée d'une caverne apparut devant elle.

L'inconnu la précéda. Laure suivit, se traînant péniblement dans l'obscurité tandis que les branches tombaient et refermaient l'entrée derrière eux. Son cœur battait la chamade. Sous ses mains gantées, elle sentit le sol durci soudain devenir doux. Avec hésitation, elle enleva ses gants et le toucha à mains nues. De la fourrure! Ce ne pouvait pas être…

Mais lorsque l'inconnu alluma une lampe et la tint devant lui, Laure sentit monter des larmes à ses yeux et un sanglot s'élever dans sa gorge. Elle ne put supporter de regarder la main qui tenait la lampe, ayant peur de ce qu'elle verrait. Ou plutôt, elle était terrifiée à l'idée de ne pas voir ce à quoi son esprit lui disait de s'attendre. Mais, dans l'obscurité, elle distingua les yeux de l'étranger qui la fixaient avec insistance. Elle poussa un petit cri, convaincue de connaître ces yeux, ces deux perles noires…

La seule façon d'apaiser sa chamade était de regarder les mains. La chaleur la remplit aussitôt et elle cria en se jetant dans ses bras. Comment avait-elle pu ne pas le reconnaître ?

C'était sa main ; la même main qu'elle avait vue tenir une lampe, un matin, sur le bateau, et qu'elle avait reconnue ensuite lorsque la roue de la voiture des religieuses s'était brisée sur la route de Québec, il y avait si longtemps. Les longs doigts pâles courbés autour de la poignée de la lampe, les deux premiers tordus d'une manière qu'elle n'oublierait jamais. Et la bosse distincte sur le côté de son poignet.

Elle regarda de nouveau son visage. Il paraissait plus vieux, plus maigre, et sa barbe était si longue qu'elle cachait ses joues creuses qu'elle avait trouvées si attirantes. Cependant, le sourire était nettement le même. Mais comment était-ce possible ? François avait péri.

« Je croyais… Je croyais que tu t'étais noyé, dit-elle en commençant à trembler malgré elle.

– Et moi qui croyais la même chose de toi », répondit-il avant de l'embrasser.

Il la prit dans ses bras et la berça un moment comme un bébé, puis l'aida à se débarrasser de ses vêtements humides. La caverne où il l'avait emmenée était plus grande que la première, mais semblait beaucoup plus chaude.

Elle se tint debout, immobile, pendant qu'il la déshabillait. Ses mamelons, déjà durcis par le froid, réagissaient à présent à son toucher. Peu à peu, elle sentit son corps se réchauffer. De ses doigts chauds, il caressa lentement sa peau fraîche. Lorsqu'elle se fut glissée sous la fourrure, le sang coulait de nouveau dans ses veines, chaud et palpitant.

François se déshabilla rapidement et se joignit à elle. Dès qu'elle sentit son corps contre le sien, elle eut l'impression que le temps passé chez les Lindsay n'était qu'un rêve. Elle était de retour dans les bras de son homme, même si elle ne s'habituait pas à la barbe qui la chatouillait maintenant à chaque baiser.

Par contre, elle aimait la sentir traîner sur l'intérieur de ses jambes, puis frôler sa propre touffe. La bouche de François était rude et gercée par le froid, mais cela ne rendait leurs ébats que plus intenses. Elle aimait ses caresses rugueuses alors qu'il la goûtait, ses lèvres se dirigeant rapidement sur son clitoris et le polissant avec tant d'ardeur que ses cris aigus se répercutaient sur les parois de la caverne.

Elle jouit presque immédiatement, lui tenant la tête entre ses jambes. Il joua sans fin avec elle, déclenchant un plaisir si intense qu'elle se sentit bientôt épuisée. Il remonta pour l'embrasser, sa bouche et sa barbe humides de ses liqueurs.

Nichée dans ses bras, Laure rit et s'assoupit. Elle voulait le caresser et le torturer délicieusement, mais n'en avait pas la force. Et puis, elle en aurait suffisamment le temps plus tard. À présent, elle voulait seulement dormir, heureuse et en sécurité dans ses bras.

CHAPITRE XIX

L'hiver arriva tôt. Devant la fenêtre, Laure sourit en regardant une famille de ratons laveurs s'empresser de trouver un abri. Ils n'avaient pas complètement mué et la première neige les avait pris par surprise. La traite des fourrures serait bonne cette année.

Elle se retourna et s'accroupit près du berceau où bébé Roland dormait paisiblement. Papa allait bientôt revenir. Tant mieux, car elle voulait que François l'aide à fendre du bois.

Serrant son châle sur ses épaules, elle jeta une autre bûche dans le feu et s'assit sur la chaise berçante. Cette fois, il avait dit qu'il resterait pour l'hiver. Elle avait hâte de le voir revenir.

Il n'allait pas rapporter autant d'argent, mais c'était sans importance. Maintenant qu'il avait cessé d'espionner à la fois pour les Britanniques et pour les Français, la famille ne serait pas aussi riche, mais, au moins, elle serait en sûreté. Le rôle d'espion était trop dangereux. Ils se rappelaient vivement, tous les deux, leur quasi noyade en tentant de passer les rapides. Tout le monde le pourchassait, à l'époque. C'était du passé, maintenant.

Au loin, Laure vit un bateau glisser lentement en amont, vers Québec. Probablement le dernier de l'année.

Elle ne put s'empêcher de sourire de nouveau en se re-mémorant sa propre arrivée, des mois auparavant. Elle ne se serait jamais attendue à devenir épouse et mère si tôt.

En fait, cela dépassait tous ses espoirs. Leur maison, sur le chemin du village, était minuscule mais confortable, et surplombait la partie la plus magnifique du Saint-Laurent. Alors, tant pis s'ils ne possédaient aucune terre. Elle vivait avec François, et il prenait bien soin d'elle.

Elle ne s'ennuyait pas de Québec, ni d'ailleurs de Ville-Marie. Elle était si loin, à présent. En effet, cette maison se situait près de l'endroit où elle avait voulu débarquer en arrivant dans la colonie! Mais si elle l'avait fait, elle n'aurait probablement jamais rencontré François.

De temps à autre, elle pensait à sœur Mélanie et à ce qu'elle dirait si elle apprenait que Laure avait fini par s'établir. Oh, elle n'approuverait peut-être pas son choix. Laure reconnaissait que François n'était pas le plus honnête des hommes, mais, au moins, il avait toujours tenu ses promesses. Il était revenu la trouver chaque fois. Et lui seul savait la combler.

CET OUVRAGE
COMPOSÉ EN GARAMOND CORPS 14 SUR 16
A ÉTÉ ACHEVÉ D'IMPRIMER
LE SIX JANVIER DEUX MILLE CINQ
SUR LES PRESSES DE TRANSCONTINENTAL
POUR LE COMPTE DE
VLB ÉDITEUR.

IMPRIMÉ AU QUÉBEC (CANADA)